# Aristocrates
# rebelles

Ouvrage publié sous la direction de Jean-Baptiste Bourrat.

© Éditions des Arènes, Paris, 2017
Tous droits réservés pour tous pays.

Éditions des Arènes
27, rue Jacob, 75006 Paris
Tél. : 01 42 17 47 80
arenes@arenes.fr

*Aristocrates rebelles*
se prolonge sur www.arenes.fr

# GONZAGUE SAINT BRIS

# Aristocrates rebelles

LES ARÈNES

« J'appartiens à ce parti d'opposition qui s'appelle la vie ! » **Honoré de Balzac**

« Quand un homme marche à un autre pas que ses compagnons, c'est qu'il entend un autre tambour. » **Henry David Thoreau**

« Nous cheminons tous dans la vie les yeux fermés. C'est seulement en regardant en arrière que nous voyons quelque chose. Chaque homme est né pour être chevalier et pour mourir. Tous meurent mais peu deviennent chevalier. » **Mihaïl Chemiakin**

« La gloire ce n'est pas d'être arrivé, c'est d'être parti. » **Jules Verne**

« Faites que votre tableau soit toujours une ouverture au monde. » **Léonard de Vinci**

À la mémoire de mes grands-parents
le Comte et la Comtesse Saint Bris
déportés pour faits de résistance
morts pour la République et pour la France.

Voilà longtemps que je cherchais à rendre un hommage particulier à mes grands-parents, parce que leur destin noble et tragique a hanté ma jeunesse et a profondément marqué ma vie. Ils incarnent pour moi, dans la discrétion et la grandeur, l'exemple le plus parfait de ce qu'est l'aristocratie, c'est-à-dire des gens capables de défendre leurs valeurs au prix de leur propre vie. Résistants français pendant la guerre, alors qu'ils étaient dans leur propriété en Anjou, on leur a amené de nuit des parachutistes anglais égarés sur les bords de la Loire, qu'ils ont accueillis, sauvés, cachés puis aidé à repartir.

Malheureusement, Jean et Carmen Saint Bris ont été dénoncés et la Gestapo est venue les chercher dans leur propriété à Beauchesne pour les conduire vers les camps. Ils sont tous deux morts pour la France, victimes de leur charité, à cinq jours de différence, elle à Ravensbrück dans le camp des femmes le 10 décembre 1944 et lui battu à mort dans la neige à Gross-Rosen le 15 décembre 1944. J'admire leur courage, leur générosité, leur engagement, leur amour des autres, leur immense sacrifice. Ils n'étaient pas les seuls à avoir agi ainsi, mais ils furent l'incarnation exemplaire de ce que j'appelle « aristocrates rebelles ».

# « Rien sans amour »

L'aristocrate ne se définit pas par les privilèges qu'on lui attribue ni par ceux dont il s'empare. L'aristocrate est libre, suprêmement libre. Libre en demeurant fidèle à ses valeurs, autant que libre quand il échappe à sa condition. L'honneur de l'aristocratie est de servir. La compassion est son code secret, sa ligne de conduite.

Enfant dans le Val de Loire, face au portail du Clos Lucé, manoir de brique et de pierre, où Léonard de Vinci achevât sa vie et rendit l'esprit, je rêvais déjà devant la devise de ma famille : « Dieu avant tout ». Mais notre père, Hubert Saint Bris, jeune lieutenant au Premier bataillon de Choc, héros de la guerre et diplomate, l'avait traduite à sa manière… et c'était mieux : « Rien sans amour ».

L'aristocrate est noble parce qu'il sert les plus belles causes avec honneur. Il perd son panache et son statut quand il tombe dans la pire des servitudes, celle de la cour. L'aristocrate est lui-même lorsqu'il est libre, encore plus lui-même lorsqu'il est rebelle. L'aristocrate est fidèle à ses valeurs lorsqu'il reste et qu'il résiste, il est encore dans la ligne de son idéal lorsqu'il fait le choix de partir pour la bonne cause. Charles de Gaulle à Londres ou Roland de La Poype, jeune aviateur de la France libre, quand il se rend en Russie pour s'engager dans l'escadrille Normandy-Niémen où lui, le jeune marquis, finira décoré de la médaille des héros de l'Union soviétique.

Les aristocrates ne sont pas une race, ils sont eux-mêmes de toutes les ethnies, rien à voir avec la couleur de leur peau. On dit qu'ils ont *le sang bleu*, oui, c'est une image parce que c'est avec cette encre-là, au prix de leur vie, qu'ils écrivent l'Histoire.

Comme j'aime l'Histoire de ces cadets de familles qui ont quitté leur manoir, leur gentilhommière, leur campagne, leur forêt, pour découvrir le monde! Par quel miracle ont-ils ce don prodigieux en lâchant tout de se retrouver partout chez eux et parfois souverains chez les autres?

Dans la bibliothèque du monde, sur toutes les étagères de la planète, je les vois debout! Ils sont des livres au garde-à-vous dans la collection des petits soldats de nos rêves d'enfant.

J'ai toujours pensé que grandir consistait à se comparer à plus grand que soi et à tenter de s'élever jusqu'au niveau de son modèle. L'admiration est pour moi la meilleure des écoles, c'est la plus belle des universités.

Être tout à la fois aristocrate et rebelle pourrait, à première vue, passer pour contradictoire. Et pourtant, les deux termes sont bien souvent complémentaires, pour ne pas dire connexes, dans la mesure où, par éducation, par culture et par tradition, les aristocrates détestent, plus que tout, la routine, le conformisme et les préjugés. Parce que, à l'origine de toute famille aristocratique, se trouve toujours un homme qui, à un moment donné, a dit non en s'engageant, les aristocrates qui tiennent à la tradition peuvent, plus facilement que les autres hommes, incarner la contestation, la rébellion et même, parfois, la révolution, c'est à dire, en un mot, affirmer pleinement leur liberté d'être.

Le terme d'*aristocrate* signifiant littéralement *pouvoir de quelques-uns*, ces derniers, forcément, se doivent d'être sinon toujours les meilleurs, du moins les plus sincères, les plus originaux et les plus percutants, quels que soient les domaines dans lesquels ils ont décidé de s'investir ou de s'engager, la politique, l'armée, l'écriture, l'art, la science, l'humanitaire, la religion, ceux-ci n'étant pas exhaustifs. N'oublions pas que la plupart de ceux qui ont mené, contre la régence d'Anne d'Autriche, cette révolte qu'on appela la Fronde, étaient, derrière Condé et quelques autres, de haute noblesse, tout comme ceux qui, au siècle des Lumières, derrière Conti, Montesquieu ou Condorcet, pour n'en citer que quelques-uns, accueillirent et diffusèrent les idées nouvelles.

Il en alla de même de la Révolution où, en 1789, ceux qui la conduisirent furent d'authentiques aristocrates, animés du plus bel idéal. On doit au marquis de La Fayette, La Déclaration des droits de l'Homme et du citoyen, au vicomte de Noailles, l'abolition des privilèges, au comte de Clermont-Tonnerre, la protection des Juifs, et au duc de La Rochefoucauld-Liancourt, le partage des terres. Ils étaient des nobles de vieille souche ou de haut rang, tout comme ceux qui l'achevèrent, en particulier le plus célèbre d'entre eux, Bonaparte, même si ce dernier était de noblesse plus obscure. Enfin, il en fut ainsi en 1830 et 1848, ce que montre l'exemple éloquent de Lamartine ou encore, et on le sait guère, de Karl Marx, en Allemagne, de

Lénine, en Russie, ou de Chou-En-lai, en Chine, tous issus de la noblesse. Ces aristocrates, on les retrouvera dans les rangs de la Résistance, parfois aux côtés des communistes, d'Honoré d'Estienne d'Orves à Emmanuel d'Astier de la Vigerie.

Dans d'autres domaines, des aristocrates poursuivent l'aventure comme Philippe de Dieuleveult ou Olivier de Kersauson, grand navigateur et remarquable écrivain, aristocrate rebelle par excellence. J'ai cette image d'Olivier de Kersauson, enfant dans son manoir familial de Kerven près de Morlaix, découvrant les romans de Jules Verne. Il était émerveillé et terrorisé par l'apostrophe du capitaine Némo dans *Vingt mille lieues sous les mers*: «Cap sur nulle part!» Ainsi, de la mer à la terre et de la terre à la lune comme le clame l'auteur des *Voyages extraordinaires*: «La gloire ce n'est pas d'être arrivé, c'est d'être parti».

Du service de Dieu à celui de l'humanité, il est en effet facile, lorsqu'on est un aristocrate, de passer d'un extrême à l'autre, pourvu qu'on soit, surtout et avant tout, sincère. L'exemple d'Henri Rochefort, fils de marquis et communard, ou celui de Jérôme-Napoléon, fils de roi mais *prince rouge* prouve qu'on n'est pas obligé de suivre une voie tracée d'avance dès lors qu'on décide de s'engager avec ses convictions personnelles. Ce fut aussi le cas de Marguerite Yourcenar, dont le pseudonyme était l'anagramme de son nom de naissance Marguerite de Crayencour, voire d'une autre grande dame ayant avec autant d'esprit que d'impertinence, cultivé ses différences, Louise de Vilmorin. Mais la rébellion aristocratique prit aussi d'autres formes, comme celle de Charles de Foucauld qui quitta tout pour s'en aller au désert, en compagnie des Bédouins, vivre dans l'absolu des sables, une spiritualité complexe et inspirée.

Autant de destins croisés, à la marge des règles, mais toujours passionnés qui illustrent ce concept d'aristocrates rebelles vivant jusqu'au bout leurs passions, avec le mépris du *qu'en-dira-t-on*, des préjugés et des réductions faciles. De Gaulle et Churchill ont lutté sans faiblir jusqu'à l'écrasement total du nazisme et du fascisme, qui incarnaient le contraire de leurs valeurs. Nelson Mandela, petit-fils de roi, ne fit-il pas de même avec ce système atroce que fut l'*apartheid*? En ce sens il poursuivit l'œuvre d'une grande dame, la princesse Isabelle de Bragance, régente du Brésil qui, pour avoir promulgué la loi d'or abolissant l'esclavage dans son pays, fut renversée par les anciens propriétaires d'esclaves, et condamnée à finir ses jours en exil, en France, pays de la liberté.

Tout cela, c'est sans doute ce que Jean de La Fontaine a voulu montrer dans sa fable *Le Loup et le Chien*, où il brosse un savoureux parallèle entre le loup (le noble) et le chien (le bourgeois). Mais La Fontaine lui-même n'a-t-il pas été un aristocrate rebelle – et peut-être le premier d'entre eux – au Grand Siècle?

*Un loup n'avait que les os et la peau*
*Tant les chiens faisaient bonne garde.*
*Ce loup rencontre un dogue aussi puissant que beau,*
*Gras, poli, qui s'était fourvoyé par mégarde.*
*L'attaquer, le mettre en quartiers,*
*Sire Loup l'eût fait volontiers.*
*Mais il fallait livrer bataille*

Et le mâtin était de taille
À se défendre hardiment.
Le loup donc l'aborde humblement,
Entre en propre, et lui fait compliment,
Sur son embonpoint, qu'il admire.
Il ne tient qu'à vous, beau sire,
D'être aussi gras que moi, lui répartit le chien.
Quittez les bois, vous ferez bien ;
Vos pareils y sont misérables,
Cancres (miséreux), haires (sans crédit) et pauvres diables,
Dont la condition est de mourir de faim.
Car quoi ? Rien d'assuré, point de franche lippée (viande).
Tout à la pointe de l'épée.
Suivez-moi ; vous aurez un bien meilleur destin.
Le loup reprit : Que me faudra-t-il faire ?
Presque rien, dit le chien : Donner la chasse aux gens
Portants bâtons et mendiants,
Flatter ceux du logis, à son maître complaire ;
Moyennant quoi votre salaire
Sera force reliefs de toutes les façons (restes)
Os de poulets, os de pigeons,
Sans parler de mainte caresse.
Le loup, déjà, se forge une félicité
Qui le fait pleurer de tendresse.
Chemin faisant, il vit le col du chien pelé ;
Qu'est-ce là ? lui dit-il. Rien. Quoi ? Rien ? Peu de chose.
Mais encore ? Le collier dont je suis attaché
De ce que vous voyez est peut-être la cause.
Attaché ? dit le loup, vous ne courez donc pas où vous voulez ?
Pas toujours, mais qu'importe ?
Il importe si bien, que de tous vos repas
Je ne veux en aucune sorte,

*Et ne voulant pas même à ce prix un trésor.*
*Cela dit, maître Loup s'enfuit, et court encore.*

Ainsi ces vingt-quatre femmes et hommes que nous avons choisis montrent que les aristocrates refusent souvent le collier pour s'en aller où bon leur semble et prouvent qu'on peut vivre un destin, souvent contre l'avis de sa famille, de son milieu, mais plus encore contre tout ce que l'opinion publique croit être le lieu supposé de leur être.

C'est à cet esprit toujours présent de cette fraternité des héros issus de la nuit des temps que je dédie cet ouvrage, à celles et à ceux qui, même sous l'oppression, dessinent encore la nouvelle aurore. Ils sont à l'image de mes grands-parents, Jean Saint Bris et sa femme, née Carmen Renom de La Baume, héros de la Résistance morts en déportation, noblesse du cœur ou aristocratie de l'âme, comme vous voudrez. J'écris ce livre pour que leurs silhouettes floues bougent encore au-delà de la nuit et du brouillard des camps de Ravensbrück et de Gross-Rosen et que les mots ainsi tissés les installent – ils le méritent – dans le bonheur intime, partagé et enfin apaisé, de la tapisserie du temps.

Ainsi soient-ils toujours ces aristocrates rebelles, ces lumineuses figures du courage, de la foi, de la liberté, de la solidarité, de la compassion et de l'amour.

# Louis de Gonzague
## (1568-1591)

# La révolte sanctifiée

*Plaise à Dieu que nous sachions estimer toutes choses à sa valeur : nous verrons alors combien les honneurs que promet le monde sont vils en comparaison de ceux que Dieu nous réserve.* **Louis de Gonzague**

En ce commencement de l'été 1591, à Rome, les rues de la Ville éternelle, contrairement à l'habitude, sont vides ou presque. Malgré le beau temps qui règne, les rares passants, le dos baissé, hâtent le pas, tout en se protégeant la bouche d'un linge mouillé, pour ne pas être incommodés par l'odeur des cadavres qui brûlent sur des bûchers, dégageant, à l'infini, avec une fumée noire, une odeur âcre et tenace.

Depuis plusieurs mois les nobles de haut parage ont déserté leur palais pour s'installer, avec leurs domestiques, à la campagne, où l'air est considéré comme plus pur, tandis que le pape et ses cardinaux se sont retranchés dans leurs appartements personnels. Pourtant, quelques hommes habillés de noir, sont encore présents auprès d'autres hommes couchés à même le sol ou titubant, le regard hagard, le visage et le corps couverts d'abominables pustules qui, lorsqu'elles s'ouvrent, répandent une puanteur insupportable. Une fois de plus la peste, véhiculée par les puces portées par les rats, paralyse la sainte cité, cœur de ces États pontificaux qui regroupent un bon tiers d'une péninsule italienne partagée entre royaumes du Nord et du Sud et républiques patriciennes.

Parmi ces êtres vêtus de noir qui tentent de porter secours aux pestiférés, qu'on tente de conduire dans les hospices surchargés où officient des médecins vêtus de longues robes, le visage dissimulé par un inquiétant masque en forme de tête d'oiseau afin de les remplir d'herbes aromatiques, un tout jeune homme semble plus actif que les autres. De l'aube au crépuscule, il n'arrête pas, tenant un verre d'étain pour faire boire l'un, tentant d'appuyer une botte de paille pour redresser un autre, prodiguant ici une caresse fraternelle, là un encouragement, ailleurs une prière, qu'il accompagne d'un geste redoutable : celui de serrer fortement et longuement la main du patient. Ne ménageant pas sa peine et bien que, à force de privations, il soit maigre comme un clou – lorsqu'il mange un œuf entier il considère qu'il a participé à un festin ! – on le voit porter sur son dos quelque mourant qu'il a découvert, et même embrasser le répugnant visage d'un pestiféré en fin de course pour lui donner un peu de force humaine avant de comparaître devant son Créateur. En fait, tout lui est bon, pourvu que sa tâche soit la plus répugnante possible et même, en raison du risque aigu de contagion, la plus dangereuse. Pour tous, il est un exemple, un déjà saint, dont Rome connaît l'abnégation totale.

Au terme d'une journée plus exténuante que les autres, si c'est possible, après avoir avalé un bol de mauvaise soupe de légumes et un quignon de pain rassis, vers minuit, Louis de Gonzague va enfin se coucher sur le grabat qui lui sert de lit, dans la minuscule cellule qui lui sert de chambre. Soudain, des démangeaisons l'incitent à se gratter. En relevant les manches de son habit, il constate que, à chacune de ses aisselles, les bubons suppurés sont enfin apparus. Nullement effrayé, il sourit, se met à genoux et remercie Dieu de la grâce qui lui est faite de lui avoir donné cette peste dont, par expérience, il sait que, en règle générale, elle emporte en trois jours celui qui en est atteint. « Dans trois jours, Seigneur, je te verrai enfin », conclut-il son oraison. Depuis toujours, il sait que ses jours sont comptés et cela lui plaît, puisque, à l'instar de Jésus-Christ, il estime que l'essentiel de sa vie n'est pas de ce monde.

## Un jeune seigneur si différent des autres

Vingt-trois ans plus tôt, ce jeune homme vit le jour, le 9 mars 1568, au château de Castiglione delle Stiviere, résidence de Ferdinand I<sup>er</sup> de Gonzague, marquis de Castiglione et prince du Saint-Empire, et de Marta Tana de Santena, heureuse d'offrir à son mari son premier rejeton – qui plus est un garçon, son principal héritier, destiné à devenir un jour un seigneur magnifique, caracolant à cheval à la tête des troupes, présidant de magnifiques banquets en compagnie de ses commensaux, ou ouvrant le bal avec une superbe dame de haut parage, à la robe brodée de perles. Originaires de Venise, les Gonzague comptent en effet parmi les plus illustres familles de l'Italie du Nord, cette Lombardie où ils se sont emparés du marquisat, puis duché de Mantoue, dont leur ancêtre, avant de prendre le pouvoir, était le podestat. Certes, la branche à laquelle appartient Louis n'est que cadette, mais apte tout de même à monter, en cas de besoin, sur le trône ducal. Elle peut s'enorgueillir, cependant, d'alliances de prestige, en particulier celle avec sa famille maternelle, issue des barons de Santana et cousinant avec les Della Rovere, alliés des Médicis. La mère de Louis, du reste, ne fut-elle pas, jusqu'à son mariage, dame d'honneur de la reine d'Espagne Isabelle de Valois, fille du roi de France Henri II?

Voué à la Vierge, dès le berceau, Louis de Gonzague fut éduqué dans un catholicisme assez austère, sous l'influence d'une mère extrêmement portée sur les questions religieuses, même si, naturellement, son père veilla à lui faire inculquer tout ce qu'un aristocrate de son rang devait savoir et maîtriser: lire, écrire, compter, monter à cheval, chasser, danser, connaître la politesse du monde et le maniement des armes, qu'elles fussent blanches ou à feu. Mais, malgré les efforts de Don Ferdinand, ses sept ans révolus, Louis sembla davantage concerné par la spiritualité que par les exercices physiques et, déjà, laissait libre cours à une rébellion contre son état qui, pour être douce, n'en était pas moins ferme, d'autant qu'elle était visiblement appuyée par sa mère, à qui l'enfant fit un jour cette confidence: *Madame, vous avez manifesté le désir d'avoir un fils religieux; je crois bien que Dieu vous en fera la grâce.* Son père sentit-il cette secrète complicité dévote entre son épouse et son aîné? On ne sait, mais, toujours persuadé que ce dernier allait devenir le grand seigneur de son temps, il l'amenait partout : à Rome, pour remplir ses devoirs auprès du souverain pontife ; à Casal, où se préparait une expédition pour Tunis ; à Florence ensuite, où il le fit étudier, en particulier le latin, pendant deux ans ; à Madrid enfin, où, ses treize ans fêtés, âge à l'époque de la majorité légale pour tous les hommes (qu'ils soient fils de roi ou fils de paysans), il se forma aux usages de cette cour d'Espagne, dans laquelle ses parents avaient naguère gravité et dont le chef régnait encore sur une bonne partie de la péninsule italienne.

Louis prit donc place parmi les pages du roi Philippe II, avant de suivre son père à nouveau, mais cette fois à la Cour de son parent, le duc de Mantoue, qui venait de le nommer gouverneur de Montferrat. C'était l'époque où l'a peint Véronèse, l'année de ses dix-sept ans, en habit noir, collerette immaculée, la main droite posée sur le pommeau de son épée, comme prêt à dégainer pour régler une affaire d'honneur, la coiffure impeccable, le regard noblement posé sur le spectateur, tel qu'un gentilhomme doit l'être. Les dames commençaient-elles à le regarder en se demandant laquelle aurait son pucelage ? Il ne les voyait pourtant plus, puisque, à Florence, alors qu'il n'avait pas atteint sa dixième année, il avait fait intérieurement vœu de chasteté, dans l'église de l'Annunziata, où il priait la Vierge, ce qui était assez paradoxal puisque cette ville passait alors, avec Venise, pour l'une des plus libres d'Italie sur le plan des mœurs, celle où tout était permis, ou presque, dès lors qu'on était riche.

De retour au château familial, Louis reprit, avec la complicité tacite de sa mère, ses exercices de dévotion, ses privations alimentaires, ses macérations, ses jeûnes, ses oraisons et ses lectures pieuses, étant à présent persuadé que seule la vie religieuse pouvait lui convenir. Ni la compagnie des jeunes gens de son âge et encore moins celle des filles, ni la chasse, ni les bals, ni les banquets, ni les tournois auxquels ses contemporains sacrifiaient volontiers, ni même la comédie, le jeu et la musique ne l'attiraient. Jour après jour, il se retranchait ainsi un peu plus du monde, ce qui désespérait son père lorsqu'il revenait au logis, découragé par l'extraordinaire résistance de son fils insensible aux reproches comme aux flatteries, à la douceur comme à la violence ! Devenant extraordinairement savant de par ses lectures, le pieux jeune homme discutait avec autorité lors qu'un dignitaire de l'Église faisait étape chez ses parents, tel le futur saint, Charles Borromée, alors archevêque de Milan et cardinal, stupéfait par l'étendue de ses connaissances.

Se privant des plaisirs de la table, ordonnant qu'on ne fît pas de feu dans sa chambre l'hiver, passant des journées à genoux à même le sol et s'imposant des pénitences de plus en plus fortes, Louis de Gonzague forçait l'admiration de son entourage, lorsqu'il faisait part de son mépris pour les richesses, le faste et le pouvoir caractérisant la lignée à laquelle il appartenait. Ayant, en Espagne, admiré l'action des membres d'un nouvel ordre religieux, les Jésuites, fondé par François-Xavier, il caressa le désir d'y entrer, en partie parce que ceux-ci ne briguaient pas les dignités ecclésiastiques auxquelles leur naissance les prédestinait s'ils choisissaient de suivre la voie religieuse. À cette nouvelle, en effet, le marquis de Castiglione entra dans une vive colère et rappela à son fils qu'étant l'aîné de sa lignée, il devait renoncer. Mais rien ne put ébranler la résolution du jeune homme, ni les menaces, ni les promesses, ni même le chantage affectif consistant à lui faire croire que les intérêts de leur maison seraient menacés si on les confiait à son cadet, infiniment moins doué que lui. Et Ferdinand de Gonzague, brisé par une résistance supérieure à tout ce qu'il avait connu jusque-là et par la seule rébellion qu'il n'eût jamais pu prévoir, finit par s'incliner. *Mon fils, tu m'as frappé au cœur, car je t'aime et je t'estime comme tu le mérites. J'avais placé en toi toutes mes espérances et celles de notre maison, mais puisque Dieu t'appelle, je ne veux pas te retenir.*

## L'abnégation à la fleur de l'âge

Le 2 novembre 1585, Louis de Gonzague renonça donc officiellement à ses droits naturels, y compris ceux, héréditaires, sur le duché de Mantoue, en faveur de son frère cadet Rodolphe. Sans se retourner, il partit aussitôt pour Rome, où, quelques semaines plus tard, le marquis d'Olivarès le présenta au pape Sixte Quint. Celui-ci approuva la vocation du jeune homme et lui donna sa bénédiction. Louis, à genoux, prêta ensuite allégeance au général des Jésuites, le père Claude Aquiviva, et entra au noviciat de Saint-André du Quirinal. Tout en poursuivant ses macérations et exercices de piété, il y passa six ans à étudier et, le 25 novembre 1591, alors qu'il venait de franchir sa dix-neuvième année, il prononça ses premiers vœux. Il intégra ensuite le Collège romain pour suivre ses études universitaires sous la direction spirituelle de

Robert Bellarmin qui obtint le plus difficile pour ce sujet habitué certes à toutes les mortifications, mais pas à la seule chose qui le rattachait encore à sa naissance, l'orgueil de commander. Désormais docile, celui qui, parallèlement à ses études, mendiait dans les rues de Rome pour les pauvres, visitait les malades et les prisonniers, ou s'en allait dans les campagnes prêcher la bonne parole aux paysans, devait désormais obéir en tout à ses supérieurs, ce qu'il finit par faire, y compris lorsqu'il accomplissait les tâches ménagères les plus humbles, comme plier le linge, balayer le réfectoire, faire la vaisselle ou nettoyer les latrines. Là, il devint successivement novice, acolyte puis lecteur.

Comme on l'a vu, les derniers mois de sa brève existence terrestre, Louis de Gonzague les passe au service des pestiférés. Le 21 juin 1591, à Rome, ayant contracté ce mal, il rend son âme à Dieu, à l'âge de vingt-trois ans, dans l'infirmerie de la maison des Jésuites, édifiant jusqu'au dernier moment les témoins de sa fin, frappés par le rayonnement interne de son regard inversement proportionnel à la terrifiante déchéance de son corps à même posé sur le sol. Ses restes reposent depuis dans une châsse en lapis-lazuli en l'église Saint-Ignace de Rome, qui ne tarde pas à devenir un lieu de pèlerinage, tandis que nombre de peintres vont faire de ce singulier jeune homme le thème de nombreux tableaux, en particulier Tiepolo, Guérin ou Goya lui donnant toujours cette apparence de jeune premier au regard inspiré semblant de ce fait incarner l'idéal évangélique. Le 12 mai 1726, après constatation d'un nombre suffisant de *miracles*, Louis de Gonzague est béatifié par le pape Clément VIII et, le 26 avril 1726, canonisé par le pape Benoît XIII. Ceci explique que, à partir de cette date, le nom de Gonzague soit devenu un prénom. Saint Louis de Gonzague, dont la fête est célébrée le 21 juin, est, aujourd'hui, le saint patron de la jeunesse catholique, mais aussi celui des personnes atteintes par le virus du sida, preuve de la modernité des combats de cet éternel jeune homme au service de ceux qui souffrent.

# Savinien de Cyrano de Bergerac

## (1619-1655)

# Le baroque libertin

Je croyais être par l'opinion d'Aristote un animal raisonnable,
mais je vois bien qu'il me faut me résoudre à cesser d'être
ce que je suis, du moment que je cure de fouiller ma poche.
**Savinien de Cyrano de Bergerac**

L e 28 décembre 1897, à Paris, au théâtre de
la Porte Saint-Martin, la salle archicomble
retient son souffle lorsque fusent les répliques
d'une pièce, dont le style si nouveau, tout à
la fois naturel et sophistiqué, subjugue les spectateurs.
D'un rythme trépidant, ce texte, qui fait songer à du
Corneille réécrit par Victor Hugo, avec des emprunts
au mélodrame populaire des grands boulevards de
l'époque louis-philipparde, est un mélange de poésie,
d'humour et de brio, qui fascine, séduit et enthousiasme autant les femmes bouleversées par la scène
d'amour entre Christian et Roxane, que les hommes
heureux de s'imaginer, en chapeau à plumes, ferraillant
dans les ruelles obscures du Paris de Louis XIII, en se
lançant des interpellations cocardières.

À trois ans du nouveau siècle, sous le mandat du président Félix Faure, marqué par l'affaire Dreyfus finissante, cette foule de boutiquiers, d'employés, de fonctionnaires, de militaires ou de rentiers, composant un échelon représentatif de l'opinion publique, est heureuse de sortir de la routine quotidienne d'une nation prospère mais qui s'ennuie, en se plongeant dans ce Paris du Grand Siècle où la France semblait plus glorieuse que celle d'aujourd'hui. Privés, depuis la défaite de 1870, de l'Alsace et de la Moselle, les Français, qui cherchent de l'enthousiasme, le trouvent dans les types humains de cette brillantissime pièce leur paraissant bien moins conventionnels que ceux de Labiche, de Feydeau ou de Courteline, avec leur cortège de rentiers ridicules, de maris cocus et de cocottes énamourées, sur fond de révolution industrielle et de conformisme bourgeois.

L'espace d'une soirée, le public apprécie donc ces bons mots si typiquement français et ce *bricolage dramaturgique*, comme allait le dire plus tard un critique, mené tambour battant, ou *cet exquis charabia*, selon un autre, dans lequel il ne s'ennuie pas une seconde, malgré cinq actes assez longs, 1 600 vers à écouter et un nombre important de personnages à découvrir. La concentration est telle qu'on entendrait voler une mouche lorsque, sous les feux vacillants de la rampe, Constant Coquelin, le grand comédien du moment, en culottes bouffantes, justaucorps bariolé, ample cape rouge, collerette et épée au côté, après avoir servi avec un brio incroyable cette apothéose du romantisme flamboyant, se prépare à incarner la mort de son personnage, blessé dans une embuscade. À cet effet, il chancelle et s'effondre en prononçant ses derniers vers. Le rideau tombe et un tonnerre d'applaudissements, de vivats et de cris éclate alors, laissant pantois les comédiens, le metteur en scène et surtout l'auteur, ce Provençal de vingt-neuf ans qui, le matin même, terrorisé par le doute, s'excusait auprès du directeur du théâtre de l'avoir entraîné dans cette aventure, dont il pressentait qu'elle allait se finir en catastrophe. En fait, c'est seulement à trois heures du matin que le théâtre se vide, après pas moins de… quarante rappels, du jamais vu jusque-là !

Qui aurait, cru, en effet, quelques jours plus tôt, que cette pièce d'un auteur inconnu – qui entra à l'Académie française à trente-trois ans – allait connaître plus de mille représentations, rapporter plus de deux millions de francs et ne jamais plus quitter le répertoire avant d'être immortalisée, d'abord par l'opéra, ensuite par le cinéma, puis jouée partout dans le monde, y compris au Japon ? Ce soir-là, le Cyrano de Bergerac d'Edmond Rostand, comme Astérix un siècle plus tard, entre tout à la fois dans l'histoire littéraire de la France et dans l'inconscient collectif des Français, comme l'un des types humains les plus accomplis de leur présumée caractérologie : grande gueule, emporté, susceptible, généreux, tendre, drôle, retors et courageux, à tel point que chacun, aujourd'hui, est persuadé que l'homme fut ainsi, tel que l'immortalisa Rostand.

Sauf que tout est faux ou presque, puisque Cyrano était son nom et pas son prénom, qu'il n'était nullement de Bergerac – où pourtant se dresse sa statue ! – qu'il ne possédait pas de long nez, et ne brûla pas d'amour pour Roxane, puisqu'il était gay (on disait *bougre* en son temps) et fut plutôt connu comme écrivain libertin (au sens philosophique, c'est-à-dire incroyant) que comme soldat traînant son inaction entre deux batailles ! Reste qu'aristocrate, il le fut, et rebelle plus encore, lui qui mena une vie en rupture de ban, mais à la singulière créativité, ce que fit, pour sa gloire, certes, mais aussi sa méconnaissance, son double imaginé par Rostand avec lequel il conserve malgré tout quelques points communs : le panache, le goût des mots et la féconde imagination. Ceci explique pourquoi si le Cyrano de Rostand est aujourd'hui dans toutes les têtes, le personnage éponyme qui lui servit de modèle est bien oublié, et c'est dommage car il est loin d'être sans intérêt. Il est vrai que, faute d'archives, on ne le connaît que par quelques témoignages de son temps, en particulier la biographie que lui consacra son ami (et probable amant) Charles Coypeau d'Assoucy et quelques témoignages issus de ce Paris qu'il ne quitta pratiquement jamais, et dont il incarne tout à la fois l'image et l'esprit, sur fond de *Gazette* de Théophraste Renaudot et de gravures d'Abraham Bosse ou de Caspar Merian, telle celle qui le représente – le seul portrait qu'on ait de lui – le visage pris de trois quarts, les cheveux sombres rejetés en arrière, le regard amusé, le nez busqué, la bouche sensuelle sous une petite moustache, le cou long émergeant d'une chemise sans col dessous un manteau à l'antique.

## L'itinéraire d'un mauvais sujet parisien

Savinien de Cyrano de Bergerac, le vrai, naît donc le 6 mars 1619 à Paris, rue des Deux-Portes (aujourd'hui rue Dussoubs, dans le IIe arrondissement), au ménage du sieur Abel de Cyrano, seigneur de Mauvières et de Bergerac, et de dame Espérance Bellanger. La famille paternelle, originaire de Sens, appartient, comme c'est souvent le cas sous l'Ancien Régime, à cette bonne bourgeoisie enrichie par le négoce, qui finit par accéder à la noblesse par l'achat d'une charge judiciaire, en l'occurrence celle de conseiller au parlement de Paris, acquise par le grand-père de Savinien. Ceci leur donne le droit d'arborer pour armoiries *d'azur au chevron d'or armé et lampassé de gueules, et en pointe un lion, la queue posée en sautoir au chef cousu du dernier.* Il en va de même de la famille maternelle, originaire de l'Ouest, avec celle de contrôleur des finances en la recette générale de Paris, acquise par l'autre grand-père, Étienne Bellanger, issu, lui, d'un lignage de médecins ordinaires du roi. Une petite originalité est à signaler tout de même, dans le pedigree du futur écrivain : un aïeul de l'épouse de ce dernier, Audebert Valeton, receveur des fourrages de son état, fut brûlé vif sous François I$^{er}$ pour avoir joué un rôle dans l'affaire des Placards ! Autre particularité, Savinien de Cyrano est un enfant de vieux, ce qui est assez rare en son temps, et le cadet de six enfants dont trois seulement vont survivre, lui-même, Abel, le benjamin, et Catherine, leur sœur aînée, qui va devenir religieuse au couvent des Dominicaines du faubourg de Charonne, où elle va s'éteindre très âgée, au début du siècle suivant.

Quelques années après la naissance de Savinien, le couple quitte la capitale pour s'installer moins dans un château que dans ce qu'on appelle une *maison noble*, sur les terres de sa seigneurie de Mauvières et Bergerac. Celle-ci ne se trouve pas en Gascogne, mais à quatre lieues de Paris, à peine, dans la vallée de Chevreuse, sur les bords de l'Yvette, et se compose, avec quelques terres, d'une maison, d'une cour, d'une grange et d'un moulin, ensemble situé entre Dampierre et Chevreuse dans l'actuel département des Yvelines. C'est là que Savinien est élevé et reçoit du curé du village les rudiments de l'instruction, avant d'être envoyé, l'âge de raison venu, dans un collège parisien dont on ne connaît pas le nom, peut-être celui de Beauvais, suggèrent certains, avec pour correspondant son oncle Samuel de Cyrano, *trésorier des offrandes, aumônes et dévotions du roi*, qui demeure avec sa famille rue des Prouvais. Il a pour professeur le docte Jean Grangier que, plus tard, il va caricaturer dans sa pièce *Le Pédant joué*. Encore quelques années et ses parents reviennent à Paris, dans le Quartier latin, près de l'église Saint-Jacques-du-Haut-Pas où, un peu plus tard, Blaise Pascal effectuera ses premières expériences sur la barométrie.

Ce retour est-il consécutif aux embarras financiers du couple les ayant contraints à vendre leur terre de Bergerac? Peut-être. Savinien de Cyrano restera donc de Bergerac, mais à titre purement virtuel, puisqu'il n'en possèdera jamais la terre. À cette époque habite-t-il encore avec eux? Ou, comme vont en témoigner ses amis, n'y fait-il que quelques étapes entre deux beuveries dans les tavernes qui pullulent près de Notre-Dame ou de Saint-Germain-des-Prés, entre deux parties de jeu, aussi, où il perd plus d'argent qu'il n'en gagne? On ne saurait rien affirmer, sauf que, de l'avis unanime, c'est une jeunesse dissipée qu'il mène, comme nombre de cadets de bonne famille rétifs à revêtir la soutane pour la gloire de l'Église, enfiler la robe pour plaider au parlement ou servir dans les cadres de l'armée royale. Une tradition, pourtant, veut que Savinien de Cyrano, pressé par son père de suivre une carrière honorable, entre en 1640, en qualité de cadet, au régiment des gardes françaises et que, avec celui-ci, il participe au siège d'Arras, avec d'autres gentilshommes parmi lesquels d'Artagnan, son aîné de dix ans, qui, lui aussi, va inspirer un autre personnage phare à un autre écrivain, Alexandre Dumas. Aucun document d'archives, toutefois, ne corrobore un tel fait d'armes pendant la guerre de Trente Ans, et pas davantage le fameux coup de mousquet reçu au siège de Mouzon, provoquant une grave blessure qui lui aurait fait abandonner le service, après y avoir fréquenté les cadets de Gascogne, d'où l'idée de Rostand d'en faire un soldat de cette province, puisqu'*il n'y a pas de fumée sans feu*, comme le dit l'adage populaire.

À-t-il, en revanche, une épée et s'en sert-il, de temps à autre, pour se battre en duel et expédier *ad patres* une bonne douzaine d'adversaires ? C'est fort possible, puisque c'est alors l'usage, malgré la défense faite à la noblesse de vider ainsi les querelles opposant ses membres. On sait qu'il prend des cours chez un maître d'armes, comme il en prend chez un maître de danse. Une anecdote, en revanche, fait rire Paris : un jour où cherchant querelle sur le Pont-Neuf, Savinien de Cyrano dégaine son épée, il oriente mal son geste et embroche… un malheureux singe qui a le malheur de se trouver sur sa trajectoire ! Aussitôt circule dans les rues une relation satirique intitulée *Le Combat de Cyrano de Bergerac contre le singe de Brioché au Pont-Neuf*, qui divertit fort les badauds. Comme plus tard Restif de la Bretonne, le Paris nocturne des mauvais lieux n'a bientôt plus de secrets pour celui qui ajoute à sa réputation d'impiété, d'ivrognerie et de dettes de jeu, sa qualité de sodomite, considérée à cette époque comme criminelle, et donc passible de la peine de mort. Fort heureusement pour ceux qui se livrent à cette pratique, elle est tellement commune dans Paris qu'il est impossible à la justice de l'éradiquer, surtout lorsqu'il s'agit de nobles, échappant le plus souvent aux procédures ordinaires.

Le soir, Savinien ne chasse pas seul le gibier *à poil et à plume*, comme le dit le pittoresque jargon de la langue de Malherbe, mais rôde avec ses deux compagnons ayant les mêmes goûts, dans le Paris homosexuel du temps de Richelieu et de Mazarin, Claude-Emmanuel Luillier et Charles d'Assoucy. Y rencontre-t-il le succès? Cela paraît douteux si on se fie à ce portrait que le précédent trace de lui, avec cet humour si caractéristique de l'époque:

Cyrano n'était ni de la nature des Lapons ni de celle
des géants. Sa tête paraissait presque veuve de cheveux;
on les eût comptés de dix pas. Des yeux se perdaient
sous ses sourcils; son nez, large par sa tige et recourbé,
représentait celui de ces babillards jaune et vert
qu'on apporte de l'Amérique [comprenons les perroquets].
Ses jambes, brouillées avec sa chair, figuraient des fuseaux.
Son œsophage pagotait un peu. Son estomac était une copie
de la bedaine ésopique. Il n'est pas vrai qu'il fut malpropre,
mais il est vrai que ses souliers aimaient fort madame la boue;
ils ne se quittaient presque point.

Il y a ainsi du François Villon chez ce jeune noble querelleur et souvent mal embouché, dont le regard ne se tourne pas vers la Cour, où nombre de ses pairs rêvent de briller, mais plutôt vers la crapule et la gueuserie de ce Paris, dont quelqu'un a dit, en constatant l'effarant décalage entre ses hautes sphères et les taudis dans lesquels s'entasse le peuple, qu'il est *le Calcutta du XVIIe siècle*. Un beau jour, son père découvre que plusieurs tableaux, tapisseries et objets de prix lui ont été dérobés. Il comprend vite que l'auteur du larcin est son fils, et donc ne porte pas plainte ! Il est vrai qu'il ne lui reste pas longtemps à vivre. Veuf depuis quelques années, il s'éteint en 1648, laissant son fils livré à lui-même.

## La régénération par l'esprit

Pourtant Savinien de Cyrano de Bergerac n'est pas qu'un simple dévoyé de sa caste, puisque, entre-temps, il reprend le chemin du collège de Lisieux, bien décidé, cette fois-ci, à suivre la classe de rhétorique, notre actuelle terminale. Y est-il le condisciple de Jean-Baptiste Poquelin, le futur Molière, comme certains l'ont dit ? Le fait n'est pas établi, mais probable. Il va compter un jour parmi les spectateurs de ses premières pièces et Molière parmi ses lecteurs, de même que Boileau assurant, dans son *Art poétique*, qu'il préfère *Bergerac et sa burlesque audace* à Motin.

Avec eux, croit-on, il suit les conférences de Gassendi, de Campanella et de Michel de Marolles qui vont influencer grandement son évolution intellectuelle, formé à l'aune du courant matérialiste et scientifique, puisque ce domaine l'intéresse particulièrement. Sans jamais renoncer à ses plaisirs, sa vie lui semble à présent tracée : s'il refuse d'exercer toute charge ou toute fonction propre à sa qualité de gentilhomme, il décide de devenir poète, ce qui, dans la langue de l'époque, veut dire écrivain, et ce pour conserver ce qui, à ses yeux, est le plus important : sa liberté. C'est naturellement une nouvelle transgression, puisque l'écriture est alors l'activité des clercs ou, à la limite des bourgeois, mais pas des nobles, à quelques exceptions près, comme *La Princesse de Clèves*, écrite par Madame de La Fayette, mais avec le concours de La Rochefoucauld et Segrais. Le père de Descartes l'a dit à sa manière en découvrant *Le Discours de la méthode* de son rejeton, dont il ne connaissait que les activités de militaire, en s'écriant : *Et allez donc faire un fils pour qu'il se fasse relier dans du veau !* Encore que Descartes soit philosophe et La Rochefoucauld mémorialiste, pour ne pas parler de Bossuet, plus tard grandement admiré parce que prédicateur, le genre assurément le plus noble.

Savinien de Cyrano, lui, va en cultiver un autre, celui de cette infralittérature picaresque, infiniment plus baroque que classique, celle que plus tard Lagarde et Michard vont superbement ignorer parce qu'elle ne leur paraîtra pas assez digne des lycéens de la V$^e$ République, pas assez rationnelle, en un mot trop libre, trop vivante et trop contestataire. C'est celle de Théophile de Viau, de Charles Sorel, de Tristan Lhermite, de Tallement des Réaux, de Furetière et de Scarron, pour ne citer que quelques auteurs, plus habitués des bas-fonds de Paris que de la cour du

Louvre, des auberges que des églises, des lupanars que de la Sorbonne ou des salons précieux où se réunissent les beaux esprits, pour ne pas parler du théâtre du Marais, où ils se retrouvent le soir, pour applaudir les pièces de Corneille, comme dans deux siècles la Jeune France se retrouvera à celles de Victor Hugo. En fait, il s'agit de quelque chose de totalement indéfinissable, qui porte au plus haut degré la truculence jubilatoire et l'anticonformisme débridé, mais aussi une surprenante modernité, puisqu'elle ouvre, toutes grandes, les portes de la critique et celles du réalisme scientifique permettant de s'opposer au dogme de l'Église et donc de penser par soi-même, ce que Cyrano résume d'un mot : *Ma seule reine est la raison.*

Ce style empli de liberté, de canaillerie et de non-conformisme le met-il au service de la Fronde, comme certains l'on dit, et doit-on, de ce fait, lui attribuer quelques-uns de ces pamphlets contre Mazarin, qu'on appelle les *mazarinades* et dans lesquelles il proclame sa haine de la tyrannie et sa conviction que tous les hommes doivent être égaux en droits ? Ce n'est pas impossible dans la mesure où on le voit souvent chez le prince de Conti qui, probablement, le rétribue avec d'autres pour cet office. Parallèlement, il signe de nombreuses lettres, qui ne seront publiées qu'au XXe siècle, dans lesquelles transparaît un sens très marqué pour la bouffonnerie, l'hyperbole burlesque, les métaphores inventives et la verdeur salace, lettres destinées non pas à informer ses correspondants, mais à être lues en public. Deux marquent les contemporains, *Pour les sorciers* et *Contre les sorciers*, prouvant sa capacité à raisonner en argumentant pour et contre la même thèse. Mais il ne s'agit là que de broutilles littéraires, de petits essais destinés à préparer les quatre ouvrages qui vont constituer l'essentiel de son œuvre.

Le premier est une tragédie, *La Mort d'Agrippine*, écrite en 1653, dont la splendeur des vers annonce ceux de Racine, bien qu'elle fasse scandale à l'hôtel de Bourgogne où elle est jouée, puisque l'un de ses héros, le préfet Séjan, ne cache pas son immoralisme impie, en toute cohérence avec l'athéisme affiché de son auteur. Le deuxième est une comédie, *Le Pédant joué*, écrite en 1654 et opposant trois personnages grotesques, le pédant Granger, le rustre Gareau et le capitaine Chasteaufort, dont les échanges ridiculisent la rhétorique officielle de l'Université. Dans cette œuvre, dont on ne sait si elle a été jouée du vivant de l'auteur, l'humour précède directement celui de Molière, qui va du reste lui emprunter quelques répliques dans ses *Fourberies de Scapin*, en particulier le *mais qu'al-lait-il donc faire dans cette galère*, larcin fréquent en un temps où la notion de droit d'auteur est complètement inconnue, et qui, chacun le sait, est à l'origine de l'expression contemporaine, *galère* ou *galérer*. Mais ce sont plutôt les deux derniers qui vont retenir l'attention de la postérité, *L'Histoire comique des États de l'Empire de la Lune*, écrite en 1657 et *L'Histoire comique des États de l'Empire du Soleil*, écrite en 1662. Certes ces deux derniers seront publiés seulement après sa mort, en 1657, 1663 puis 1709, avec un frontispice figurant *Cyrano de Bergerac montant à la Lune*, mais plusieurs de ses contemporains ont lu le manuscrit de ces voyages imaginaires dans lesquels l'auteur, visiblement inspiré par Rabelais, Thomas Moore, Campanella, Wilkins et Godwin, invente non seulement la science-fiction, mais encore le roman philosophique appelé à connaître un grand succès au siècle suivant.

Résumons-en l'intrigue : inventeur d'une *fusée* – nous sommes sous le règne de Louis XIII ! – l'auteur visite la Lune, mais y est fait prisonnier par les géants qui l'habitent et dont il est libéré par le démon de Socrate. Revenu sur terre, il est emprisonné comme sorcier mais parvient à s'évader grâce à sa fusée qui cette fois, le conduit dans le Soleil qu'il visite avant de voler vers le pays des philosophes. Le récit de ces aventures qui, par certains côtés, offrent un aspect initiatique, s'achève au moment où leur auteur rencontre Descartes. Après avoir fait montre d'une audacieuse liberté pour son temps, puisque y sont réfutés tout à la fois Dieu, l'autorité religieuse, politique – sa *République des Oiseaux,* dont le chef est changé chaque semaine, est une féroce satire de la monarchie française amorçant alors son ascension vers l'absolutisme ! –, raillées les croyances établies, et fait la part belle à un certain nombre de données scientifiques. Et ce, sans parler des suggestions qu'il formule en matière d'aérostat, de parachute et même de gramophone, qui font de Savinien de Cyrano le premier des émules de Léonard de Vinci ; de l'idée que, en se fondant sur la métempsychose, les bêtes ont une âme ou encore que les mythes ont pour mission de traduire les tréfonds de l'âme, ce qui anticipe les principes de la psychanalyse freudienne.

Aucun tabou dans ce récit qui, se voulant libérateur, fait l'éloge de l'alchimie, mais aussi de l'inceste, de l'hermaphrodisme, de la zoophilie, du narcissisme, du fétichisme, de la bisexualité ou de l'homosexualité, dès lors que tout ce qui, en bas, c'est-à-dire sur Terre, contribue à asservir l'homme en lui imposant le carcan des préjugés inventés par la société et la religion. Ceci explique que, tant à son époque que par la suite, ces deux livres décontenancent les contemporains et font que leur auteur va être considéré, pendant longtemps, comme un esprit extravagant, voire une tête dérangée, ce qu'accentue le souvenir de l'aspect sulfureux de sa vie d'anticonformiste. On considère en revanche, aujourd'hui, qu'avec une originalité créatrice assez poussée pour son temps, cet esprit précède tout à la fois Newton, Swift, Montesquieu, Voltaire, Sade et les encyclopédistes, ajoutant sa qualité d'écrivain rebelle à celle de sujet rebelle.

Il est vrai aussi que son mauvais caractère le conduit bientôt à se brouiller bientôt avec la plupart de ses pairs, en particulier Molière, Scarron et Montfleury, auxquels il consacre deux terribles pamphlets, et procure une réputation détestable à celui qui, dans son logis de la rue de l'Hirondelle, près de l'église Saint-André-des-Arts, puis rue de la Verrerie, chez le pâtissier Barat, boude désormais ses contemporains. Le duc d'Arpajon, dédicataire de la première édition des œuvres de Cyrano, semble plus conciliant, qui fait de lui son secrétaire pendant quelques années, un de ses rares amis durables avec le maréchal de Gassion ou sa sœur, Catherine de Cyrano, en religion Marguerite Jésus, qui le reçoit de temps à autre en son couvent de Charonne pour tenter de le ramener à Dieu. Y parvient-elle ? On l'ignore, l'époque étant fertile en conversions spectaculaires, réelles ou supposées. Il ne lui reste plus que sa passion du théâtre, mais elle lui est fatale, puisque c'est en se rendant un soir à celui du Marais qu'il reçoit sur sa tête, une pièce de bois accidentellement détachée d'un décor. Très affaibli par cet accident pour le moins absurde, il est alors recueilli par son ami le sieur des Boisclairs, conseiller du roi, grand prévôt de Bourgogne et de Bresse, en son hôtel parisien, mais son état empire. Et c'est pour se soigner au bon air qu'il accepte l'invitation de son cousin Pierre de Cassan, fils de son oncle Samuel, de séjourner à Sannois, près d'Argenteuil.

Mais rien n'y fait et le 25 juillet 1655, après avoir reçu force saignées qui finissent par l'achever, Savinien de Cyrano de Bergerac tire sa révérence au seuil de sa trente-sixième année, à peine, après avoir légué à son seul frère survivant l'ensemble de ses biens, c'est-à-dire pas grand-chose, et sans pouvoir achever son *Traité de physique*, auquel il s'était attelé. Le 1er août, il est inhumé dans l'église du village qui, devenu une ville de la banlieue parisienne, a donné à son centre culturel le nom de celui qui fut probablement l'un des esprits les plus singuliers, les plus insoumis et les plus inclassables du Grand Siècle, en tous cas le premier aristocrate anarchiste.

# Olympe de Gouges
## (1748-1793)

# Une femme contre le conformisme

Homme, es-tu capable d'être juste ? C'est une femme
qui t'en fait la question. Tu ne lui ôteras pas du moins ce droit.
Dis-moi qui t'a donné le souverain empire d'opprimer mon
sexe ? Ta force ? Tes talents ? Observe le Créateur dans sa
sagesse ; parcours la nature dans sa grandeur et donne-moi
si tu l'oses l'exemple de cet empire tyrannique.
**Olympe de Gouges**

Le 3 novembre 1793, à Paris, en fin d'après-midi, sur la place de la Révolution, l'actuelle place de la Concorde, une foule compacte attend, sous un ciel blafard, les charrettes chargées de celles et ceux que le Tribunal révolutionnaire, quelques heures plus tôt, a condamnés à la peine capitale, pour des chefs d'accusation divers, parfois fantaisistes, au terme d'un procès sans respect des formes juridiques, sans défense et sans recours. La sentence rendue, on a aussitôt parqué ces malheureux dans une cour de la Conciergerie, pour leur retirer tout ce qu'ils conservaient dans leurs poches, soigneusement déposé au greffe, pour couper, aussi, non seulement les cols de chemise des hommes, mais aussi les cheveux des femmes au niveau de la nuque et enfin leur attacher les mains dans le dos pour prévenir toute envie de fuite. Cette opération achevée, le cortège s'était mis en branle, encadré par des gendarmes à cheval, empruntant un itinéraire long et complexe, puisque les rues de la Cité à l'entrée des Champs-Élysées, sont encore d'apparence médiévale avec ces rues petites, étroites et imbriquées les unes dans les autres.

Enfin, au bout d'une heure, on arrive à bon port, c'est-à-dire au pied de l'échafaud, que domine le *rasoir national,* cette guillotine aussi sinistre qu'expéditive, terme du voyage terrestre de ceux qui y sont promis. Parmi eux, une femme entre deux âges mais portant beau encore, dans sa robe à fichu, ses cheveux relevés sous son bonnet, enserrant ses cheveux blonds, digne dans sa détresse, le regard déterminé, le geste ferme, tel que le figure son pastel par Alexandre Kucharski, montre qu'elle n'a pas peur. C'est l'opinion du dramaturge Arnault, qui la regarde passer et écrira plus tard qu'elle fut *aussi belle et courageuse que Charlotte Corday.* Le combat qu'elle a mené et qui l'a conduite ici – elle en est persuadée ! – est juste, ce qui lui vaut de dire, en guise d'adieu à la vie :

Nul ne doit être inquiété pour ses opinions même fondamentales, la femme a le droit de monter sur l'échafaud, elle doit avoir également celui de monter à la tribune. Je lègue mon cœur à la patrie, ma probité aux hommes - ils en ont bien besoin –, mon âme aux femmes.

Prestement, elle descend de la charrette, salue ses compagnes et compagnons d'infortune, qui s'inclinent devant elle, et, son tour venu, grimpe les marches de l'échafaud où l'attendent le bourreau Sanson et ses aides. Ceux-ci la saisissent, la couchent sur le ventre et coincent sa tête dans le carcan. Moins d'une minute plus tard, car tout va très vite, le couperet tombe détachant le corps de la tête qui est jetée dans le panier, avec les autres. En passant, selon la jolie formule de Monique Piettre, *de l'éventail à l'échafaud*, la première féministe de l'histoire de France vient de clore son destin sous le regard d'une foule où se trouvent nombre de femmes n'ayant strictement rien compris à la rébellion de celle qui, parmi tant d'autres, vient de donner sa vie pour ses idées.

## Une jeune provinciale à la conquête de Paris

Olympe de Gouges était née, quarante-cinq ans plus tôt, le 7 mai 1748, à Montauban, en Languedoc, dans une de ces maisons de brique rouge de cette belle cité. Son père officiel, Pierre Gouze, exerçait la lucrative profession de maître boucher, fournisseur des principales communautés religieuses, mais aussi des nobles et bourgeoises familles liées au parlement de Toulouse, l'un des plus illustres de royaume. Mais, en fait, tout le monde savait, dans la cité, que son véritable père était le marquis Jean-Jacques Lefranc de Pompignan, amant de sa mère, la belle Olympe Mouisser, fille d'un avocat et épouse du sieur Gouze. C'est dire, même si son géniteur ne la reconnut jamais, si on prit soin de l'éducation de l'enfant à qui on apprit bien davantage que ce qu'une femme de son temps devait savoir, se limitant à lire, écrire, compter, coudre, faire la cuisine et surtout obéir à son mari, quelle que fût la société à laquelle elle appartenait.

Le 24 octobre 1765, alors qu'elle venait de franchir ses dix-sept ans, la petite Marie, qui n'avait pas encore choisi de reprendre le prénom de sa mère, était mariée au sieur Pierre Aubry, officier de bouche de l'intendant de Languedoc, un homme riche mais grossier, inculte et totalement dénué d'intérêt, qui, accidentellement emporté par une crue du Tarn, la laissa veuve, neuf ans plus tard, après lui avoir fait un fils, Pierre. Désireuse de donner une éducation soignée à celui-ci, elle quitta alors Montauban, pour rejoindre à Paris sa sœur aînée. Le baron Grimm affirma qu'elle avait *sa jolie figure pour unique patrimoine*; elle ne tarda pas à rencontrer l'amour, en la personne d'un riche grand commis de la Marine et par ailleurs homme d'affaires avisé, Jacques Biétrix de Rozières, qui devint son amant et lui proposa même le mariage, qu'elle refusa, estimant que cet état est *le tombeau de la confiance et de l'amour*.

Il accepta sa décision, mais prit tous ses frais à sa charge et la laissa libre de ses actes, ce qui lui permit de tenir un salon qu'elle ouvrit dans sa maison, rive gauche, de la rue des Fossoyeurs (l'actuelle rue Servandoni), tout près du palais du Luxembourg (siège de l'actuel Sénat), puis dans son appartement de la rue Poissonnière, sur la rive droite et enfin à nouveau rive gauche, place de l'Odéon, dans un nouveau quartier à la mode. Ne se contentant pas de cette première transgression à l'ordre des sexes, Olympe se lança alors dans une double activité, l'écriture et le théâtre, passant désormais ses journées à noircir du papier et, parallèlement, montant sa propre troupe, laquelle avait mission de jouer ses propres pièces – elle en a écrit quarante-trois ! –, du moins jusqu'à son rachat par le marquis de La Maisonfort en 1787. Parmi celles-ci, une fait sensation, *Zamore et Mirza ou l'Heureux naufrage*, qui aborde le thème de l'esclavage dans les colonies, et de ce fait se vit interdite d'inscription au répertoire de la Comédie-Française, tout en manquant de valoir à son auteur une lettre de cachet pour la Bastille.

*L'activité de dix secrétaires ne suffirait pas à la fécondité de mon imagination*, disait de son œuvre abondante, sans exagérer, cette femme extrêmement douée pour la plume, mais aussi pour la maîtrise des concepts : *J'ai trente pièces au moins. Je conviens qu'il y en a beaucoup plus de mauvaises que de bonnes, mais je dois convenir aussi que j'en ai dix qui ne sont pas dépourvues de sens commun.* Désormais connue et reconnue, la Languedocienne, qui montrait un esprit si français, pour ne pas dire si parisien, avait compris que seule la capitale pouvait admettre sa rébellion lui permettant de briller dans tous les cercles. On la voyait au théâtre de l'Odéon, dans les jardins du Palais-Royal ou dans les salons autres que le sien, communiant dans les derniers feux de ce *temps de la douceur de vivre*, que symbolise si bien le roman de Choderlos de Laclos, dont elle fit un pastiche révélant l'identité de cet aristocratique père dont elle était si fière, et qu'elle intitula *Mémoires de Madame de Valmont*. On peut y lire, dans cet échange de lettres imaginaires, puisqu'elle reprit ce truchement pour camper son récit, ce jugement sur elle-même : *On prétend que j'ai dans ma façon, une tournure qui ne vous est pas étrangère, et à laquelle l'éducation aurait pu donner un poli et des grâces qui n'eussent pas été tout à fait indignes de leur source.* Comme Simone de Beauvoir après elle, là réside la clé de sa personnalité : rebelle et réformiste, certes, mais toujours aristocrate, jusqu'au bout des ongles !

C'est que la belle et rebelle Languedocienne adhéra très vite aux idées nouvelles qui soufflaient sur la France de Louis XVI. Comme nombre de dames de sa condition, sans doute fut-elle initiée dans cette franc-maçonnerie qu'on appelait *d'adoption*, c'est-à-dire sous l'autorité des hommes, puisque les femmes n'avaient pas encore l'autorisation de gérer toutes seules les loges. Parmi les frères qu'elle fréquentait volontiers à la loge *La Candeur*, outre son amant, furent Condorcet – le seul homme des Lumières à avoir demandé l'égalité des sexes ! – Lalande, Cabanis, Franklin et Mercier, qui comptèrent parmi ses proches. Ses sœurs préférées étaient alors la comtesse Fanny de Beauharnais, la marquise de Villette, nièce de Voltaire et la comédienne et chanteuse Julie Candeille. La maçonnerie la convainquit-elle de l'égalité des sexes ? Elle publia un roman développant cette idée, qui fit beaucoup de bruit, *Le Prince philosophe*. La franc-maçonnerie lui permit-elle, enfin, de se mieux connaître ? C'est incontestable, comme le montre ce joli autoportrait :

Peu de personnes me connaissent à fond, peu sont en état de m'apprécier ; on a eu différentes disputes sur mon compte. Les uns me voient d'une façon, chacun me juge différemment et je suis cependant toujours la même. Ce n'est pas moi qui varie, je ne puis sympathiser qu'avec des personnes véritablement honnêtes ; j'abhorre les hommes faux, je déteste les méchants, je fuis les fripons, je chasse les flatteurs. On peut juger par-là que je suis souvent seule. Je ne m'ennuie pas avec moi-même, je ne crains pas la contagion. J'étais faite sans doute pour la société, je l'ai fuie de bonne heure.

## L'égérie révolutionnaire

La Révolution venue, Olympe de Gouges, qui avait donc acquis la notoriété dans le Paris de la fin du règne de Louis XVI, s'engagea naturellement et pleinement dans le vaste bouillonnement politique et se distingua par la publication de plusieurs écrits, qui la rendirent bientôt célèbre, comme sa *Lettre aux littérateurs français*, *Le bonheur primitif de l'homme ou les Rêveries patriotiques (adressé à l'Assemblée nationale)*, son plaidoyer en faveur du divorce, son *Traité sur l'éducation*, ses *Réflexions sur l'esclavage et les hommes nègres*, et enfin sa *Lettre au peuple*, dans laquelle elle développa tout un projet politique, social, et juridique particulièrement original – d'autant qu'elle n'avait pas suivi de cursus universitaire juridique comme la plupart des dirigeants de la Révolution. Mais son essai le plus célèbre fut surtout, en 1791, sa *Déclaration des droits des femmes*, censée corriger celle qu'adopta l'Assemblé constituante.

Celle-ci, en effet, avait oublié, non seulement les esclaves, mais encore les femmes, qui ne gagnèrent aucun droit nouveau et allaient demeurer ainsi pendant très longtemps, puisque le Code civil de Bonaparte devait les maintenir dans cet état d'*incapables majeures*, à jamais placées sous l'autorité du père, du mari, du frère, du fils, du gendre. Ce texte, elle le dédia à la reine Marie-Antoinette elle-même qui, probablement, n'eut pas connaissance de cet hommage d'une femme à une autre, sans distinction de rang. Il s'articulait autour de dix-sept articles, exactement comme son modèle, dont le premier reprenait justement les mêmes termes, ou presque : *La femme naît libre et demeure égale à l'homme en droits.* On peut y lire :

Le but de toute association politique est la conservation des droits naturels et imprescriptibles de la femme et de l'homme [...] l'exercice des droits naturels de la femme n'a de borne que la tyrannie perpétuelle que l'homme lui oppose ; ces bornes doivent être réformées par les lois de la nature et de la raison.

Et, d'une manière plus explicite encore :

Femme, réveille-toi ! Le tocsin de la raison se fait entendre dans tout l'univers. Reconnais tes droits... Ô femmes ! Femmes, quand cesserez-vous d'être aveugles ? Quels sont les avantages que vous avez recueillis dans la Révolution ? Un mépris plus marqué, un dédain plus signalé... Mais, quelles que soient les barrières que l'on vous oppose, il est en votre pouvoir de les affranchir ; vous n'avez qu'à le vouloir.

Au-delà du style, caractéristique de l'époque, il s'agit bien d'une des idées les plus révolutionnaires dans une Révolution incapable de l'adopter, l'égalité des femmes et des hommes, qui allait mettre plus de deux siècles pour être mise en œuvre !

Sans jamais abdiquer sa féminité, celle dont les soins qu'elle donnait à son corps, notamment l'habitude de prendre un bain chaque jour, faisait passer, au mieux pour une originale, au pire pour une folle, s'exposa chaque jour davantage, ce qui commença à être dangereux en un temps où chacun ne savait pas si sa tête serait encore sur ses épaules le lendemain. Mesurant mal le rapport des forces, après avoir été favorable à Mirabeau, elle se rapprocha des Girondins et alla même jusqu'à solliciter l'honneur de faire partie du conseil des avocats de Louis XVI, ce que la Convention lui refusa avec mépris et ironie. Qu'importe! Elle poursuivit inlassablement son combat, demandant la création de maternités, qu'elle appelait *maisons d'hygiène*, des mesures de protection pour les femmes battues, les enfants nés hors mariage, les chômeurs, les sans-abri, les vieillards sans ressources ou les prisonniers pour dettes, ce qui nous paraît, aujourd'hui, d'une incroyable modernité, même si cela n'engendra qu'indifférence ou mépris en son temps.

Mais elle alla plus loin encore en se demandant quel était vraiment le meilleur gouvernement pour les Français, tout en manifestant un certain scepticisme pour l'homme providentiel en qui elle voyait l'inévitable retour du despotisme. En signant tous ces textes, Olympe de Gouges pénétra par effraction dans un domaine exclusivement réservée aux hommes, celui des idées et, par là même, de la politique. Dans l'esprit des révolutionnaires comme des antirévolutionnaires – et pour une fois, tous étaient pleinement d'accord! – les femmes n'avaient pas à se préoccuper des affaires de l'État, et celles qui le faisaient transgressaient l'ordre établi, qu'il s'agisse de l'ancien comme du nouveau. Cette femme qui parlait et écrivait intelligemment finit donc par déranger les hommes qui, seuls, estimaient pouvoir diriger la Révolution, en particulier Chaumette, procureur de la commune de Paris, vitupérant contre *cette virago, cette femme-homme, l'imprudente Olympe de Gouges qui la première institua les sociétés de femmes, abandonna les soins de son ménage, voulut politiser et commit des crimes.*

Et comme si cela ne suffisait pas, elle se permit, dans sa brochure intitulée *La Fierté de l'innocence*, de dénoncer les massacres de Septembre, notant que *le sang versé souille éternellement les révolutions*, puis de critiquer Marat, en qui elle voyait *l'avorton de l'humanité*, de même que Robespierre, qu'elle définit comme *l'opprobre et l'exécration de la Révolution*, après lui avoir reproché publiquement d'avoir *tourné le dos aux Lumières et à l'esprit de 1789, pour instaurer une dictature sanglante*. Comment, non seulement cette femme pensait, mais encore jugeait, au nom de la tolérance, ces beaux crimes contre les femmes les enfants et les vieillards, qui se donnaient pour mission de régénérer les mœurs ? Voilà qui était franchement inadmissible pour Bourdon de l'Oise qui la dénonça au club des Jacobins, en répandant, pour la disqualifier, la fausse rumeur qu'elle était une fille naturelle de Louis XV ou qu'elle avait été la maîtresse du duc d'Orléans, ce qui était faux.

Le *Testament politique* qu'elle livra au public au printemps de l'année 1793, suivi des *Trois Urnes*, dans lequel elle invitait l'ensemble du peuple français et non pas seulement Paris à choisir la forme de gouvernement, achevèrent de mettre en évidence ses idées qui, parce qu'elles préconisaient la liberté, y compris celle de penser, tombaient sous le coup de la loi du

28 mars faisant que les auteurs d'écrits contre-révolutionnaires étaient passibles de la peine de mort. Arrêtée le 20 juillet 1793, Olympe de Gouges fut déférée, le 6 août, devant ses juges pour un premier interrogatoire, qu'elle transcrivit dans une nouvelle brochure qu'elle parvint à faire publier et qui fit un certain bruit. Elle attendit cependant la fin des Girondins pour qu'on s'occupât enfin d'elle et ce fut le 2 novembre que le Tribunal révolutionnaire, peu impressionné par son courage et sa détermination, la condamna à la peine capitale et l'envoya à la guillotine le jour même. Jusqu'à la fin, elle se montra rebelle, accusant les juges d'être des ambitieux *de mauvaise foi ne débitant que des inepties*, contrairement à elle qui *propageait les vrais principes de la Révolution*. Avant de disparaître, elle ne revit pas son fils, Pierre Aubry de Gouzes. Devenu chef de brigade dans l'armée, il allait lui-même s'éteindre de la fièvre jaune, neuf ans plus tard, en Guyane, victime de la malaria, laissant une fille qui, mariée à un citoyen américain, est l'ancêtre de la descendance d'Olympe, qui conserve outre-Atlantique les souvenirs de la première grande féministe de l'histoire.

Sa tête ayant roulé dans le panier, Olympe de Gouges est alors non seulement oubliée, mais encore la masse de ses manuscrits systématiquement détruite, puisque les commissaires estiment qu'il serait trop dangereux de laisser circuler la production d'une femme qui aurait dû s'occuper de ce qui la regarde, c'est-à-dire son ménage et non la politique, qui est l'affaire des hommes. Ce principe, que d'autres payent très cher, Manon Roland, Charlotte Corday, Théroigne de Méricourt, Lucile Desmoulins, Marie-Antoinette elle-même, est justement rappelé à l'occasion de l'exécution d'Olympe de Gouges :

Femmes, voulez-vous être républicaines ? Soyez glorieuses des actions éclatantes que vos époux pourront compter en faveur de la patrie. Soyez simples dans votre mise, laborieuses dans votre ménage. Ne suivez jamais les assemblées populaires avec le désir d'y parler.

En un mot : restez à votre place !

Quelques décennies plus tard, cependant, avec Charles Nodier, les romantiques commenceront à, sinon à réhabiliter Olympes de Gouges, du moins s'intéresser à elle, même si ce sera en Angleterre que les *suffragettes* la considéreront comme la première d'entre elles. Il faudra attendre, au XX^e siècle, l'excellente Benoîte Groult, pour exhumer cette figure attachante et hors pair, qui ne pouvait qu'inspirer l'auteur d'*Ainsi soit-elle*. Cette dernière, sans doute, sera à l'origine de tout un processus qui, en 2016, aboutira à l'érection du buste d'Olympe de Gouges à l'Assemblée nationale, avec un discours de la députée Catherine Coutelle, présidente de la délégation aux droits des femmes, qu'avec esprit elle fera commencer ainsi : *Entre ici Olympe de Gouges*. La rebelle retrouva ainsi *le temple des lois* dont la Révolution jacobine l'avait chassée et, avec elle, toutes les femmes de génie ou de talent, dont les machos sans culottes ne voulurent pas et qui, pourtant, eussent humanisé cette Révolution demeurant, sans elle, privée du meilleur de la France. C'est ce qu'elle tenta de leur expliquer en écrivant ces lignes parmi d'autres, au tout début de l'année 1790 :

Éloignés de vos maisons, de vos filles, de vos épouses,
pourriez-vous méconnaître ce que vous devez aux femmes ?
Les grandes affaires qui vous occupent pourront peut-être
vous empêcher de porter tout de suite votre attention sur cet
établissement ; mais une fois l'État libéré et la Constitution
solidement établie, vous donnerez à l'humanité souffrante,
à la nature, tout ce que vous devez à l'une et à l'autre.

# Gilbert du Motier de La Fayette

## (1757-1834)

# Le marquis libertaire

J'ai pu me tromper, mais je n'ai jamais trompé personne.
**Gilbert du Motier de La Fayette**

Le 13 juillet 1824, à midi, dans le port du Havre, un bâtiment de commerce battant pavillon américain, le *Cadmus*, prend le large, dans l'indifférence d'un port où le trafic maritime est permanent. Appuyé au bastingage, un alerte sexagénaire regarde s'éloigner les côtes de France, en compagnie d'un encore jeune homme, son fils, et de leur valet de chambre qui est le seul des trois pour lequel cette traversée de l'Atlantique est une première. Il fait beau, la mer est calme, tout va pour le mieux. Commence ainsi une navigation paisible qui s'achève, le 16 août, aux abords de New York, sans naturellement la statue de la Liberté et les gratte-ciels.

Aussitôt le *Cadmus* en vue, une escadre d'une dizaine de vaisseaux à vapeur vient l'accueillir, avec, à leurs bords respectifs, 6 000 Américains conduits par le vice-président des États-Unis, Daniel Tompkins, tous agitant leurs chapeaux ou leurs mouchoirs, pour saluer, comme il se doit, le plus illustre des voyageurs, celui qu'ils appellent *the Marquis*, que certains, parmi les plus âgés, connaissent, mais que la plupart découvrent. Devant ce spectacle, les larmes aux yeux, Gilbert du Motier de La Fayette ôte lentement, très lentement son chapeau, et salue ses amis qui, lorsque son navire accoste enfin, au son des salves d'artillerie, le conduisent, au milieu d'une foule de quelque 30 000 personnes, à l'hôtel de ville, où un gigantesque banquet a été préparé en son honneur, tandis que toutes les façades pavoisent aux couleurs mêlées de la France et des États-Unis.

Débute ainsi un extraordinaire voyage, unique dans l'histoire, qui va durer une année. Celui qu'on appelle toujours, depuis un demi-siècle, *le héros des deux mondes*, va y connaître une apothéose pour le remercier d'avoir été un jour un rebelle : trois cent quatre-vingt-deux villes traversées, dont celle qui – déjà ! – porte son nom, Fayetteville, en Caroline du Nord ; des milliers de réceptions, de discours, de bals, de déjeuners, de dîners, d'étreintes, de tenues maçonniques où il est reçu *maillets battants* ; d'inaugurations de bâtiments publics et quelques étapes phares, à l'université de Harvard, où il parle aux étudiants fascinés par celui qui a contribué à créer leur nation, mais aussi à l'École libre fondée par la Société d'affranchissement des Noirs, dont il est membre d'honneur. La visite, à Mount Vernon, du tombeau de Washington qu'il baise à genoux et en larmes parachève ce triomphe, à l'issue duquel Wash Curtis, fils adoptif de l'ancien président, lui offre une bague d'or renfermant des cheveux de son ancien ami. On l'acclame à Boston ; on le salue à Williamsburg, on le contemple à Monticello, où il vient rendre ses devoirs à son vieil ami, l'ex-président Jefferson, on le rencontre à Philadelphie, on l'écoute prononcer un discours à la Nouvelle-Orléans ; on le regarde, à Washington, entrer à la Maison Blanche, où le reçoit le président John Quincy Adams. Charmant, attentif, galant avec les femmes, auxquelles il s'intéresse toujours malgré son âge, il est partout, voit tout, entend tout, manifestant tout à la fois une politesse surannée et une simplicité républicaine séduisant tous ceux et toutes celles qu'il rencontre. Détail amusant : on chante *La Marseillaise* lorsqu'il arrive quelque part, alors qu'elle est interdite en France !

Au même moment, le Congrès américain vote en sa faveur une fabuleuse dotation de 200 000 dollars et lui offre une terre de 10 000 hectares en Floride, ainsi que quelques menus cadeaux, parmi lesquels une planche provenant de la maison de Christophe Colomb et une caisse de terre américaine, pour y placer son cercueil le moment venu. Enfin, la nationalité américaine, transmissible à tous ses descendants lui est confirmée, avant de l'inscrire – mais ce sera après sa mort – parmi les huit *citoyens d'honneur* des États-Unis, où il est, depuis, le Français le plus connu, ce qui n'est pas rien. Le 7 septembre 1825, enfin, il quitte les États-Unis à bord de la frégate *Brandywine*, que le gouvernement a mise à sa disposition, et qui, le 1er octobre le conduit au Havre, au terme de cet ultime voyage, durant lequel, épuisé mais si heureux, il a revu toute son existence, dont le point d'équilibre est justement cet océan Atlantique, qu'il a tant de fois traversé pour donner un sens à sa vie.

## Une trajectoire fulgurante

Ce fut au château, un peu lourd et assez rustique, du village de Saint-Georges-d'Aurac, qui porte aujourd'hui le nom de Chavaniac, dans l'actuel département de la Haute-Loire, que naquit Marie-Joseph Paul Yves Roch Gilbert du Motier de La Fayette, le 6 septembre 1757. Il était issu d'une famille de l'ancienne noblesse d'Auvergne comptant parmi ses illustrations un compagnon de Jeanne d'Arc, conseiller de Charles VII et maréchal de France, Gilbert du Motier de La Fayette (1380-1432). Cet aïeul, qui porte le même prénom que lui, aurait placé la vie de l'enfant sous les meilleurs auspices si elle n'était bientôt endeuillée par la mort de son père, colonel aux grenadiers de France, tué à la bataille de Minden, pendant la guerre de Sept Ans, par les Anglais, dit-on au garçon de deux ans qui promit de le venger et allait tenir parole, conformément à la devise des siens : *Vis sat contra fatum* (la vigueur suffit face au destin). De la vigueur, il n'en manquait pas, lui qui, à huit ans, brûlait de prendre un fusil pour aller tuer la bête du Gévaudan, dont il entendit parler !

Il lui restait sa mère, née Julie de La Rivière, issue, elle, de l'ancienne noblesse de Bretagne, qui, en 1771, l'amena à Paris pour lui assurer, au collège du Plessis, une éducation convenable. Mais elle mourut à son tour, quelques années plus tard, le laissant totalement orphelin à treize ans. Le grand-père le prit en charge, mais il disparut, lui aussi. Où placer cet enfant intelligent mais déjà indocile, qui hérita d'une fortune colossale mais n'avait plus de famille ? Dans l'armée, naturellement, puisque c'était là la seule place digne d'un cadet-gentilhomme en cette fin de l'Ancien Régime. Le voilà donc à quatorze ans, après un bref séjour chez les mousquetaires noirs, lieutenant au régiment de Noailles. Un an plus tard, le 11 avril 1774, il épousa, à quinze ans, la fille du propriétaire de son régiment, Adrienne de Noailles, fille du duc d'Ayen. Ce fut un mariage arrangé, comme il se devait, dans son milieu, mais la jeune fille de treize ans tomba amoureuse de ce grand rouquin gauche et timide et le resta jusqu'à la fin de ses jours. Ce jeune marié, un peintre aussi inconnu que son modèle l'immortalisa, Louis David, appelé à goûter plus tard à la célébrité!

À cette époque, La Fayette effectua impeccablement son service, mais ne tarda pas à s'ennuyer. La Cour ne le distrayait pas davantage, puisque ses mœurs décadentes et ses conversations superficielles ne lui inspiraient que mépris. Il avait de l'allure, mais il ne savait pas faire montre d'esprit et, avec tout cela, depuis sa plus tendre enfance, il se sentait rebelle à tout. Seule la franc-maçonnerie, dans laquelle il fut bientôt initié, l'intéressait et, avec elle, ces idées nouvelles qui commençaient à circuler dans la capitale, dont on parlait justement dans les loges, les cafés et les académies, bien que l'Église, déjà, la jugeât fort mal. Quel allait être son destin, se demandait-il, bien résolu à ne pas perdre sa vie dans le conformisme d'une existence tracée d'avance, dès lors qu'il constatait que la jeune reine, Marie-Antoinette, se moquait de lui parce qu'il dansait mal? *Je vis avec mépris*, dira-t-il, dans le style rousseauiste à la mode, *les grandeurs et les petitesses de la Cour, avec pitié l'insignifiance de la société, avec dégoût les minutieuses pédanteries de l'armée, avec indignation tous les genres d'oppression.*

En fait, selon sa propre expression, il cherchait *à faire quelque chose*. Réponse lui fut donnée à Metz, lors d'un dîner d'officiers francs-maçons, auquel le convia son supérieur, le maréchal de Broglie. Y parut en effet le duc de Gloucester, frère du roi d'Angleterre George III, qui, entre la poire et le fromage, parla de la révolte, outre-Atlantique, des Bostoniens contre les Anglais. Pour La Fayette, ce fut le déclic : *Du premier moment où j'ai entendu prononcer le nom de l'Amérique, je l'ai aimée*, dira-t-il plus tard. Commença alors une extraordinaire aventure, dans laquelle le jeune homme se mit en congé de l'armée et, d'une certaine manière, de sa belle-famille qui désapprouva son engagement – d'autant que l'oncle de sa femme, le marquis de Noailles, était ambassadeur de France à Londres ! – puis embarqua secrètement, en Espagne, sur *La Victoire*, qu'il avait lui-même affrétée pour 120 000 livres. Après sept semaines de traversée, au cours desquelles il apprit l'anglais d'une traite, il débarqua, au mois de juin 1777, près de Charleston et aussitôt fila sur Philadelphie, où le Congrès, après un accueil un peu froid, finit par lui décerner le grade de général. Il avait tout juste vingt ans et, le 1er juillet suivant, fut présenté au général en chef, George Washington, qui allait aussitôt incarner le père qu'il avait perdu si jeune. À celui-ci qui, conscient de la faiblesse de ses troupes, lui dit *Nous devons être embarrassés de nous monter ainsi à un officier qui quitte les troupes françaises*, La Fayette répondit : *C'est pour apprendre et non pour enseigner que je suis ici.*

Intrépide au front, où du reste il fut blessé à la bataille de Brandywine, son *baptême du feu* – les Indiens le surnommaient *Kayewla* (le cavalier redoutable) – proche des simples soldats, anti-esclavagiste déclaré (il prit soin de prendre un jeune Noir comme ordonnance), il aida grandement l'armée américaine, non seulement par son action, mais encore par ses deniers personnels, qu'il dépensait pour équiper les soldats qu'il formait. Ceux-ci, ignorant son nom, l'appelaient *Marquis,* mais les Anglais, eux, qui savaient qui il était tentèrent tout pour le capturer, sans succès. Au mois de janvier 1779, après que son navire manqua de chavirer au large de Terre-Neuve, son retour en France fut un triomphe et le roi lui-même le reçut, après tout de même l'avoir condamné à dix jours d'arrêt, pour avoir abandonné son poste. En fait, il les passa avec sa femme dans l'hôtel de sa belle-famille rue du Faubourg-Saint-Honoré, ce qui constitua une seconde lune de miel, dont quelques mois plus tard va naître leur fils prénommé George-Washington de La Fayette.

Mais, à peine le bébé embrassé, le jeune général, au mois de mars 1780, repartit pour le Nouveau Monde, à bord de l'*Hermione,* et cette fois d'une manière tout à fait officielle, puisque la France, dont le roi avait été convaincu par Benjamin Franklin et quelques autres, était à présent engagée auprès des *insurgents.* Le jeune général, qui débarqua à Boston, et que rejoignit bientôt Rochambeau, participa, le 19 octobre 1781, à la bataille de Yorktown, qui confirma l'échec des Anglais et assura la victoire de ce qu'on appela désormais *les Américains,* même s'ils n'étaient pas les seuls à occuper le vaste continent. Au mois de janvier 1782, La Fayette rentra en France, où, se présentant à la Cour dans son uniforme américain, il fut accueilli en héros, dansa avec la reine à Versailles, fut envoyé en mission en Espagne et, constatant que la disette régnait sur ses terres, abandonna la récolte à ses paysans. Il avait vingt-quatre ans et Louis XVI, qui ne pouvait pas faire moins que Washington, confirma son grade de général dans l'armée française. La Cour se l'arrachait, à Paris, les salons le fêtaient, mais il lui fallut à nouveau repartir pour les États-Unis et ce fut à New York qu'il débarqua, au mois d'août 1784. Après une tournée triomphale, à l'issue de laquelle il refusa d'être gouverneur de la Louisiane – un État immense à l'époque, puisqu'il va jusqu'au Canada ! – il rentra en France au mois de décembre, poursuivit son combat en faveur des idées nouvelles, en particulier la revendication de l'état civil pour les juifs et les protestants, ce qui allait aboutir à la promulgation de l'édit de Tolérance. De même, il milita activement pour l'abolition de l'esclavage au sein de la Société des amis des Noirs, et, parallèlement, effectua un long périple en Europe et, à Berlin, soupa avec Frédéric II, roi de Prusse, curieux de connaître ce gentilhomme qui a aidé à instaurer la plus improbable des républiques.

– Monsieur, lui dit le souverain au dessert, j'ai connu un jeune homme qui, comme vous, se mit en tête d'établir la liberté et l'égalité dans son propre pays. Savez-vous ce qui lui arriva ?
– Non, Sire.
– Monsieur, on l'a pendu !

Le roi d'Espagne, Charles III, allait dire la même chose lorsque l'amiral d'Estaing lui proposa de confier à La Fayette le poste de gouverneur de la Jamaïque : *Non ! Non ! Il en fera une république.* De retour en

France, il siégea à l'Assemblée des notables, réunie au mois de février 1787, savoura la gloire et profita de son aura pour séduire nombre de ses admiratrices, ce qui provoqua un petit scandale, puisque le mari de l'une d'entre elles se suicida ! Il n'en reçut pas moins la croix de Saint-Louis et l'honneur de voyager dans le carrosse de Louis XVI, lors de son déplacement à Cherbourg, le seul voyage en France qu'ait effectué cet immobile souverain qui fut pourtant le roi marin. À cette époque, un peintre le représenta debout, en uniforme, les traits encore juvéniles, mais maîtrisant un cheval fougueux, dans lequel, peut-être, il faut voir cette liberté que prônent les Lumières, et dont il est devenu le symbole, parce que lui seul a su s'opposer à la routine des préjugés.

En 1789, le général de La Fayette fut élu député de la noblesse de Riom aux états généraux, avant d'être élu commandant de la garde nationale, la nouvelle milice citoyenne. Sa popularité était à son zénith et lui permit de s'écrier, le lendemain de la prise de la Bastille : *Le peuple, dans le délire de son enthousiasme, ne peut être modéré que par moi !* À quoi s'ajouta ce mot de sa femme : *Vous n'êtes pas républicain ; vous êtes fayettiste.* Il est vrai que, ayant su convaincre Louis XVI de ne pas envoyer les troupes après la prise de la Bastille, il permit d'éviter un bain de sang. Il commit toutefois l'erreur d'être absent la nuit où les Parisiens insurgés tentèrent d'envahir Versailles, même s'il sauva la reine, *in extremis*, en lui baisant la main au balcon, ce qui valut à l'impopulaire souveraine d'être acclamée. De ce jour commencèrent de complexes relations entre la famille royale et lui, qu'allait résumer bientôt

Marie-Antoinette d'un mot qui fit mouche : *Je vois bien que Monsieur de La Fayette veut nous sauver, mais qui nous sauvera de Monsieur de La Fayette !*

Le 14 juillet 1790, La Fayette présida les troupes, le jour de la fête de la Fédération, qu'il avait appelée de ses vœux, et savoura un légitime triomphe qu'immortalisèrent des centaines de dessins, peintures et gravures, mais qui, pourtant, constitua son chant du cygne, malgré ce dernier mot du roi, la nuit de la fuite à Varennes, annonçant : *Je voudrais voir la tête du général.* Quelques jours plus tard, en effet, au terme de son pitoyable retour, celui-ci répondit à La Fayette, qui lui demandait ses ordres : *Il me semble que je suis davantage à vos ordres, que vous ne l'êtes aux miens.* Trop en vue, celui que raillaient certains – tel Rivarol écrivant qu'*il est parvenu à se croire l'auteur de la révolution d'Amérique et il s'arrange pour être l'un des premiers acteurs de la Révolution de France,* ou Mirabeau le surnommant cruellement *Gilles César* – devint rapidement une cible à qui on reprocha, l'été 1791, la sanglante affaire, dite du Champ de Mars, à la suite de laquelle il démissionna de sa charge de commandant de la garde nationale. L'année suivante, la Révolution basculant dans la guerre et, bientôt, la Terreur, l'aura de La Fayette, placé à la tête de l'Armée du Nord, se fissura sous le coup des accusations de Marat lui lançant : *Je vous voue une haine éternelle tant que vous machinerez contre la liberté.*

## La grandeur dans l'épreuve

Constatant, après sa mise en accusation devant l'Assemblée, qu'il n'avait plus d'autre choix que la guillotine ou l'exil, La Fayette, une fois la monarchie tombée, choisit le second au mois d'août et déserta, pensant s'embarquer pour les États-Unis. Malheureusement, il dut passer par les États autrichiens où, désormais considéré comme un otage – bien qu'il fût de nationalité américaine –, il fut arrêté et emprisonné, d'abord à Magdebourg puis à Neisse et enfin à Olmütz, dans des conditions particulièrement dures, surveillé jour et nuit, mal nourri, mal soigné, ses vêtements en lambeaux, coupé de toutes relations avec l'extérieur et ne pouvant écrire qu'avec un cure-dents trempé dans son sang. Sa femme – qui avait vu mourir sur l'échafaud ses grands-parents, sa mère et sa sœur! – parvint cependant à le rejoindre, avec ses filles, en 1795, et, ainsi, adoucir sa captivité. Celle-ci dura encore jusqu'à l'automne 1797, année où Bonaparte, nouveau maître de la France, le fit libérer. Après un séjour de rétablissement, d'abord au Danemark puis en Hollande, surtout pour sa femme qui avait pâti de sa captivité, il rentra enfin en France où, prié de demeurer loin de Paris, il se retira avec les siens au château de la Grange-Bléneau, à Courpalay, en Seine-et-Marne, après avoir eu la douleur d'apprendre la mort de son ami Washington. Là, entre bois et champs, dans cette immense demeure du XVe siècle, en partie reconstruite au XVIIIe siècle par sa belle-famille, il allait s'occuper, tel Cincinnatus, pendant toute la durée du Consulat puis de l'Empire, d'élevage et d'agriculture, recevant les Américains séjournant en France, comme Fenimore Cooper.

Toujours rebelle, il refusa de Napoléon, qu'il ne rencontra qu'une seule fois pour un entretien mitigé, autant la Légion d'honneur qu'un siège de sénateur, de même que l'ambassade de France à Washington, arguant du fait qu'il ne pouvait être diplomate dans un pays dont il possédait la nationalité.

Que puis-je faire de mieux ?, a-t-il dit au nouveau maître de la France, toutes les fois où on voudra me demander si votre régime est conforme à mes idées de liberté, je répondrai que non, car enfin je veux bien être prudent, mais je ne peux être renégat.

En voulant critiquer cette personnalité indomptable, Napoléon le glorifia, en fait, lorsqu'il dit de lui : *Tout le monde en France est corrigé, un seul ne l'est pas, c'est La Fayette. Il n'a jamais reculé d'une ligne. Vous le croyez tranquille, eh bien je vous le dis, moi, qu'il est tout prêt à recommencer.* Pastichant le mot de Sieyès, La Fayette s'exclama : *Ce que j'ai fait durant cette période ? Je me suis tenu debout !* Un malheur le frappa cependant avec la mort, en 1807, de son épouse, que, certes, il avait beaucoup trompée, mais qu'il avait aimée à sa manière, tandis que, jusqu'au bout, elle l'adora. Élu député de Seine-et-Marne à la Chambre des représentants de 1815, il adhéra à la déchéance de Napoléon. Il ne siégea pas moins parmi les contestataires du règne de Louis XVIII, tout en militant, en sus de la franc-maçonnerie, dans le carbonarisme, organisation secrète révolutionnaire, qu'il finança avec son immense fortune, malgré le risque d'être condamné pour haute trahison pour sa participation au complot dit de Belfort, l'automne 1821, tramé contre les institutions. *Vous êtes une statue qui cherche son piédestal,* lui lança alors le banquier Laffitte, *il vous importerait peu que ce soit un échafaud!* Décidé à prendre du recul, ce fut à ce moment qu'il accepta, en 1822, l'invitation du gouvernement américain pour effectuer ce voyage triomphal, dans lequel il constata l'évolution de cette nation qu'il avait connue presque sauvage un demi-siècle plus tôt et qui commençait à devenir une puissance économique au siècle suivant.

De retour en France, à l'automne 1825, La Fayette multiplie les adresses au roi dans lesquelles il revendique l'établissement du suffrage universel et combat, dans les rangs libéraux, le gouvernement de Charles X qui, toutefois, émet ce singulier jugement :

Je ne connais que deux hommes qui aient toujours professé les mêmes principes, c'est moi et Monsieur de La Fayette ; lui comme défenseur des libertés, moi comme roi de l'aristocratie. J'estime Monsieur de La Fayette.

La Révolution de 1830 lui restitue sa charge de général de la garde nationale, même si les effets de l'âge sont visibles, presque quatre décennies plus tard, surtout par le fait qu'ayant été victime d'une mauvaise chute, il s'est cassé le col du fémur et, qu'ayant été mal soigné, il ne marche désormais qu'en s'appuyant sur une canne, le tout, de surcroît, coiffé d'une perruque pour dissimuler sa calvitie, tel que le représente alors Ary Scheffer, assis, en redingote, dans un jardin. Il n'en déclare pas moins avec son panache habituel : *Ma conduite sera, à soixante-treize ans, ce qu'elle était à trente-deux.* Celui qui est l'idole de la jeune génération romantique participe donc à la Révolution de 1830 en arpentant les barricades, sa canne à la main, consommant ainsi sa dernière révolte contre une monarchie atrophiée, dont il a dénoncé, jusqu'au bout, l'aspect réactionnaire. Conscient cependant qu'il est trop tôt pour modifier trop profondément la nature du régime, il se rallie au duc d'Orléans, qu'il adoube sur le balcon de l'hôtel de ville de Paris, en l'enveloppant du drapeau tricolore et en s'écriant devant la foule assemblée : *Ce roi, mes amis, est la meilleure des républiques.* Est-il le seul artisan de cette opération de séduction, on dirait, aujourd'hui, de *communication politique* ? Chateaubriand le pense, qui écrit : *Royaliste, il renversa en 1789 une royauté de huit siècles ; républicain, il créa en 1830 la royauté des barricades ; il s'en est allé donnant à Philippe la couronne qu'il avait enlevée à Louis XVI.*

Va-t-il, lui aussi, devenir roi ? Les insurgés de Bruxelles, qui viennent de se libérer de l'oppression hollandaise, songent un moment à lui confier la couronne de la nouvelle Belgique, mais il fait cette jolie réponse non dénuée d'humour : *Messieurs, ceci m'irait comme une bague à un chat.* En fait, il est trop tard. Le temps, pour le vieux combattant de la liberté, est venu de tirer sa révérence. Le 1er janvier 1831, après avoir démissionné de sa fonction de député, il passe en revue, pour la dernière fois, les 50 000 hommes placés sous son autorité et quitte ses fonctions de commandant de toutes les gardes nationales de France. Retiré dans son domicile de la rue d'Anjou, à Paris, où viennent le visiter ses enfants ses petits-enfants, ses fidèles et ses admirateurs, il y tient une petite cour où chaque étranger de marque ne manque pas de se présenter, surtout s'il est Américain.

Il meurt à cet endroit, dans la nuit du 20 mai 1834, au terme de ce dernier combat, qu'immortalisa cet extraordinaire portrait d'Ary Scheffer le représentant sur son lit de mort avec une rare intensité graphique. Deux jours plus tard, après des funérailles auxquelles assiste une foule immense, il est inhumé dans l'enclos du couvent parisien de Picpus, près de sa femme, sa tombe étant depuis veillée par le drapeau des États-Unis où, dès l'annonce de sa disparition, un deuil national de trente jours est décrété, et où, depuis, quarante-quatre villes, dix-sept comtés, sans les aéroports et les hôpitaux, portent son nom, ou ce square emblématique, à Washington, situé exactement en face de la Maison Blanche, avec sa statue équestre. En 1917, d'abord, en 1944 ensuite, ce sera au cri de *La Fayette, nous voilà!*, que les soldats américains débarqueront sur le Vieux Continent, formule inventée par le colonel Stanton, ce qui constitua sans doute le plus bel hommage rendu par tout un peuple à un jeune aristocrate rebelle, plus de deux siècles après son propre engagement.

# Germaine de Staël

## (1766-1817)

# Le contre-pouvoir au féminin

Il y a une jouissance physique à résister à un pouvoir injuste.
**Germaine de Staël**

Au mois de janvier 1798, à l'occasion d'une de ces fêtes dans lesquelles le Directoire réinvente un Paris traumatisé par la conflagration révolutionnaire dont le point d'orgue fut la Terreur, une femme de beaucoup d'allure, trahissant une condition élevée qu'elle porte naturellement, conduite par l'ancien poète Arnault, pénètre dans l'un des salons où Talleyrand officie en qualité de maître de maison. Il y a déjà plusieurs visiteurs dans le salon, et la dame est impatiente de rencontrer enfin le héros du jour, ce jeune général corse, dont on parle tant. Au bout d'un moment qui lui paraît un siècle, une porte s'ouvre et apparaît un homme de petite taille, sanglé dans son uniforme, les cheveux longs, le teint jaunâtre, que rien ne distinguerait du commun des mortels sans ce magnétique regard qui semble transpercer ses interlocuteurs. Sensible au charme masculin, la dame, qui est venue le voir pour lui faire part de ses idées politiques et surtout, de son désir de ne pas voir sa patrie, la Suisse, envahie par les Français – ce qui arrivera pourtant – attend beaucoup de cette rencontre. Le dialogue est bref et très vite, la dame comprend que ce n'est pas sur le terrain politique qu'elle va susciter l'intérêt de son interlocuteur. Alors, retrouvant sa féminité, elle minaude et tente de séduire son interlocuteur :

– *Général, quelle est pour vous la meilleure des femmes ?*

– *Celle qui fait le plus d'enfants,* répond celui qui, pour bien montrer que l'entretien est terminé, lui tourne le dos !

Force est de constater qu'entre Madame de Staël et Bonaparte, le courant n'est pas passé. Si elle est globalement d'accord avec les idées de celui qui se prépare à mettre un point final à la Révolution, lui est immédiatement sur la réserve face à ce qu'il déteste le plus au monde et qui le désarçonne, une femme intelligente capable d'en remontrer à beaucoup d'hommes, mais qui, surtout, revendique le droit de penser pour les femmes, comme elle l'écrit bientôt : *En cherchant la gloire, j'ai toujours espéré qu'elle me ferait aimer. À quoi servirait-elle, du moins aux femmes, sans cet espoir ?* Avant de constater, désabusée : *La gloire est le deuil éclatant du bonheur.* Celle dont le magnifique portrait par Gérard va populariser la gloire, avec ce port dominateur suggérant son incontestable aura, est une femme que Napoléon va considérer comme sa principale adversaire. Il est vrai qu'il est catholique, méditerranéen et cadet d'une famille nombreuse, alors qu'elle est calviniste, suissesse – c'est-à-dire, pour lui, du Nord – et enfant unique, et que tous deux ont été éduqués dans des milieux totalement différents. De ce fait, il va bientôt lui interdire de séjourner en France, ou tout du moins lui intimer l'ordre de ne pas s'approcher à quarante lieues de Paris, ce qui revient au même. Cette décision l'oblige à se réfugier dans son château de Coppet, près de Genève, dont elle fait bientôt le salon le plus éclairé d'Europe, celui vers lequel convergent, entre autres, Madame Récamier, Guizot, Mackintosh, Schlegel, Gérando Sismondi ou lord Byron et Chateaubriand – qui lui dit un jour : *Si j'avais, comme vous, un bon château au bord du lac de Genève, je n'en sortirais jamais.* Oui, cet homme qui commande à plus d'un million de soldats, que l'Europe craint et dont le mythe se propage partout dans le monde, ne redoute désormais qu'un seul être, cette femme, nouvelle Jeanne d'Arc, certes sans cheval et sans épée puisqu'elle n'a que des mots à lui opposer, dont celui qui la fait entrer dans l'histoire : *Un seul homme de moins et le monde serait en repos !* Et à laquelle il répond : *C'est une véritable peste !* L'ostracisme de Madame de Staël ne constitue pas – c'est le moins qu'on puisse dire – un épisode glorieux du Premier Empire. Elle met, en tous cas, en exergue, l'une des personnalités féminines rebelles, parmi les plus remarquables du XIXᵉ siècle.

Anne Louise Germaine Necker était née le 22 avril 1766 à Paris, dans la capitale de ce royaume sur lequel régnait encore Louis XV et où son père, citoyen genevois s'était installé, comme son compatriote Jean-Jacques Rousseau, mais lui en tant que banquier. Richissime financier, Jacques Necker, en effet, dont sa fille cultiva tout au long de sa vie un souvenir fortement enjolivé, demeurait avec sa femme, Suzanne Curchot, fille d'un pasteur calviniste, dans l'hôtel d'Hallwyll, au quartier du Marais, toujours existant de nos jours. Dans ce qui était alors l'un des plus brillants salons de la capitale, particulièrement marqué par la politique et l'international, on recevait beaucoup. Buffon, Marmontel, Grimm, La Harpe, Gibbon, Raynal et quelques autres en étaient les familiers et ceci explique que l'éducation reçue par l'enfant du couple, tout à la fois érudite, religieuse et mondaine, ne ressembla à aucune autre, à cette époque, même dans ce milieu privilégié. Ceci, associé à la fortune de son père, fit bientôt d'elle l'une une des héritières les plus recherchées de Paris, que convoitèrent successivement le comte de Narbonne, qui passait pour le fils naturel de Louis XV, le comte de Fersen, qui allait être l'amant de la reine Marie-Antoinette, le comte de Mecklemboirg, William Pitt et, *in fine*, Erik Magnus, baron de Staël-Holstein, ambassadeur du roi de Suède Gustave III auprès de la Cour de France, son aîné de dix ans, qui fut agréé parce qu'il était noble, protestant et chargé d'une haute position dans le monde. Le 17 janvier 1786, dans la chapelle de l'ambassade de Suède, Germaine Necker devint Madame de Staël, pour le meilleur et pour le pire.

Le meilleur fut les quatre enfants qui naquirent, dont deux allaient survivre, Auguste et Albertine, future duchesse de Broglie. Le pire fut la mauvaise entente régnant bientôt dans ce mariage arrangé, qui allait aboutir à une séparation, en 1800, les laissant chacun libre de vivre leur vie séparément, ce dont ils ne se privèrent pas. En attendant, la jeune baronne ouvrit un salon, rue du Bac, qui devint rapidement l'un des plus fréquentés de cette extrême fin de l'Ancien Régime, où se croisaient des hommes, surtout, dont elle était plus ou moins amoureuse, La Fayette, de Pange, Condorcet, Noailles, Talleyrand, Montmorency, Clermont-Tonnerre et Narbonne, ce dernier seul étant son amant. Ils furent les lecteurs du premier livre qu'elle publia en 1788, *Lettres sur les ouvrages et le caractère de Jean-Jacques Rousseau*, et qui lui valut un succès d'estime. Un an plus tard, la Révolution renforça sa position sociale, intellectuelle et politique, puisque son père, devenu l'idole de Paris et le principal ministre de Louis XVI, joua un rôle important dans le cours des affaires. Après avoir connu *les bornes du bonheur possible*, en 1792, la situation devint difficile pour la famille du banquier ayant perdu l'estime des Français, ce qui la conduisit à s'enfuir en Suisse, dans son château de Coppet. Germaine y retrouva François de Pange, qui, pour survivre, s'y était fait imprimeur et édita ses livres, en particulier *La Paix* et *Zulma*.

Robespierre abattu et la Terreur passée, Madame de Staël revint en France sous le Directoire, rouvrit son salon, réhabilita la mémoire de Marie-Antoinette, publia *De l'influence du bonheur sur les individus* en 1796, puis *De la littérature considérée dans ses rapports avec les institutions sociales* en 1800, dans lequel elle aborda nombre de sujets, mais plus particulièrement la condition féminine, qu'elle résuma ainsi :

Depuis la Révolution, les hommes ont pensé qu'il était politiquement et moralement utile de réduire les femmes à la plus absurde médiocrité… Jamais les hommes en France ne peuvent être assez républicains pour se passer entièrement de l'indépendance et de la fierté naturelle aux femmes… Éclairer, instruire, perfectionner les femmes, comme les hommes, les nations comme les individus, c'est encore le meilleur secret pour tous les buts raisonnables, pour toutes les relations sociales et politiques.

Toujours très intéressée par la vie politique, elle fréquenta les hommes les plus influents du Directoire, lança le jeune Talleyrand, qui ne lui fut guère reconnaissant, mais ceux-ci se méfiaient de cette libérale cosmopolite, qui parlait de revendications féminines, faisant que le gouvernement finit par ne lui autoriser que de brefs séjours à Paris, sans installation permanente. Ce fut à ce moment qu'elle rencontra Bonaparte pour un premier et dernier contact qui ne fut pas ce qu'elle en avait espéré et lui pas davantage. Qu'elle plaise ou non au nouveau maître, la baronne n'en poursuit pas moins sa carrière d'écrivain, publiant régulièrement de pertinents essais dans lesquels, réunissant tout à la fois les Lumières du xviiie siècle et l'esprit nouveau du xixe siècle. Elle parvient non seulement à faire rayonner ses idées libérales et parlementaristes, mais encore à montrer qu'un écrivain peut être indépendant des gouvernements, ce qui la rapproche de Chateaubriand, parce que tous deux partagent cette préoccupation majeure – et, faut-il le souligner, courageuse ! – de pouvoir penser et s'exprimer librement, quand tant de leurs contemporains se comportent en courtisans zélés, thuriféraires de la puissance politique (et militaire) du moment.

Va-t-elle, en revanche, jusqu'à conspirer avec Moreau et Bernadotte, comme cela fut dit et cru ? Cela paraît peu probable. En fait, cette femme qui, parce qu'elle est femme, ne peut envisager un destin, malgré une supériorité intellectuelle que nombre d'hommes lui envient, qui lui fait dire : *J'ai les peines de tous les partis, le regret de tous les sentiments, et l'œuvre de ma destinée me lasse comme un travail et me tourmente comme une passion.* Toujours sur la brèche, en 1802, elle publie *Delphine,* ouvrage dans lequel elle développe avec beaucoup de talent ses idées politiques, sociales et religieuses, et où elle traite, la première, de la condition féminine, à l'heure où le Code civil fait de la femme une incapable majeure, donc totalement mise sous la tutelle des hommes, ce qui constitue une nouvelle provocation aux yeux Napoléon : *On dirait que l'esprit est un tort qu'il faut expier,* y écrit-elle. Mais c'est, pour le public éclairé, un nouveau succès qui renforce l'estime que lui portent les intellectuels stupéfaits par l'audace de cette femme qui n'hésite pas à sacrifier sa liberté à ses convictions. Naturellement, elle est loin de faire l'unanimité, puisqu'une grande partie de l'opinion publique éclairée ne l'aime guère, pour deux raisons principales. La première est qu'une femme ne saurait s'imposer comme un écrivain politique, matière qui est, d'abord et avant tout, une affaire d'hommes. La seconde est que cette même femme prône le féminisme, même si le mot n'existe pas encore, ce que beaucoup jugent outrancier ou tout au moins déplacé dans une société européenne phallocrate, estimant que cette baronne est une rebelle qui trahit sa caste, y compris dans ses aspects religieux, elle qui n'hésite pas à offrir à ces contemporains des paradoxes étincelants, comme celui-ci : *Les païens ont divinisé la vie ; les chrétiens ont divinisé la mort !* Sa réputation, de ce fait, ne cesse de grandir en Europe, ce que renforce, en 1805, *Corinne ou l'Italie,* dont le thème inspire grandement les artistes, en particulier Mussot, qui la peint sous les traits de son héroïne, une harpe dans la main, avec dans le regard cette tristesse consécutive à la mort de son père adoré, survenue un an plus tôt. Pour soigner sa douleur, elle effectue son *grand tour* en Italie, de Venise à Naples, en passant par Rome, cherchant dans les ruines des monuments antiques l'âme des civilisations.

Infatigable et sans cesse en mouvement, elle est toujours désolée de l'ostracisme que lui impose Napoléon qui, non seulement, empêche son fils d'entrer à Polytechnique, mais encore lui refuse Paris, dont elle est aussi douloureusement privée qu'un poisson hors de l'eau. En 1810, la publication de son essai, *De l'Allemagne,* va faire connaître en France les œuvres littéraires d'outre-Rhin, faisant que c'est bien cette femme tout à la fois rationnelle et passionnée qui ouvre, toutes grandes, avec cet ouvrage édité chez Mame, les portes du romantisme. *Il faut avoir l'esprit européen*, dit Madame de Staël dans ce nouveau texte que Napoléon fait saisir et mettre au pilon. Le retentissement de ce texte est considérable et renouvelle totalement le genre littéraire de celle qui ne cesse d'affirmer sa foi dans le progrès et sa confiance dans l'avenir, à la condition que les libertés publiques et les formes démocratiques soient respectées. De ce fait, elle invente ce qu'on appellera plus tard la littérature *engagée,* puisque, selon elle, celle-ci est désormais indissociable de la politique, sa créativité de plume et son inventivité d'esprit ne pouvant s'abstraire du monde dans lequel elle demeure. En ce sens, Germaine de Staël clôt bien le temps des Lumières pour ouvrir celui des Temps modernes, jusqu'au XX^e siècle.

Mais la gloire de Madame de Staël est inversement proportionnelle à sa vie affective. Veuve depuis 1802, elle est toujours à la recherche d'un bonheur conjugal qu'elle n'a pas trouvé et qu'elle ne trouvera jamais, y compris dans la tumultueuse relation avec son compatriote, l'écrivain Benjamin Constant, avec lequel elle est liée depuis 1795. C'est déjà un vieux couple qui a voyagé en Europe, en Allemagne, en particulier où il s'est lié d'amitié avec Goethe et Schiller. Mais tous deux sont de conserve des opposants au despotisme napoléonien, même si le futur auteur d'*Adolphe* a été nommé par ce dernier au Tribunat, et même si, après une réconciliation spectaculaire, il va rédiger pour lui l'acte constitutionnel de 1815. Toutes proportions gardées, ce couple d'intellectuels, dont l'audience est considérable en Europe, parce qu'il en est la conscience, n'est pas sans anticiper celui que Simone de Beauvoir et Jean-Paul Sartre vont incarner un siècle plus tard, ce qui justifie cette remarque de Constant sur elle : *Je ne connais aucune femme et même aucun homme qui soit plus convaincu de son immense supériorité sur tout le monde, et qui fasse moins peser cette conviction sur les autres.* Et cette autre, infiniment plus perfide : *Si elle avait su se gouverner, elle aurait gouverné le monde.*

Il est vrai que la sérénité est souvent exclue de cette liaison, puisque les scènes et les tromperies sont fréquentes, certes suivies de réconciliations et même, parfois, de la signature de *traités,* dans lesquels l'un et l'autre s'engagent à faire ou ne pas faire certaines choses ! Abandonnée par Constant qui, au terme d'une liaison chaotique et orageuse de plusieurs années, s'est marié avec Charlotte de Hardenberg, sans avoir eu le courage de le lui dire, elle refait sa vie en 1811, avec le bel Albert de Rocca, de vingt-deux ans son cadet, à qui elle va donner un fils, mais, là encore sans trouver le bonheur conjugal, elle qui confie un jour à son amie Madame de Saussure : *Jamais je n'ai été aimée comme j'aime.* Avec lui, elle quitte Coppet, en 1812, pour s'en aller en Angleterre, mais se voit contrainte de passer par la Russie, séjournant à Saint-Pétersbourg, où elle commence à rédiger ce qui va devenir ses *Dix années d'exil* et achève ses magistrales *Considérations sur la Révolution française,* plaçant définitivement cette républicaine élitiste sur le piédestal de ceux qui ont dominé la pensée de leur temps.

On la voit ensuite en Suède, où elle se lie avec Bernadotte et enfin en Angleterre, où elle encourage le comte de Provence à devenir un souverain constitutionnel, ce qu'il sera en effet, dès lors que Bonaparte abdique en 1814. Désireuse de retrouver Paris, dont elle s'est longtemps languie, tout au long de son exil forcé, elle rentre en France et ouvre alors, dans son hôtel, un salon que fréquentent l'ensemble du gratin de la Restauration et même les diplomates et les souverains alliés. Sa présence, cependant, n'est pas que mondaine, puisqu'elle fait le siège du gouvernement de la Restauration pour récupérer le prêt de deux millions de francs que son père, naguère, avait prêté à la nation pour acheter du blé, ce à quoi elle parvient enfin. Elle voyage encore en Italie, effectue des séjours à Coppet, mais revient toujours à Paris.

C'est là que, au début de l'été 1817, lors d'un bal chez Decazes, elle tombe, victime d'une hémorragie cérébrale, s'écroulant dans les bras de son gendre, Victor de Broglie. Paralysée, elle meurt le 14 juillet suivant, dans cette même ville où elle était née un peu plus d'un demi-siècle plus tôt et à une date anniversaire plus que singulière pour celle qui était la fille du principal ministre l'année de la prise de la Bastille. Madame de Staël, qui a popularisé le terme de *littérature*, se substituant désormais à celui de *belles lettres*, de même que celui de *romantisme*, a été la pionnière du féminisme, de la géopolitique et de la démocratie libérale. Elle a revendiqué le bonheur qu'elle ne trouva jamais, et incarne, en son temps comme aujourd'hui, à la croisée de deux siècles, la grandeur de l'esprit, seule garantie de l'indépendance et de la liberté, mais aussi l'exaltation d'une sensibilité aussi nécessaire que la raison. C'est sans doute pour toutes ces raisons qu'elle sera l'une des premières femmes statufiées sur l'hôtel de ville de Paris, sous la monarchie de Juillet, à l'époque où le romantisme reconnut en elle sa pionnière inspirée.

# Esther Stanhope
## (1776-1839)
# La quête de l'absolu

Mon esprit domine les événements. Mon pays est l'univers.
**Esther Stanhope**

Au village de Joun, ou Dgoun, en pays druze, dans l'actuel Liban, une sorte de palais juché sur une haute colline pierreuse, comme le montre dessin de Barlett, gravé par Cousen, intrigue les rares voyageurs se hasardant dans ces contrées plutôt inhospitalières qui, *a priori*, ne font pas partie de ce *grand tour* qu'effectuent, à l'époque romantique, les jeunes Britanniques des milieux aisés, les peintres paysagistes et les écrivains en quête d'absolu. L'un de ces derniers, toutefois, le 30 septembre 1832, y arrive en grand équipage, pour venir rendre hommage à la maîtresse des lieux, comme d'autres le font, au même moment, au château de Coppet, près de Genève pour visiter une autre dame de haut parage, avec laquelle elle n'est pas sans offrir quelques ressemblances, puisque toutes deux sont des aristocrates rebelles.

La première se nomme Esther Stanhope, la seconde Germaine de Staël et toutes deux font rêver les hommes de leur temps, même si la seconde, dans la plus verte

Suisse demeure plus accessible que la première et, il faut bien le reconnaître, moins désirable. Le visiteur, lui, s'appelle Alphonse de Lamartine. Diplomate et poète, il a dû attendre quelques heures avant d'être admis dans le *Saint des Saints*, temps pendant lequel des domestiques lui ont servi un copieux repas et l'ont fait patienter dans une chambre où il a pu se délasser des fatigues d'un si long voyage. Enfin, on vient le chercher pour comparaître devant la maîtresse des lieux à demi-allongée sur des coussins moelleux, comme les odalisques de Monsieur Ingres :

Elle a de ses traits que les années ne peuvent altérer, va-t-il écrire plus tard dans son *Voyage en Orient*, la fraîcheur, la couleur, la grâce s'en vont avec la jeunesse, mais quand la beauté est dans la forme même, dans la pureté des lignes, dans la dignité, dans la majesté, la beauté change aux différentes époques de la vie, mais elle ne passe pas. Telle est lady Stanhope. Elle avait sur la tête un turban blanc, sur le front une bandelette de laine couleur de pourpre retombant de chaque côté de la tête jusqu'aux épaules. Une immense robe turque de soie blanche à manches flottantes enveloppait toute sa personne dans des plis simples et majestueux ; et l'on apercevait seulement, dans l'ouverture que laissait cette première tunique sur sa poitrine, une seconde robe d'étoffe de Perse à mille fleurs qui montait jusqu'au cou et s'y nouait par une agrafe de perles. Elle portait ce beau costume oriental avec la liberté et la grâce d'une personne qui n'en a pas porté d'autres depuis sa jeunesse.

Même si le poète est un peu vexé d'apprendre qu'elle n'a jamais entendu parler de lui ni de ses vers – il ne peut, bien sûr, pas en dire autant d'elle ! – le contact s'établit rapidement entre ces deux êtres d'exception, beaux, sensibles et lettrés qui, pendant toute la nuit, parlent de la vie, de la mort, du messie, de la fin du monde, de la quête mystique. Ils se quittent, pourtant, au petit matin, au terme d'une nuit de palabres dans laquelle l'Anglaise et le Français se sont compris. Tous deux – ils l'ont su à la première seconde ! – vont contribuer à nourrir leur propre légende. Bien sûr, celle de cette excentrique Britannique est déjà bien établie, en cette époque romantique où la notion de destinée se pare des couleurs d'un Orient mystérieux fascinant un Occident qui, après s'être beaucoup préoccupé du Nouveau Monde, à l'ouest, se souvient qu'il en existe un autre, à l'est et sans doute y est-elle pour beaucoup.

## Une jeune Lady romanesque

Aînée des trois filles de lord Charles Stanhope, aristocrate britannique, petit-fils d'un Premier ministre de Grande-Bretagne qui, naguère, avait conclu un traité de paix avec le Régent de France, et d'Hester Pitt, fille et sœur, elle-même, de deux autres premiers ministres, Esther Stanhope était née le 12 mars 1776. Éduquée, sous l'autorité d'une gouvernante italienne, dans un milieu aisé et cultivé – son père, député libéral à la Chambre des communes, scientifique renommé et auteur d'un traité sur l'électricité, était un admirateur des philosophes des Lumières, Jean-Jacques Rousseau en particulier, avant d'être le seul aristocrate britannique à applaudir la Révolution française – elle connut, encore enfant, la douleur de perdre sa mère, suivie par le remariage de son père avec Louisa Grenville et la naissance d'autres enfants. Son enfance, partagée entre le domicile de Londres, le château familial de Chevenne, près de Sevenoaks, dans le Kent, ou la résidence estivale de Hastings, a, de ce fait, été peu heureuse, à l'exception des milliers d'heures passées dans la bibliothèque paternelle où, trompant sa solitude, elle se mit à lire tout ce qu'elle y trouvait, se formant empiriquement à la connaissance, mais avec un réel bonheur.

Ceci explique que, ses quatorze ans révolus, à la requête de celui-ci, elle se réfugia chez son oncle, William Pitt, célibataire endurci, dont elle égayait la solitude d'homme d'État, tout en lui servant de fille de substitution dans sa demeure de Londres ou son château de Walmer. À ses côtés, elle paracheva son éducation, apprit à jauger les autres et s'initia aux subtilités du pouvoir. Grande, bien faite, les traits réguliers, les yeux bleus et les cheveux auburn, elle parut, à dix-huit ans, dans les salons de Londres, dansa avec George Brummell aux bals de la Cour, mais refusa toutes les demandes en mariage pour conserver sa liberté de jeune femme rétive à toute autorité masculine. Galopant la journée, sans crainte du danger et faisant, par son assiette parfaite, l'admiration des officiers, animant, le soir, les dîners de Downing Street, lisant la nuit, cette romanesque jeune femme, si proche des personnages des romancières anglaises du temps, faisait preuve, d'une autorité naturelle, mais encore d'une indépendance d'esprit à peu près totale.

Et le tout sans compter son esprit, par lequel elle se moquait de chacun, à la Cour comme au gouvernement, ou éblouissait les convives de Pitt par sa conversation. Que cela plût ou non, il fallait passer par elle pour obtenir les grâces, les faveurs, les décorations, les promotions ou les pensions, ce qui fit d'elle le point de mire de la capitale britannique. Ne raconte-t-on pas qu'un jour, à Windsor, où elle se promenait au bras de son oncle, le roi parut et apostropha ainsi son Premier ministre :

– Pitt, j'ai trouvé quelqu'un pour vous remplacer.
– Vous m'en voyez ravi, Sire, j'ai grand besoin de repos.
– Oui, un ministre, bien meilleur que vous.
– Quel est donc cet être remarquable ?
– Mais, vous lui donnez le bras ! Je n'ai, dans tout le royaume, ni homme d'État qui la surpasse ni femme qui fasse plus honneur à son sexe.

Le 19 janvier 1806, cependant, cette brillante existence cessa d'un coup, puisque Pitt mourut, la laissant sans ressources (lord Chatham, qui avait servi sa patrie bien mieux que lui-même, ne possédait que des dettes, ou presque). En reconnaissance des services rendus, le Parlement attribua quand même à la jeune nièce une pension annuelle de mille livres et deux cents sterlings. À trente ans passés, brouillée avec son père, elle se retira à la campagne, au pays de Galles, mais finit par s'ennuyer, trouvant de surcroît l'Angleterre trop petite pour la mesurer à l'aune de ses rêves, et ce après l'annonce de la mort, en Espagne, du général Moore, fauché par un boulet de canon français, le seul homme, peut-être, qu'elle aurait accepté d'épouser, comme elle le lui avait promis avant son départ pour le front.

Désireuse de quitter l'Angleterre, qu'elle ne supportait plus, et peut-être, aussi, avec l'idée de rencontrer Napoléon pour le convaincre de faire la paix, le 10 février 1810 elle embarqua à Portsmouth à bord du *Jason*, à destination de Gibraltar, puis de Majorque en compagnie du docteur Charles Lewis Meryon, qui allait être son ami le plus fidèle. Là, pensant aller, à bord du *Cerbère*, en Sicile, elle fut détournée sur Malte à cause des menaces de la flotte napoléonienne. Logée chez le gouverneur britannique, le général Oakes, au palais San Antonio, elle y effectua une longue étape qui la familiarisa avec la douceur de la vie méditerranéenne.

Mais, surtout, elle y rencontra le très beau Michaël Bruce, fils d'un des plus riches banquiers de Grande-Bretagne, un éphèbe de vingt-trois ans, aux traits d'Antinoüs. Malgré leurs sept ans de différence, ce fut un coup de foudre contre lequel ils ne cherchèrent pas à lutter, s'aimant avec passion dans le décor féerique de l'ancienne cité de l'ordre de Malte, avec les somptueux palais et les jardins luxuriants de cette île située à mi-chemin de l'Occident et de l'Orient. Méprisant l'opinion de la très puritaine société britannique, choquée par cette liaison affichée hors les liens sacrés du mariage, et désireux, l'un et l'autre, d'augmenter leur connaissance du monde, ils quittèrent bientôt Malte pour la Grèce et prirent leurs quartiers à l'île de Zante puis à Corinthe, où quelques camarades de Cambridge de Bruce se joignirent à eux, en particulier son meilleur ami, lord Sligo.

Remontant sur Athènes, en communiant dans l'enchantement des paysages que la génération romantique vénérait, ils passèrent alors par Le Pirée où, presque devant eux, un homme plongea nu dans la mer : Esther apprit par son compagnon de voyage que cet étrange compatriote se nommait lord Byron, lequel, rhabillé après avoir nagé tout son saoul, vint les saluer. Mais les deux rebelles ne se séduisirent pas, peut-être parce qu'ils se ressemblaient-ils trop. Le soir, Byron écrivit à un ami : *J'ai rencontré lady Stanhope. Je n'aime guère cette chose dangereuse qu'on appelle une femme d'esprit.* Quant à elle, elle allait confier plus tard : *C'est un homme à l'humeur extrêmement changeante. Tantôt boudeur, tantôt badin, il ne me plaît guère.*

Et le voyage se poursuivit : après Athènes, Constantinople où elle arriva à l'automne, n'hésitant pas à se travestir en homme pour assister à la procession du sultan, interdite aux femmes et à tenir salon dans la maison qu'elle louait au quartier de Péra, recevant tous les étrangers de marque visitant ce qui était naguère la *Sublime Porte,* dont elle subissait chaque jour davantage la fascination. Parallèlement, elle commença à prendre ses distances avec l'Angleterre en se brouillant avec son représentant, Stratford Canning, première étape d'une progressive rupture avec sa patrie, qui allait s'avérer bientôt totale. Poussant plus loin sa curiosité, à l'automne 1811, le couple abandonna Constantinople pour filer sur l'Égypte, mais une terrible tempête détruisit son navire en mer, ne lui laissant que le temps de sauter dans une chaloupe qui, par miracle, résista aux éléments déchaînés et le déposa à Rhodes. Ayant perdu leur garde-robe dans l'aventure, les amants furent désormais contraints de s'habiller à la mode ottomane, à laquelle Esther demeura fidèle jusqu'à la fin de ses jours, puisque – nouvelle rébellion ! – elle refusa de reprendre les robes de sa condition et de sa nation.

Enfin recueillis par un navire britannique, ils débarquèrent à Alexandrie, puis gagnèrent Le Caire où, intrigué par la réputation de la nièce de Pitt, le pacha les reçut dans son palais, allant jusqu'à lui offrir l'un des plus beaux chevaux de ses écuries. Ne tenant jamais en place très longtemps, au printemps, les amants quittèrent Le Caire pour prendre le chemin de la Terre sainte, ce qui, à cette époque, se faisait en caravane, à dos de chameaux, jusqu'à Jaffa. Ils atteignirent ainsi Jérusalem, où le gouverneur Kengi Ahmed leur envoya une garde d'honneur de cavaliers, pour les accueillir et les conduire au Saint-Sépulcre. Le lieu les séduisit peu, ce qui explique que, au bout de quelques jours, ils prirent le chemin de la Syrie où l'émir Béchir, prince des Druzes leur fit parvenir une invitation ainsi tournée : *Mon palais est vôtre pour un jour ou pour un an.* Ils acceptèrent l'offre et firent étape à Deir-el-Kamaret y demeurèrent jusqu'à la fin du mois d'août, où ils atteignirent Damas, cité dans laquelle Esther fut sans doute la première Occidentale à mettre les pieds, entrée remarquée, puisque, malgré les conseils qu'on lui donna, elle refusa de se voiler, continua de monter à cheval, vêtue en mameluk et sans porter de voile pour dissimuler son visage.

Contrairement à ce qu'on aurait pu croire, son comportement finit par lui valoir l'estime de la population, impressionnée par son port, sa détermination et sa liberté, ce qui conduisait les Arabes à lui donner le nom de *Meleki,* qui signifie reine. Et ce, d'autant que chacun savait que le but de son interminable voyage, qui la menait de si loin, était désormais de gagner la mythique cité de Palmyre, dans le désert, cité d'échange bien connue des bédouins et des brigands, mais qu'aucun Occidental n'avait encore jamais vue, et qui nourrissait de ce fait l'imagination des voyageurs. Entrer dans Palmyre devint alors pour Esther Stanhope une véritable quête. Et, l'été 1813, après avoir traversé le désert syrien, la petite caravane qu'elle dirigeait finit par gagner l'extraordinaire cité romaine si miraculeusement conservée, avec sa forêt de colonnes :

Rien, écrit Michael Bruce, n'aurait pu surpasser la beauté de cette scène. L'arc, sous lequel nous nous trouvions, encore debout, était de magnifique architecture, les femmes, parmi les fûts brisés de la grande colonnade, formaient un groupe pittoresque, les guerriers voltaient parmi ces imposantes et émouvantes pierres.

Accueillie en souveraine par la population de la cité, qui vit en elle la réincarnation de la mythique reine Zénobie, Esther, couronnée de fleurs par les jeunes filles de Palmyre, fut ensuite conduite à la fontaine miraculeuse d'Pêcha, avant d'être logée dans le village installé dans l'ancien temple de Bâl. Bien qu'obligée de déguerpir, en raison de la menace proférée à son encontre par les tribus considérant qu'il n'était pas admissible qu'une femme s'imposât dans ce bastion de la tradition musulmane, elle crut alors en son destin oriental, d'autant qu'elle commençait à se lasser de son jeune amant qui, à ses côtés, faisait pâle figure, et que son père rappelait à Londres. L'aimant toujours mais ne pouvant que constater son indolence et son irrésolution, elle lui rendit sa liberté et le laissa partir pour Alep, où il allait s'embarquer pour l'Angleterre, sans savoir, l'un et l'autre, qu'ils n'allaient plus se revoir.

# La rupture avec l'Occident

Toujours déterminée, elle poursuivit son chemin, sans s'inquiéter de la peste qui ravageait le pays. Elle eut tort, puisqu'elle l'attrapa, mais en réchappa, grâce aux soins prodigués par le fidèle docteur Meryon, qui ne quitta pas son chevet pendant un mois où elle demeura entre la vie et la mort. À la manière d'une initiation, elle sortit de cette épreuve totalement métamorphosée, mystique et visionnaire, convaincue à présent que tout ce qu'elle avait fait jusque-là avait un sens à présent révélé. Dieu – celui des chrétiens, celui des musulmans, celui des juifs peu importe ! – avait fait d'elle sa voix en lui envoyant des visions. De ce jour, elle se lança dans différentes entreprises plus ou moins cohérentes, mais qui l'occupèrent beaucoup. Ainsi, convaincue un jour par des vieux manuscrits qu'un trésor était caché dans les ruines d'Ascalon, elle entreprit des fouilles qui ne donnèrent rien, à l'exception d'une statue antique. Un autre, elle envoya une armée châtier des brigands qui avaient assassiné un de ses amis, le Français Boutin, tout en étudiant à fond le Coran. Ce fut à cette époque qu'elle apprit la chute de Napoléon que, finalement, elle ne rencontra pas, ses pas l'ayant portée vers d'autres horizons, et décida de ne plus revenir en Angleterre où elle n'avait rien à faire.

Au terme de toutes ces aventures, elle finit donc par se fixer en pays druze lorsque le pacha de Saint-Jean-d'Acre lui concéda le village où elle fit construire sa résidence, ce qui la ruina, mais inspira le respect auprès des populations locales, dont elle devint la prophétesse, immortalisée par les gravures de l'époque la représentant en habits orientaux fumant le narghilé, au milieu de sa petite cour, dans laquelle se trouvaient trois Français, son majordome, son secrétaire et le singulier Loustaneau, ce Béarnais au destin mythique, général aux Indes, mais qui perdit sa fortune réalisée là-bas et devenu à présent son écuyer. Le tout sans compter ce tigre plus ou moins apprivoisé qui rodait dans son jardin, terrorisant ses serviteurs !

C'est ainsi que Lamartine la voit et répand sa légende en France, de même que d'autres visiteurs de marque qu'elle ne manque jamais d'accueillir, sachant qu'ils construisent son image en Europe. Tels sont le journaliste Sils Buckingham, qui en laisse une relation fascinée, l'éditeur Firmin Didot, qui la met en scène dans ses fameuses *Notes d'un voyage au Levant*, le comte de Marcellus, diplomate au service de Chateaubriand quand il était à Rome, lui aussi sous le charme : *J'admirais sa haute stature, ses yeux grands et vifs, sa figure allongée et pâle qui exprimait l'énergie et le courage. Je la trouvais belle ; je l'écoutais, captivé.* Mais d'autres, encore, se pressent chez elle, malgré l'extraordinaire éloignement de sa thébaïde, parmi lesquels le poète William Kinglake, les archéologues Laborde et Madden, ce dernier qui lui demande si elle compte un jour revenir en Angleterre et à qui, des flammes dans les yeux, elle rétorque :

Non, jamais, vous m'entendez, jamais ! C'est ma destinée
de rester ici. Je suis entourée de dangers, mais j'y suis
habituée. J'ai fait naufrage à Rhodes ; j'ai eu la peste ; j'ai fait
de sérieuses chutes de cheval ; je me suis retrouvée seule en
plein désert ; je suis en guerre avec le prince de la Montagne ;

mes ennemis menacent de m'assassiner, mais j'ai des armes en abondance et tant que je pourrai tenir un poignard, ces rocs chauves auront des festins royaux pour les chacals bien avant que mon visage ne devienne noir. Et dans deux siècles les montagnards parleront de la *Sitt inglesié**, comment ils l'ont vue dressée sur son cheval, comment elle est tombée, à la manière d'un chef arabe, au moment où se couchait son étoile.

En cette époque romantique, qui connaît son plein épanouissement, lady Stanhope entre alors, vivante, dans le panthéon de ceux qui le composent, même si celle-ci correspond à son chant du cygne. C'est, en effet, l'épanouissement de sa rébellion hautaine contre sa patrie et ses compatriotes, qu'elle toise du haut de son palais, avec toute sa force d'aristocrate qui plus est, nièce, petite-fille et arrière-petite-fille de trois Premiers ministres. Comptant parmi les merveilles de l'Orient – Lamartine dixit – elle devient une sorte d'icône dont tout le monde parle ce qui, naturellement, satisfait son ego quelque peu exalté. Mais si sa réputation progresse, et avec elle ces êtres de toutes conditions venant la consulter et lui demandant, tout simplement, l'hospitalité, ses revenus, en raison de sa prodigalité proverbiale et son incapacité à gérer correctement sa pension britannique, baissent inexorablement, ce qui la conduit à emprunter à des banquiers turcs qui la grugent. Elle réduit progressivement son train de vie, ne se nourrissant plus, à la fin, que de quelques fruits, et ne conservant, comme ultime luxe, que ses chevaux, avec lesquels elle effectue, chaque fin d'après-midi, une promenade, en compagnie de ses visiteurs ou de ses familiers.

* Femme anglaise, en arabe [nde].

Toujours possessive avec ses proches, tyrannique avec ses gens, vouant les Anglais aux gémonies, indifférente à l'annonce de la mort de son père, qui ne lui lègue pas un penny, elle entre dans le dernier acte de sa singulière destinée. Et celle-ci est tragique : entourée des véritables brigands qui, certes, la protègent mais aussi la volent, de même que de toutes sortes de gens, vieillards, malades, orphelins, qu'elle recueille et qu'elle nourrit, le tout dans une bâtisse qui, avec ses murs en torchis se dégrade inexorablement au fil des années, elle serait aujourd'hui considérée comme bipolaire, puisqu'elle est, tout à la fois, humaniste et insupportable, généreuse et agressive, ouverte aux autres et repliée sur elle-même. Parallèlement, elle voit sa santé se détériorer, toussant à n'en plus finir, crachant le sang et finissant ses journées épuisée. Pour couronner le tout, sa pension est bientôt saisie pour indemniser ses innombrables créanciers, ce qui vaut à la jeune reine Victoria de recevoir une missive à la limite de l'injure de la part de la nièce de William Pitt !

Seule, sans assistance, sans serviteur pour s'occuper d'elle, aux alentours du 20 juin 1839, Esther Stanhope s'éteint de la phtisie et il faut attendre plusieurs jours pour découvrir son corps dans un état de décomposition avancée, compte tenu du climat. À la hâte, on le dépose dans un sarcophage de pierre décorant le jardin, avant de l'abandonner. Et dans la solitude d'une maison bâtie loin de tout, l'enveloppe charnelle de la plus surprenante des sujettes de la *Perfide Albion*, comme le disent les Français, disparaît de la surface de la Terre. Son souvenir, en revanche, va perdurer, puisque, dès 1845 Philarète Chasles lui consacre un

premier texte, suivi par celui de Pierre Benoit s'inspirant d'elle pour camper le personnage d'Althestane
Orlof, dans son roman *La Châtelaine du Liban*. Mais,
malgré sa triste fin, le souvenir de son aventure, dans
ce qui est aujourd'hui le Liban, n'en finit pas de hanter
celles et ceux qui, à son image, privilégient l'aventure
de la liberté à la monotonie des jours et la bassesse
des préjugés dressant toujours, au Moyen-Orient, les
hommes les uns contre les autres. Lady Stanhope a
montré à l'humanité que l'amour demeure le lien le
plus fort entre les civilisations, sacrifiant pour cela son
propre bonheur.

# Lord Byron
## (1788-1824)

# Entre violence
# et passion

J'abhorre l'Angleterre et l'Angleterre m'abhorre. **Lord Byron**

Sur les quais de Londres, le 5 juillet 1824, Gilbert du Motier de La Fayette se prépare, pour la énième fois, à traverser l'Atlantique, cinquante ans après la première. Cette escale, au cœur de la capitale de cette nation qui, jadis, lui a pris son père, et qu'il a lui-même mise à genoux lorsque, en Amérique, il a permis la victoire des *insurgents,* prend la forme d'une revanche qui ne lui déplaît pas, surtout lorsqu'il constate que le bruit de sa venue s'étant répandu comme une traînée de poudre, chacun veut le voir. D'où un encombrement extraordinaire près de ces docks entourés de brouillard, conformément à l'idée que chacun de fait de la capitale britannique, en particulier cette rive de la Tamise qui sera intégralement détruite par les bombes allemandes pendant la Seconde Guerre mondiale.

Mais un homme s'approche de lui et lui annonce une nouvelle qui le stupéfie : à quelques centaines de mètres à peine, un cercueil vient d'être débarqué d'un navire en provenance de Grèce. Et celui-ci renferme le corps d'un homme au moins aussi célèbre que lui, bien que beaucoup plus jeune, lord Byron. Aussitôt, La Fayette émet le désir d'aller le saluer, mais il n'en a pas le temps, son propre navire devant lever l'ancre. L'extraordinaire rencontre entre le héros des Lumières, bien vivant et celui du romantisme, déjà mort, n'aura pas lieu. Il est temps de remonter sur le navire qui va prendre le large en profitant de la marée descendante, laissant le Français songeur à l'approche du grand large, qui se dit que leurs deux existences ont été plus complémentaires qu'on ne pourrait le croire.

## Un jeune lord débauché

Trente-six ans plus tôt, en effet, le 22 janvier 1788, était né à Londres, Holles Street, à Cavendish Square, George Byron, enfant unique du capitaine John Byron et de sa seconde épouse, Catherine Gordon de Gight. Le premier, fils d'un amiral, appartenait à une des plus anciennes familles d'Angleterre, dont le fondateur comptait parmi les proches de Guillaume le Conquérant; la seconde descendait, via Jacques I$^{er}$ d'Écosse, des Stuarts. Leur union dura peu, puisque John Byron, sorte de bon à rien ne s'intéressant qu'au vin, aux femmes et aux tables de jeu s'éteignit trois ans plus tard en France, où il résidait afin d'échapper à ses créanciers, laissant, de son premier mariage avec la marquise de Carmarthen, une fille, Augusta, qui allait tenir dans la vie de son demi-frère une certaine importance. L'enfant qui vint au monde était déjà ruiné, mais un espoir planait sur son berceau : il était le plus proche héritier de son grand-oncle, le baron Byron de Rochdale, dit le *mauvais lord*, un demi-fou richissime qui, après avoir tué en duel son cousin et jeté sa femme dans un lac, vivait en solitaire dans son abbaye de Newstead, en lisière de la forêt de Sherwood, jadis donnée à ses aïeux par Henri VIII, où il entraînait ses grillons à la course… sur son énorme ventre !

En attendant que ce dernier consentît à disparaître, Catherine Byron et son fils s'installèrent à Aberdeen, en Écosse, où la vie était moins chère qu'à Londres, et où George grandit, sinon en beauté, car sa cheville tordue le contraignait à boiter, tandis qu'il était prématurément obèse. Au moins son intelligence paraissait bonne, son précepteur lui inculquant le goût du latin, de l'histoire et de la littérature. Mais la première caractéristique de cet enfant rétif à toute autorité et infatué de son nom et de la devise des siens – *Crede Biron* (*Crois en Byron*) – fut la révolte qu'il manifesta contre sa redoutable mère, qui trompait ses frustrations dans l'alcool, jurait comme un charretier et poursuivait son fils avec un tisonnier lorsqu'il lui cherchait querelle et l'appelait son *tourment. Byron, vous êtes un monstre, comme vos ancêtres,* lui criait-elle dessus, en lui jetant la vaisselle à la tête !

De cette singulière éducation il allait conserver, outre l'impérative nécessité de porter, sa vie durant, une chaussure orthopédique, une irritabilité constante, un caractère ombrageux et une insatisfaction permanente qui allaient être les premiers traits de son caractère rebelle et anticonformiste. Ce long séjour, de surcroît, fit aussi de lui un Écossais de cœur, aimant porter le tartan de son clan et arpenter les landes désertes et brumeuses du royaume de ses ancêtres maternels, y puisant dès son plus jeune âge un profond sentiment romantique. À dix-sept ans, cette existence cessa, puisque le grand-oncle étant enfin mort, le nouveau lord Byron hérita du titre de sixième baron de sa lignée et de la fortune au moment où il passait de la renommée Public School de Harrow au prestigieux Trinity College de Cambridge.

S'opéra alors une extraordinaire mutation : au prix de privations alimentaires, il maigrit et, pratiquant l'équitation, l'escrime, le cricket, la boxe et surtout la natation, se forgea en quelques années, par sa seule volonté, un physique d'athlète parfait. Son visage subit parallèlement une aussi singulière mutation, faisant de ce blond aux yeux gris-bleu, bordés de longs cils, au nez parfaitement droit et à la bouche sensuelle, un garçon d'une stupéfiante beauté qui fit désormais chavirer tous les cœurs, ceux des femmes comme ceux des hommes. Car, dès la fin de son adolescence, lord Byron, parfaitement bisexuel, sacrifia aux deux, divisant en parts égales ses amours entre ses jeunes, très jeunes condisciples de Cambridge, pourvu qu'ils fussent d'une beauté égale à la sienne, et les prostituées de Londres, sans jamais éprouver le moindre désir de se justifier, puisqu'il se considéra toujours au-dessus du conformisme, lui qui envisagea même d'écrire un traité sur les mœurs, dont l'un des principaux chapitres eût été un *Éloge de la sodomie et de la pédérastie en tant que pratique digne de louanges d'après les auteurs anciens et l'usage moderne*. Ceci ne l'empêche pas de s'éprendre de ses cousines Marie Duff puis Margaret Parker, mais sans rien en espérer, sinon l'inspiration de ses premiers poèmes.

Il sacrifia de surcroît au dandysme ambiant, montant les plus beaux chevaux, commandant ses vêtements aux tailleurs les plus chic, et s'installant bientôt, une fois prêté son serment à la Chambre des lords, à Newstead Abbey, qu'il fit restaurer à grands frais et où il donna de superbes fêtes, dépensant sans compter l'argent dont il venait d'hériter. Travaillant peu ses études, il noua de durables amitiés avec des camarades tels que Skinner, Matthews, Scrope, Davies et Hobhouse, et obtint, selon sa propre expression *ses diplômes dans l'art du vice*. Il s'installa parallèlement à Londres, où il publia ses premiers poèmes, mais déçu par le frais accueil que lui réserva l'aristocratique assemblée, où il pensait briller, et attristé par la mort de son chien, Boatswain, il se lassa de sa trop superficielle existence et décida d'aller voir ailleurs si le ciel est plus beau.

## L'errance d'un homme libre

Au mois de juillet 1809, il quitta donc l'Angleterre avec son ami Hobhouse, un page, le jeune Bob Ruston, et trois domestiques, destination Lisbonne, Séville, Cadix, Gibraltar, Malte, l'Albanie et enfin l'Empire ottoman, *via* ce qu'on appelle aujourd'hui la Grèce d'abord, la Turquie ensuite. Patras, Smyrne, Athènes, Constantinople furent autant d'étapes où ils se gorgea de soleil, de monuments et d'expériences sexuelles de tous bords, jusqu'à se *dégoûter du vice*, comme il le dit lui-même, même si, à Malte, il tomba sérieusement amoureux de Constance Spencer Smith, avec laquelle il manqua de s'enfuir, avant de faire de même, à Athènes, avec, cette fois, le beau Nicolo Guraud, qui lui proposa de vivre ou de mourir avec lui, ce que Byron finit par refuser en déclarant : *Je suis écœuré jusqu'au fond de l'âme, ni vierge ni jouvenceau ne me donnent plus de plaisir*. Ce fut à cette époque que le peintre Thomas Phillips le représenta dans le flamboyant costume albanais, tandis qu'un de ses confrères le montra couché et méditant, à Athènes, dans les ruines du Zeus olympien, ses serviteurs dormant à ses côtés, comme les compagnons d'Ulysse, peut-être ce jour où il a gravé son nom sur ce rocher du cap Sounion, où on peut toujours le voir.

Deux ans plus tard, il était de retour à Londres, avec des sculptures antiques, quatre tortues, et un poème qu'il avait composé pendant ses pérégrinations, *Le Chevalier Harold*, texte autobiographique sur la quête d'un jeune homme qui, en voyageant du Portugal à la Grèce, cherche à se forger un destin en marge des convenances médiocres, tentant de pousser les peuples à se révolter contre leurs oppresseurs. Publié en 1812, le succès fut colossal. Tout Londres se l'arracha et il ne fut pas jusqu'au roi George III lui-même à demander qu'on lui présentât l'auteur. *Un matin, je me réveillai célèbre*, dit laconiquement cet aristocrate anticonformiste venant de découvrir sa vocation. Les salons les plus en vue le demandaient, tel celui de lady Melbourne, qui régnait sur Londres, et les femmes, dont certaines s'évanouissaient lorsqu'il paraissait, s'amourachèrent de lui, parmi lesquelles la ravissante lady Caroline Lamb qui lui adressait des lettres éperdues, dans lesquelles elle allait jusqu'à déposer des poils de son pubis. Elle parvint à obtenir ce qu'elle cherchait, mais finit par l'effarer par son caractère fantasque et possessif. Il la quitta. Elle tenta à plusieurs reprises de se suicider, et s'écriait, désespérée : *Il a brisé mon cœur, mais je l'aime encore !* Avant de contribuer à édifier la mauvaise réputation de cet amant fugace qu'elle allait définir ainsi : *Byron, mad, bad and dangerous to know.*

Une, toutefois, retint son attention, la ravissante Annabella Milbanke, propre cousine de Caroline Lamb, à qui il proposa le mariage, mais, méfiante, elle refusa, bien qu'elle fût folle de lui. Il se consola avec lady Oxford, puis avec sa propre demi-sœur, Augusta Leigh, à qui il fut enfin présenté et avec laquelle il ne tarda pas à vivre une intense liaison incestueuse, d'où naquit, au printemps 1814, une fille : Médora. Pour elle il écrivit *La Fiancée d'Abydos* et *Le Corsaire* qui furent de nouveaux succès, le premier, surtout, dont 10 000 exemplaires furent vendus le jour de sa sortie.

Le 2 janvier 1815, Byron n'en épousa pas moins Annabella Milbanke, qui avait fini par accepter, vaincue par ses sentiments. Ce n'était cependant plus par amour qu'il avait demandé sa main, mais pour se venger de son premier et humiliant refus. Malgré leur vie brillante dans la société londonienne, où ils se sont installés somptueusement à Piccadilly Terrace, tout près de Hyde Park, il lui mena une vie infernale, dans laquelle, mêlant sadisme et cruauté, il ne lui épargna aucune humiliation, alternant les moments de tendresse et ceux où il se montrait odieux. Et ce, en dépit de la naissance de leur fille, Augusta-Ada, l'hiver 1815. Annabella finit par se réfugier chez ses parents, et ce fut à ce moment que Carolone Lamb lui apprit que, non seulement Byron sacrifiait de temps à autre à l'homosexualité, mais encore entretenait une liaison incestueuse avec sa propre demi-sœur, ce qui, dans cette Grande-Bretagne du premier XIX<sup>e</sup> siècle, constituait deux transgressions inexcusables, même si nombre de jeunes gens sacrifiaient à la première. Horrifiée, lady Byron, qui dressa elle-même la liste des outrages qu'elle avait reçus – parmi lesquels la sodomie, qu'il lui avait imposée ! – entama une procédure de séparation, après avoir tenté de convaincre le corps médical que son mari était fou.

Ne voulant pas qu'un nouveau scandale éclatât au grand jour, son mari accepta et lui adressa, pour solde de tout compte, un poème intitulé *Porte-toi bien*. Mais, tout de suite après, il en provoqua un autre en révélant ses amours interdites dans ses *Stances à Augusta*. Ajoutés au fait qu'il ne cessait, dans les salons, de dire du bien de Napoléon, que les Anglais eurent tant de mal à abattre à peine deux ans auparavant, il fut un jour hué en entrant à la Chambre des lords, tandis qu'un autre, dans un bal chez lady Jersey, où il eut le front de se présenter au bras de sa demi-sœur, chacun s'écarta de lui sans lui adresser la parole.

On le vit trop souvent ivre mort dans les la ville, faisant la fête avec les actrices du théâtre de Drury Lane, dont il était administrateur, traîner avec les jeunes prostitués des bas quartiers ou encore tenter de repousser les huissiers qui, à neuf reprises, vinrent s'emparer de ses meubles et payer ses créanciers, pour qu'on le considérât comme un *gentleman* ! Si ses lecteurs le jugeaient égal à Southey, Wordsworth ou Keats, il était désormais totalement *grillé* dans son monde, qui décida de ne plus le recevoir. Seule une admiratrice, Claire Clairmont, ne lui tourna pas le dos et tenta de le consoler ; il commença avec elle une nouvelle liaison.

Persuadé désormais que ses compatriotes étaient de parfaits crétins, Byron, toujours pressé par ses créanciers et désolé de la rupture que sa demi-sœur venait de lui imposer afin de ménager sa propre réputation, décida de quitter à nouveau cette Angleterre qu'il détestait de toutes ses forces et avec laquelle il voulut rompre à jamais.

Quant à l'opinion des Anglais, écrit-il à son éditeur John Murray, qu'ils sachent d'abord ce qu'elle pèse avant de me faire l'injure de leur insolente condescendance. Je n'ai pas écrit pour leur satisfaction. S'ils sont satisfaits, c'est qu'ils choisissent de l'être ; je n'ai jamais flatté leurs goûts ni leur orgueil, et ne le ferai pas... J'ai écrit, mû par l'afflux des idées, par mes passions, par mes impulsions, par des motivations multiples, mais jamais par le désir d'entendre leurs voix suaves. Je sais parfaitement ce que valent les applaudissements populaires, car peu d'écrivassiers en ont eu autant que moi... Ils ont fait de moi, sans que je l'aie cherché, une sorte d'idole populaire. Ils ont, sans autre raison ni explication que le caprice de leur bon plaisir, renversé la statue du piédestal – la chute ne l'a pas brisée – et ils voudraient, paraît-il, l'y replacer. Il n'en sera rien !

Il allait tenir effectivement parole, puisqu'il ne revit plus jamais sa patrie qu'il avait définitivement reniée. Au printemps de l'année 1816, il embarqua à Douvres avec son ami Rusthon, son domestique, Fletcher, et un jeune médecin qu'il avait embauché à son seul service, le docteur John William Polidori. Débarquant dans les provinces belges, il visita Waterloo pour rendre hommage à Napoléon et, de là, il fila sur la Suisse où Claire Clairmont lui présenta un jeune poète avec lequel il se lia d'amitié, Percy Bysshe Shelley, son cadet de quatre ans, chassé d'Oxford pour avoir publié un pamphlet célébrant l'athéisme. Une affinité élective se noua aussitôt entre eux, ainsi qu'avec Mary, épouse de Shelley, qui était en train d'écrire l'extraordinaire histoire d'un savant galvanisant des cadavres pour créer un homme d'une puissance inouï, qu'elle allait appeler le docteur Frankenstein. Byron et Claire s'installèrent dans la superbe villa Diodati, sur les bords du lac Léman, près de Genève, tandis que les Shelley prirent leurs quartiers aux environs, dans une petite maison sise à Montalère. Les deux couples suscitèrent la curiosité des Anglais effectuant leur *grand tour* et certains, tels les paparazzis d'aujourd'hui, les observaient à la jumelle depuis l'autre rive du lac!

Pendant quelques mois, cette vie calma Byron, qui, pour une fois, découvrit non seulement qu'on pouvait être en paix avec des amis choisis, mais encore, sans doute, avec lui-même, à l'heure où Claire Clermont attendait à son tour un enfant de lui. Il écrivait beaucoup, nageait plus encore, montait à cheval, excursionnait et, souvent, s'en allait, au château de Coppet, faire sa cour à Madame de Staël, la fille du banquier Necker, régnant de là sur l'Europe romantique, dont tous les écrivains étaient les sujets. Sensible à la beauté masculine et à l'esprit, celle-ci appréciait beaucoup la compagnie du jeune lord, dont l'âme libertaire qu'il manifestait en tout et partout l'enchantait, même s'il arrivait parfois qu'une des dames fréquentant son salon s'évanouisse lorsque Byron y entrait. C'est elle qui lui apprit que Caroline Lamp venait d'éditer un roman, dont il était le héros, ou mieux la victime, *Glernavon*.

Il le lit et le rendit à son hôtesse en lui disant flegmatiquement : *Mon portrait n'est pas assez ressemblant. Je n'ai pas posé assez longtemps.*

Mais, finissant par se lasser de sa compagne et, selon son habitude, ne tenant pas en place, il quitta la Suisse à l'automne pour le royaume de Piémont et se lia d'amitié, à Milan, avec un Français qui lui fit visiter la ville, l'initia à l'opéra, parla littérature avec lui et lui fit croire qu'il avait dialogué avec Napoléon, un certain Henri Beyle, que la postérité allait connaître sous le nom de Stendhal. Pour ce dernier, fasciné, Byron était le plus grand poète vivant. Mais celui-ci, toujours accompagné d'Hobhouse, était déjà parti pour Venise, où il ne tarda pas à tomber amoureux, non seulement de la cité elle-même, mais encore de l'infiniment belle Marianna Segati, avec laquelle, masqué, il courut les bals pendant le carnaval, ou galopait sur la plage du Lido. On l'aperçoit aussi, à Florence, à Rome, à Naples, toujours pressé, toujours magnifique, toujours inquiétant ses compatriotes lorsqu'il les rencontrait, telle cette honorable mère de famille ordonnant à ses filles : *Baissez les yeux, baissez les yeux, ne le regardez pas, il est trop dangereux, comme si elles risquaient d'être transformées en statues de sel !* En Angleterre, au reste, on ne l'oubliait pas, pour autant, puisque si l'establishment continuait de le haïr, *Le Captif de Chillon*, racontant les états d'âme du reclus François Bonivard lui ressemblant comme un frère, et ses *poèmes* à la désespérance prométhéenne connaissaient un véritable triomphe chez les jeunes. Tout ceci faisait de Byron le chef incontesté de la nouvelle génération romantique outre-Manche. De cette image, amplement généralisée par la presse, témoigne le jeune Walter Scott publiant sur lui un éloge remarqué : *Il est le souverain absolu des mots et s'en sert comme Bonaparte se servait de ses soldats, pour la conquête, sans aucune considération pour leur valeur intrinsèque.* C'est, sans doute, ce qu'il faut voir dans ce portrait, le représentant vêtu de noir, l'air tourmenté, terriblement *actuel* a-t-on envie de dire, mais aussi mûri, sinon vieilli.

Comme beaucoup de Britanniques, il se sentait merveilleusement bien en Italie, et plus particulièrement à Venise, dont il décida de faire le décor de ses rêves, celui de sa nouvelle existence dont il pressentait qu'elle ne sera pas longue, ainsi qu'il l'écrit à son éditeur : *Je ne vivrai pas longtemps, c'est pourquoi je dois en profiter tant que j'en suis capable.* À cet effet, il loua le palais Mocenigo, sur le Grand Canal, qu'il fit somptueusement meubler, et dans lequel il demeura désormais, servi par une quinzaine de domestiques, dont le gondolier Tita, en compagnie d'un singe, d'un renard et de deux bouledogues et, naturellement de sa nouvelle maîtresse en titre, Margarita Cogni, dite *la Fornarina*, à laquelle, pourtant, il n'était guère fidèle, puisqu'il s'éprit bientôt de la très belle comtesse Guiccioli, dont il écrit qu'elle était *belle comme l'aurore et ardente comme le midi.* Mariée à un aristocrate beaucoup plus âgé qu'elle qui la laissait totalement libre, cette femme de vingt ans allait en faire son chevalier servant pendant cinq années, ce qui constitua assurément la liaison la plus longue et probablement la plus harmonieuse de toute la vie de Byron. On ne le reconnaissait alors plus, lui qui avouait : *Je plie un châle avec une dextérité considérable, même si je n'ai pas encore atteint la perfection dans la manière de le placer sur ses épaules.* Cet amour durable – et probablement, au fond, le seul de sa vie ! – ne l'empêcha pas de cultiver ses excentricités habituelles, la plus fréquente consistant à quitter les réceptions pour plonger dans les eaux sombres de la Sérénissime et rentrer chez lui à la nage, provoquant de nouveaux scandales.

Avec plus de profondeur, il se passionna pour la culture arménienne, qu'il découvrit sur l'île de San Lazzaro, en apprit la langue avec le père Avgerian, commença un dictionnaire anglo-arménien qu'il n'acheva pas. Et le 20 janvier 1821, il fêta, comme le Christ, sa trente-troisième année, et confessa à son journal : *Sur la route de la vie grise et sale, je me suis traîné trente-trois ans ? Que m'ont laissé ces années ? Rien !* Pourtant, l'Italie l'inspirait. Il composa deux tragédies, *Caïn* et *Manfred*, la seconde, surtout, dans laquelle il exalte sa passion éternelle pour sa demi-sœur et se livre sans fard, avec son insupportable orgueil et son scepticisme démoralisant le conduisant à s'autodétruire. Mais il composa encore l'un de ses textes les plus aboutis, *Don Juan*, vaste poème en qui il vit *une aurore boréale en vers* et la trame de sa propre existence transposée chez le héros de Molière et de Mozart, à qui il fait cracher son éternelle révolte contre l'Angleterre et les Anglais, les femmes, les bourgeois et peut-être même Dieu, que ce vers résume parfaitement : *Je souhaite que les hommes se libèrent de la plèbe et des rois.* Lucide, et même anticipant sur le genre psychanalytique qui ne sera pourtant codifié qu'après sa mort, c'est naturellement lui-même qu'il faut voir dans cette analyse qu'il fait dire à son héros :

Je suis changeant, pourtant je suis *idem semper*;
Patient, mais je ne suis pas des plus endurants;
Joyeux, mais quelquefois j'ai tendance à gémir;
Doux mais je suis parfois un *hercules furens*;
J'en viens donc à penser que dans la même peau
Coexistent deux ou trois ego différents.

À cette époque, comme si ses débauches ne suffisaient pas à le faire mal voir, Byron ajouta à sa réputation la politique. Sous l'influence de Shelley et de quelques-uns de ses nouveaux amis adeptes du carbonarisme, il se prit soudain de passion pour la cause de l'unité italienne, qu'il décida de financer avec le produit de la vente de Newstead Abbey, dont il avait fini par se débarrasser, sachant qu'il n'y reviendra plus. Il s'attira ainsi la méfiance du gouvernement autrichien, toujours propriétaire de Venise et de celui du pape, ne comprenant pas pourquoi ce lord anglais croyait devoir s'immiscer dans des affaires qui, en principe, ne le concernaient pas. Filé par la police, il quitta Venise et se réfugia à Florence, puis à Pise, où il loua la Casa Lafranchi, dans laquelle Teresa Guiccioli le retrouva. Toujours créatif, il acheva *Mario Faliero, Sardanapale, Les Deux Foscari* et *Caïn*, et fonda un journal, *Le Libéral*, dans lequel écrivirent Shelley, Trelawny et Hunt.

La mort, cependant, troubla cette période d'activité intense, en tout premier lieu celle de la petite Allegra, sa fille née de ses amours avec Claire Clermont, cinq ans plus tôt, qui, jusque-là, était en pension près de lui. Et ce ne fut pas le seul deuil qui le frappa: Shelley lui-même, l'été 1822, se noya après avoir fait naufrage dans le golfe de La Spezia. Le 19 août, le corps du poète fut brûlé selon ses dernières volontés, sur la plage de Vareggio, mais Byron ne put assister jusqu'à la fin à l'horrible cérémonie. Fuyant ses démons, il rompit alors avec sa belle comtesse et décida de quitter l'Italie pour la Grèce, dont les patriotes venaient de se révolter contre les Turcs, puisqu'elle était toujours une province de l'Empire ottoman. Ce fut le capitaine Edward Blaquiere, membre du Comité philhellène de Londres qui, avec Hobhouse, le convainquit de s'engager dans cet ultime combat contre le despotisme. Aussitôt dit, aussitôt fait, à bord d'un brick qu'il avait fait affrété de ses propres deniers, et dans lequel il prit place avec le jeune médecin Pietro Gamba, ses cinq serviteurs, ses deux chiens et ses quatre chevaux, il fit voile, le 17 juillet 1823, vers Céphalonie où il s'installa pour passer l'été et une partie de l'automne. Là, galopant et nageant, il s'éprit d'un bel adolescent de quinze ans, Lukas Chalandritsanos, son dernier amour, et mit sur pied une petite armée dont il finança l'équipement. D'un côté son enthousiasme était total pour la cause qu'il avait embrassée; d'un autre, ses idées noires ne le lâchaient plus et lui inspirèrent ces vers désabusés :

Cherche – combien sans chercher l'ont connue ?
La tombe du soldat ; plus fier désir,
Choisis ta place et, ton heure venue,
Étends-toi pour dormir.

Enfin, au mois de décembre, il s'embarqua pour Missolonghi, où, dans son fringuant uniforme rouge, il fut accueilli comme un souverain. Mais subitement, il y tomba malade et se vit confié à un médecin incompétent, qui lui posa des sangsues et l'affaiblit à coups de saignées répétées. Comprit-il que sa fin était proche, lui qui écrivit, quelques jours plus tôt: *Debout mon esprit ! La terre de la mort glorieuse est ici ; va au champ, délivre ton dernier souffle ?* Le 17 avril 1824, il articulait ses derniers mots, *je veux dormir,* et mourut quelques heures plus tard, au moment où un violent orage éclatait dans le ciel de Grèce, veillé jusqu'au bout par Fletcher, Gamba et Tita. De quoi est-il parti ? D'une méningite, d'une crise d'urémie, du choléra, contracté dans les marais putrides près desquels, il était demeuré ? À vrai dire, on l'ignore. Il n'avait pas encore fêté sa trente-sixième année, étant encore ce jeune homme que représente Odevaere, sur son lit de mort, nu et athlétique, à peine voilé d'un drapé sur un lit antique, tel un des personnages de David, tout à la fois effrayant et attirant. L'Europe, sidérée, apprit la mort du plus révolté des pairs du royaume de Grande-Bretagne, devenu le dieu du romantisme triomphant et contestataire, que pleurèrent tout à la fois Tennysson se réfugiant dans un bois, pour graver sur un arbre *Byron est mort,* Lamartine, Hugo, ou Musset trouvant génialement le mot de la fin: *Il a rempli l'univers de sa solitude.* Le 2 mai, le cercueil quitte Missolonghi salué par trente-six coups de canon. Débarqué à Londres, quelques semaines plus tard, il est inhumé dans l'église de Newstead Abbey, tout près de son grand-oncle, dont il était l'héritier, funérailles qu'il n'avait ni prévues ni voulues et qu'il finit par subir, lui qui jamais n'avait voulu retourner, mort ou vivant, dans cette Angleterre qu'il a récusée une fois pour toutes. Et, avec elle, les bassesses du matérialisme et du conformisme, demeurant, du début à la fin l'absolu rebelle de l'aristocratie.

# Alphonse de Lamartine
## (1790-1869)

# Abolitionniste
# et anti-esclavagiste

Mais que sert de lutter contre sa destinée ?
Que peut contre le sort la raison mutinée ?
**Alphonse de Lamartine**

En ce début du mois d'octobre 1816, première année de cette période qu'on appelle la seconde Restauration, quelques mois à peine après le départ de Napoléon pour la lointaine Sainte-Hélène, alors que la France retrouve son calme, les derniers feux de la belle saison illuminent le lac du Bourget. Sur une barque, une charmante jeune femme brune, sagement assise dans sa robe blanche à manches à gigot, une ombrelle de dentelle ouverte pour se protéger du soleil, feint de contempler, de ses yeux bleus, la cime du mont du Chat, tout en laissant sa main dégantée glisser sur l'eau. En fait, elle n'a d'yeux que pour son beau rameur de vingt-six ans, parfaitement svelte dans sa redingote, le visage à l'ovale parfait, les cheveux blonds, le regard noir profond qui, lui aussi, la contemple avec passion. Le moment est intense ; il le sait, comme il ne manquera pas de l'évoquer si magnifiquement dans ce poème, justement intitulé *Le Lac* :

Ô temps ! suspends ton vol, et vous, heures propices !
Suspendez votre cours :
Laissez-nous savourer les rapides délices
Des plus beaux de nos jours.

Le silence est total et le ciel immobile ; seul le vol d'un grèbe huppé interrompt parfois ce silence enchanteur propice à ceux qui se comprennent sans avoir besoin de se parler. Ainsi le jeune Lamartine goûte-t-il, au milieu de la splendeur des Alpes, françaises, ce moment de bonheur avec Julie Bouchaud des Hérettes, dont il est éperdument amoureux, et avec laquelle il se promène, entre l'abbaye de Hautecombe et le belvédère de Chambotte, dans ce paysage parfaitement romantique, que Balzac va décrire, dans *La Peau de chagrin*, quinze ans plus tard. Il a, naturellement, l'espoir de la conquérir, bien qu'elle soit l'épouse d'un grand physicien, Jacques Charles, par ailleurs président de l'Académie des sciences, beaucoup plus âgé qu'elle et qui, de ce fait, la laisse libre. Hélas, quelques semaines plus tard après leurs premières nuits d'amour, les Charles repartent pour Paris et ce sera la douloureuse séparation des jeunes gens qui promettent de se revoir l'année suivante à Paris. En 1817, le jeune homme hante, quai Conti, le salon de sa maîtresse, mais à l'automne suivant une nouvelle séparation les éloigne, après une dernière promenade à Saint-Cloud, au cours de laquelle ils se sont juré un amour aussi absolu qu'éternel. Il n'y aura pas de suite à cette belle histoire, puisque, en décembre,

Julie Charles s'éteint de la phtisie, à l'âge de trente-trois ans, et Lamartine ne pourra qu'évoquer la mémoire de celle que le grand poète national n'oubliera jamais, surtout devant ce paysage :

Où l'amour disparu dans l'ombre du trépas
Laisse partout pour moi l'empreinte de ses pas
Et colore à mes yeux vos flots et vos collines
Où d'un deuil éternel ou de splendeurs divines.

## Un romantique désenchanté

Alphonse Marie Louis de Pratz de Lamartine est né le 21 octobre 1790, à Mâcon, rue des Ursulines, dans une maison relativement modeste du centre de la cité bourguignonne, mais à deux pas de l'hôtel de sa famille qu'habite encore son grand-père. Son père, Pierre de Pratz de Lamartine, issu d'une famille de gens de robe anoblie sous Louis XIV, a été capitaine au régiment Dauphin-Cavalerie sous l'Ancien Régime et, à ce titre, a participé à la journée du 10 août 1792, dans laquelle il a défendu le roi au péril de sa vie. Arrêté, il a passé deux années dans les geôles révolutionnaires et a été libéré en 1794. Sa mère, née Alix des Roys, est la fille d'un ancien intendant des domaines du duc d'Orléans, premier prince du sang, qui, outre ce garçon, va donner à son mari cinq filles, dont trois vont mourir en bas âge de la même affection pulmonaire qui, dans cette famille, est congénitale.

Les partages familiaux font que, après la mort de leurs parents respectifs, il reste au couple le château de Milly, tout à la fois résidence et source de revenus, en raison des fermes, et surtout des vignobles, qui lui sont attachées, de même que celui de Saint-Point que Pierre de Lamartine rachète bientôt. Ce sera dans ce cadre bucolique que le futur poète, qui en fera sa résidence préférée, va puiser son inspiration poétique. En attendant, placé comme interne à la pension Puppien de Lyon, cet enfant sensible, qui fugue deux fois, ce qui le conduit à rentrer chez lui entouré de deux gendarmes, traverse une violente crise mystique au collège de Belley, tenu par les Pères de la Foi, et envisage alors de devenir prêtre. Cela ne dure guère, dès lors que les émois de l'adolescence le portent très vite vers les filles auprès desquelles, il est vrai, il connaît un grand succès en raison de son physique et de son charme irrésistible. Sa mauvaise santé chronique, conséquence d'une forme de tuberculose atténuée, dont souffrent aussi ses sœurs, ainsi que la réserve qu'inspire à ses parents Napoléon font qu'il ne sert pas dans les cadres de la Grande Armée comme tant d'autres gentilshommes de cette époque et donc ne connaît ni le danger ni la gloire.

En 1814, l'Empire effondré, la France redevient une monarchie. Aux Tuileries, les Lamartine viennent chercher le salaire de leur fidélité, qui est la croix de Saint-Louis pour le chef de famille et un poste de garde du corps du roi pour son fils. Mais la condition militaire n'est pas son fort et Alphonse profite des Cent Jours, après avoir escorté Louis XVIII jusqu'à Gand, pour démissionner pour rentrer chez lui, via un séjour en Suisse chez Xavier de Maistre, au cours duquel il apprend la mort de sa belle Italienne, qu'il pleure sincèrement, et oublie aussitôt dans les bras d'une autre.

Trois ans plus tard, c'est la liaison avec Julie Charles, qui, par son intensité et son dénouement tragique, fait de lui un homme accompli, lequel, désormais trompe son désespoir dans l'écriture. Coup sur coup, il compose une tragédie, *Saül*, refusée par la Comédie-Française, et un recueil de poèmes, *Les Méditations*, qui, eux, vont connaître un succès extraordinaire…

Sa mère, cependant, qui l'a certes toujours soutenu, mais aussi mis en garde contre ces travers et ses facilités, l'invite à ne pas s'enfermer dans l'oisiveté et sollicite les administrations en sa faveur. Lamartine est ainsi nommé secrétaire d'ambassade à Naples, en 1820. La même année, il épouse Mary Ann Elisa Birch, une Anglaise rencontrée chez sa sœur, à Aix-les-Bains, qui n'est certes pas un prix de beauté, mais qui ne manque ni d'allure ni d'esprit, et encore moins de caractère et de sensibilité artistique, elle qui, tout à la fois sera la plus constante alliée de son mari et un peintre honorable. Elle lui donne un fils, Alphonse, mais qui s'éteint bientôt, puis une fille, Julie, naturellement prénommée ainsi en souvenir du premier grand amour de son père. Manifestement elle l'inspire dans ses travaux, puisque pendant ses premières années de mariage, il publie ses premiers chefs-d'œuvre, *La Mort de Socrate*, *Les Nouvelles Méditations* et *Les Harmonies poétiques et religieuses*, qui connaissent un succès considérable, tant en France qu'en Europe, inspirant, au fil des rééditions succes- sives, quantité d'œuvres picturales et même musicales. Ces vers – dont il dit lui-même qu'ils ne relèvent pas de l'art, *mais du soulagement de son propre cœur qui se*

*berce de* (ses) *propres sanglots* - dans lesquels toute une
génération voit le miroir de ses passions, font de lui
l'une des étoiles montantes de la génération romantique,
celui que, de l'Italie à l'Angleterre, on distingue dans les
villes d'eau ou les emblématiques cités, dans lesquelles
s'assemblent la clientèle aisée de l'Europe cosmopolite.
Lamartine est presque aussi célèbre que Byron, mais
sans réputation sulfureuse, bien qu'il s'inspire nettement
de lui, ce que montre *Le Dernier Chant du pèlerinage
d'Harold*, où, égratignant l'Italie, il est provoqué par un
patriote. S'ensuit, le 19 février 1826, un duel dans lequel
il est blessé au bras, mais à l'issue duquel il se réconcilie
avec son adversaire, qu'avec son élégance habituelle, il
invite... à dîner !

Cette période d'équilibre et de création est aussi
celle de la pleine réalisation, avec la fortune, qui lui
permet de restaurer le château de Saint-Point, dont
il hérite à la mort de son père, la renommée, qui lui
permet d'entrer à l'Académie française à moins de
quarante ans, et aussi l'amour, puisque, sans refuser
son estime à son épouse, il connaît quelques liaisons
avec *deux ou trois jolies petites duchesses à ses genoux*.
Un deuxième deuil, toutefois, l'accable, après la
mort au berceau de son fils, celui de sa mère qui, le
13 novembre 1829, est ébouillantée dans un établissement thermal pour n'avoir pas su fermer le robinet
d'eau chaude de sa baignoire. Ce jour-là, le poète perd
sa meilleure amie, à qui il ressemblait tant, et qui lui
avait inculqué ce catholicisme si prégnant, même s'il
allait, en mûrissant, en avoir une vision très personnelle, plus sentimentale que dogmatique, plus sociale
que mondaine.

Un an plus tard, Lamartine se rallie, au terme de la révolution de 1830, à la monarchie de Juillet, et, quittant la diplomatie, brigue un siège de député qu'il n'obtient pas. Il se consacre alors à la gestion de ses vignes, mais, peu doué pour le commerce, accumule les déficits. Un célèbre portrait de Decaisne le représente à cette époque, debout vêtu d'un pantalon et d'une redingote dans un subtil dégradé de gris et de brun, un gilet jaune mettant parfaitement en valeur sa minceur, caressant de la main droite une levrette d'Italie, une seconde jouant à ses pieds. C'est l'époque où, malgré ses dettes, il décide de réaliser l'un de ses rêves, un voyage en Orient et, à cet effet fait affréter un navire de deux cent cinquante tonneaux, l'*Alceste,* dans lequel il prend place avec sa femme, sa fille, ses domestiques, ses amis et ses levrettes. Le 10 juillet 1832, il lève l'ancre à Marseille, fait étape à Malte, gagne Athènes qui, à l'exception du Parthénon, *révélation divine de la beauté idéale*, selon ses propres termes, le déçoit et file ensuite sur Beyrouth où il loue un palais. De là il excursionne en caravane jusqu'à Jérusalem où, sur le Mont des Oliviers, il répand une bouteille de son vin de Milly. Là, avec une singulière vision de l'avenir, il est le premier à émettre l'idée de faire de ces terres entourant la cité sainte une colonie juive, préfigurant, avec un siècle d'avance, la création d'Israël :

Un tel pays, repeuplé d'une nation neuve et juive, cultivé et arrosé par des mains intelligentes, fécondé par un soleil du tropique, produit de lui-même toutes les plantes nécessaires ou délicieuses à l'homme... Un tel pays serait la terre de promission su la Providence lui rendait un peuple.

Mais il se passionne aussi pour la cause des chrétiens d'Orient et s'intéresse de près à la religion musulmane, montrant par là que sa tolérance est totale, en parfait accord avec lady Stanhope, qu'il visite dans sa thébaïde, échappant de peu à la peste qui sévit dans le pays, de même qu'aux pillards attaquant les caravanes.

Mais, de retour à Beyrouth, il est confronté au troisième grand deuil de son existence, la mort, dans ses bras, le 7 décembre, de sa fille Julie, victime de l'héréditaire tuberculose familiale, à l'âge de dix ans seulement. Fou de douleur, il la fait inhumer dans un caveau du couvent des Capucins – il la fera, plus tard, revenir, pour la mettre dans la chapelle de Saint-Point – et rentre en France via Constantinople et les provinces ottomanes que sont alors les actuelles Bulgarie, Serbie et Albanie. Toujours visionnaire, il devient alors le premier Français à s'intéresser et défendre la cause des Serbes opprimés par les Turcs. La fin de son enfant chérie qui, par l'esprit, tenait tant de lui, l'assagit considérablement et, de ce jour, Lamartine ne va plus consacrer sa vie qu'à ses deux passions, la littérature et la politique. Il termine ainsi la rédaction de son *Voyage en Orient* commence *Jocelyn*, et brigue un mandat de député, là encore d'une manière totalement déphasée avec son milieu, puisqu'il choisit la gauche progressiste, arguant d'une part que *toute révolution qu'on ne fait pas soi-même, on la laisse faire aux autres*, et, d'autre part, que *si on ne s'occupe pas de la question des prolétaires, ce sera elle qui fera l'explosion la plus terrible dans la société actuelle si les gouvernements se refusent à la sonder et à la résoudre.* Ainsi, en envisageant la création d'un grand *parti social*, qui, d'une certaine manière, annonce le mouvement chrétien démocrate du XX<sup>e</sup> siècle, tout en militant très activement dans le mouvement anti-esclavagiste, amorce ce processus irréversible qui, en quelques années, va faire du poète racé, l'ami des Noirs et des Juifs, l'allié de la veuve et de l'orphelin, en un mot le gentilhomme de la République dont, plus tard, un homme politique, ancré sur des terres voisines aux siennes, et un lecteur attentif de ses œuvres, va considérablement s'inspirer, François Mitterrand ! Contrairement à ce que disent ses détracteurs, Lamartine n'est pas ce poète éthéré arrivé par hasard en politique, où il se serait perdu, mais un démocrate parfaitement conscient des enjeux de son temps, un parlementaire engagé et, bientôt, un homme d'État visionnaire.

## La gloire et la solitude

Élu député du Nord, le 7 janvier 1833 – alors qu'il était encore en Orient – Lamartine prend place au Palais-Bourbon après un joli mot. Répondant à un correspondant qui lui demande s'il va siéger à droite ou à gauche, il répond : *Au plafond, car je ne vois de place, pour moi, dans aucun parti.* Il trouve asile, en fait, à côté du vieux La Fayette, ce qui montre que les rebelles, au fond, trouvent toujours un terrain d'entente. Parallèlement, il s'installe rue de l'Université, dans un vaste appartement où, pendant vingt ans, il va tenir un brillant salon que fréquentent, nombre d'hommes de lettres et figures politiques, dont, entre autres, François-René de Chateaubriand, Émile de Girardin, Victor Hugo, Eugène Sue, Alexis de Tocqueville, Edgar Quinet et Jules Michelet.

Tout en effectuant très sérieusement son travail de député, d'abord du Nord puis de la Saône-et-Loire, à partir de 1837, il s'occupe activement des intérêts de sa circonscription, d'autant qu'il exerce parallèlement la fonction de conseiller général du canton de Mâcon. On le voit ainsi intervenir très régulièrement à la tribune de la Chambre sur toutes sortes de sujets allant de la création des caisses de secours mutuels pour les ouvriers ou – déjà! – sur la situation des chrétiens d'Orient ou celle des Noirs dans les colonies des Antilles et de la Caraïbe, sans compter la gestion des mines, l'impôt sur le sel ou l'aménagement, alors en cours, de l'Algérie. Il refuse toutefois d'entrer au gouvernement pour conserver ses distances avec Louis-Philippe, dont il pressent la chute prochaine, par une révolution qu'il qualifie de *mépris* ou d'*ennui*, et dont il se permet de railler le régime : *Le roi est fou, Guizot est une vanité enflée, Thiers une girouette, l'opposition une fille publique.* Mais il cultive par-dessus tout cette indépendance et cette liberté que seuls les grands démocrates possèdent d'instinct et qui lui valent l'admiration de ceux qui, comme lui, détestent plus que tout les compromissions politiciennes.

Je ne suis ni homme de parti, ni homme de ministérialisme, ni homme d'opposition systématique, écrit-il à ses électeurs. Les partis meurent, les ministères s'égarent, les oppositions se pétrifient. Je tâche de m'élever plus haut, à la région de la vérité, de l'impartialité, de la moralité politiques.

Épuisé, cependant, par la tâche immense qu'il accomplit chaque jour, il constate magnifiquement :

*J'ai vieilli de dix ans, mais je veux garder jusqu'au tombeau la jeunesse inextinguible de l'âme qui pense, qui rêve, qui espère, qui aime,* montrant par là qu'il n'y a pas d'âge pour devenir un rebelle, lui qui ne l'a pas été jeune, mais le devient l'âge venu ! Mais surtout, il est l'auteur de cette superbe formule qui précède justement la révolution : *La France s'ennuie,* et que Pierre Viansson-Ponté, remettra en exergue un siècle et demi plus tard, peu avant les évènements de 1968. Mais s'il se dévoue sans compter à la chose publique, pour ses affaires privées, celui qui est sans doute le député le plus célèbre de France se montre excessivement imprudent, se livrant à des spéculations hasardeuses en matière de vente de ses vins, dépensant sans compter pour embellir Saint-Point et entretenant son train de vie parisien. Il doit bientôt vendre son cher Milly pour payer ses dettes, et se voit bientôt acculé à une situation désastreuse, malgré l'immense succès de son *Histoire des Girondins* qui lui rapporte beaucoup d'argent, bientôt englouti dans ses affaires.

La révolution de 1848 le met toutefois en évidence, dès lors que, le jour de l'abdication de Louis-Philippe, en faveur de son petit-fils, le comte de Paris, Lamartine, qui se prononce contre la régence de la duchesse d'Orléans, est élu par acclamations membre du gouvernement provisoire de ce qui devient la II<sup>e</sup> République. Repoussant toute son éducation aristocratique, dans ce régime qu'il souhaite *pur, saint, immortel, populaire et transcendant,* il devient le chef naturel des républicains modérés et exerce la fonction de ministre des Affaires étrangères, ce qui lui donne la préséance sur ses collègues qui sont Arago, Ledru-Rollin, Dupont-de-l'Eure,

Marie, Blanc, Marrast, Albert, Crémieux, Garnier-Pages et Pagnerre. À ce titre c'est lui qui, dix-huit ans après La Fayette, au balcon de l'hôtel de ville, fait, cette fois, repousser le drapeau rouge et accepter par la foule le drapeau tricolore que voulait imposer l'extrême gauche, et qui devient le symbole de la nation française, ce que représente un célèbre tableau vite répandu par la gravure. Son allocution entre dans la légende :

Je repousserai jusqu'à la mort ce drapeau de sang, car le drapeau rouge que vous nous rapportez n'a jamais fait que le tour du Champ-de-Mars, traîné dans le sang du peuple, en 1791 et 1793, alors que le drapeau tricolore a fait le tour du monde avec le nom, la gloire et la liberté de la patrie.

Véritable incarnation de la République, celui dont Théodore Chassériau et le baron Gérard brossent plusieurs élégants portraits est sur la brèche jour et nuit, faisant disperser les quelque 500 000 manifestants tentant par la force de faire repousser la date des élections régulières, ou proclamant, parmi les principales mesures du gouvernement provisoire, l'abolition de l'esclavage dans les colonies françaises, cause dont il a été toujours l'un des défenseurs majeurs, ainsi que l'abolition de la peine de mort. À l'issue du scrutin législatif, il est lui-même réélu député par dix départements, dont le sien, qu'il choisit, et, avec Arago, Garnier-Pagès, Ledru-Rollin et Marie, entre au printemps à la Commission exécutive qui tient lieu de nouveau gouvernement jusqu'à l'élection du président de la République, prévue pour l'hiver. C'est le sommet de sa carrière politique, celui où, écartant l'extrême gauche et l'extrême droite, il tient la barre de la jeune République au centre et semble le maître des événements. Mais les espoirs de la révolution s'évanouissent bientôt face aux revendications de la foule après la fermeture des Ateliers nationaux et la terrible répression qui s'ensuit menée par le général Cavaignac, noyant dans le sang l'enthousiasme d'un peuple, sous le regard du jeune Karl Marx tirant *in situ* les leçons politiques de cette première véritable confrontation entre les élites et classe ouvrière au milieu duquel l'idéalisme de Lamartine n'a bientôt plus sa place, malgré le lyrisme de ses discours et son indéniable attachement aux nouvelles institutions. Il n'y a qu'en matière de politique étrangère qu'il réussit, mais la foule insurgée s'en moque, qui se bat pour avoir du travail et du pain.

Tout à la fois conspué par une droite lui reprochant d'avoir servi la république et d'une gauche faisant de lui le complice des crimes du gouvernement, il continue de croire, certes un peu irrationnellement, en sa bonne étoile, alors que, au fond, il irrite tout le monde, sans s'en apercevoir. Aussi, malgré les désillusions, il est malgré tout candidat à l'élection présidentielle l'opposant à Changarnier, Raspail, Ledru-Rollin, Cavaignac et Louis-Napoléon Bonaparte, le neveu de l'empereur disparu, dont il pressent l'irrésistible ascension, d'une formule, toujours impeccablement ciselée :

Je sais qu'il y a des moments d'aberration pour les multitudes, qu'il y a des noms qui entraînent les foules comme le mirage entraîne les troupeaux, comme les lambeaux de pourpre attirent les animaux privés de raison. Si le peuple se trompe, s'il veut abdiquer sa sûreté, sa dignité, sa liberté entre les mains d'une réminiscence d'empire, eh bien, tant pis pour le peuple.

Il est vrai que son positionnement n'est pas très convaincant, comme en témoigne ce texte qu'il envoie à la presse :

La présidence de la République est une gloire au-dessus de mon ambition, un fardeau peut-être au-dessus de mes forces, mais la République a encore des difficultés et des périls à traverser qui sont précisément le motif qui m'interdit de rien refuser d'elle en ce moment. Je déclare donc à mes amis que j'accepte la candidature dans la seule vue de ne pas diminuer d'un homme les forces de la République et de ne pas rétrécir d'un nom le libre choix du pays.

En décembre, la conclusion de ses engagements tombe : il reçoit 17 910 voix, soit 0,26 % à peine des suffrages, ce qui le met en avant-dernière position, loin, très loin derrière Louis-Napoléon Bonaparte qui recueille plus de sept millions de voix ! L'année suivante, il n'est même pas réélu député, ce qui consomme la fin de ses ambitions politiques. Il ne lui reste plus que la présidence du conseil général de Saône-et-Loire, poste à l'époque plus honorifique que doté de réels pouvoirs qu'il finit par abandonner après le coup d'État du 2 Décembre. *Ses propres illusions s'éteignaient les unes après les autres*, écrit Hippolyte Catille, *comme les cierges du temple sous la main du vulgaire sacristain. Il restait seul, découragé, enveloppé de ténèbres ; il assistait, vivant, aux funérailles de sa propre gloire, parmi les derniers jours de cette république qu'il avait acclamée et qui, elle aussi, allait au cimetière.*

Rentrant désormais dans la vie privée – lui-même dit qu'il est devenu *un athée politique* – Lamartine, *seul à avoir traversé sans haine le monde de la haine,* selon la belle expression d'Émile Ollivier, tente de redresser sa fortune évanouie, mais peine à y parvenir, en raison de son train de vie trop élevé, de son goût du faste et de la prodigalité et de son incapacité à gérer convenablement des exploitations vinicoles. Cette situation, qu'il améliore pourtant par le succès de ses ouvrages, comme son *Histoire de la révolution de 1848, Trois mois au pouvoir, Les Nouvelles Confidences*, et enfin ses *Mémoires,* ne l'assagit pas, ainsi que le montre cette anecdote : un jour où un vieux harpiste sonne à sa porte pour demander la charité, il lui donne les deux derniers louis d'or qui lui restent, ce qui le laisse sans argent ! *Sauvez donc des patries !* s'exclame-t-il un jour, en constatant le peu de reconnaissance de ses compatriotes, pour lesquels il avait pourtant trahi sa caste et, selon lui, sacrifié sa gloire. Il est bientôt contraint d'accepter une pension que lui accorde le gouvernement de celui qui après l'avoir battu à la présidentielle, est devenu l'empereur Napoléon III. Composant désormais des livres pour survivre, comme son *Cours de littérature,* tout en rééditant l'ensemble de ses œuvres qui, tout de même, comportent quelque cent vingt-sept livres, et ce par souscription ; lançant une revue, *Le Civilisateur,* qui rencontre un succès d'estime, il se réfugie dans un déisme assez vague, prêchant pour le respect de la vie animale et devenant, de ce fait, végétarien, ce qui, là encore, avec le principe de non-violence, qu'il a adopté depuis longtemps, fait de lui le prédécesseur d'une éthique destinée à connaître un grand succès au XX$^e$ siècle. En fait, cet homme né à l'extrême fin du XVIII$^e$ siècle et élevé dans un milieu provincial et aristocratique, n'a jamais su trouver sa véritable place en son temps, appartenant, par maints aspects davantage à notre époque qu'à la sienne. Ses contemporains se moquent plus souvent de lui qu'ils l'admirent, telle George Sand le baptisant cruellement *le Vieux Roi*.

La mort de sa femme, survenue en 1866, le laisse dans un état de solitude terrifiant, dont il ne se sort qu'en convolant en secondes noces, certes secrè-tement, avec sa propre nièce, Valentine de Cessiat, infiniment plus jeune que lui et brûlant pour son oncle d'une passion ardente. Frappé par plusieurs crises, en 1867, il traîne encore deux ans, perdant doucement la tête et ne reconnaissant plus personne, avant de s'éteindre à Paris, le 28 février 1869, portant sur son cœur le crucifix de Julie Charles qui ne l'avait jamais quitté. Le gouvernement impérial propose de lui offrir des funérailles nationales, sa famille refuse. Et c'est alors Victor Hugo qui, une nouvelle fois, trouve le mot de la fin en notant qu'*il était le plus grand des Racine sans excepter Racine,* suivi par Barbey d'Aurevilly soulignant qu'*il fut un génie heureux, abondant, qui n'a rien fait pour être sublime et qui l'est.*

# George Sand

## (1804-1876)

# La stature de la liberté

La vie est une longue blessure qui s'endort rarement
et ne guérit jamais. **George Sand**

À Nohant, l'été de l'année 1840. Contrairement au rythme en vigueur dans les campagnes de France, ici, on vit plutôt la nuit. À l'heure où la campagne dort, à l'exception des chouettes chassant les mulots dans les champs, les hôtes de cette grande maison de maître, tout à la fois simple mais élégante, confortable mais sans luxe, aristocratique mais sans faste, vaquent à leurs occupations. Au salon, où dans la cheminée crépite un feu de châtaignier, un homme jeune, encore, assis devant un pianoforte, joue avec une adresse inouïe et puissante – sa large main couvre l'octave ! – un de ses bouleversants préludes dont l'aspect pathétique enchante l'auditeur, mais aussi le glace, comme si son auteur dansait avec la Mort un moment de séduction empoisonné. Ce jeune homme, à la sensibilité à fleur de peau, à l'inspiration prodigieusement infinie et à la santé chancelante, c'est Frédéric Chopin. Tout à côté, dans le salon, assise sur un fauteuil devant une table chargée de livres et de papiers, une femme entre deux âges, un peu épaisse, les traits plutôt ingrats mais le beau regard inspiré, l'écoute, à la lueur d'une lampe bouillotte, tout en noircissant des lignes, levant de temps à autre ses yeux amoureux sur lui, inquiète de l'entendre tousser ou de l'imaginer fiévreux. Cette femme, c'est George Sand, alias la baronne Casimir Dudevant, avec laquelle l'immense musicien franco-polonais est désormais en ménage, pour le meilleur et pour le pire.

Dans les autres pièces de Nohant, on s'agite. À l'étage, Maurice Dudevant, le fils de la maîtresse des lieux, écrit, lui aussi, peint, sculpte, fabrique des marionnettes dont il fera des spectacles, tandis que sa sœur, Solange, improvise des ballets. Tous deux préparent des spectacles, qu'on donnera demain, ou après-demain, devant les invités, qui sont souvent Franz Liszt et Marie d'Agoult, Honoré de Balzac ou Eugène Delacroix, cet autre dandy. Aussi doué que Chopin et de ce fait aussi proche, ce dernier vient seul ou parfois avec sa maîtresse, Hortense de Forget, puisqu'on a l'esprit libre, ici, on ne s'embarrasse point des préjugés bourgeois. Car Nohant n'est pas qu'un château berrichon, parmi tant d'autres ; c'est une sorte d'annexe de la vie romantique, le petit royaume de cette femme exceptionnelle, écrivain fécond, auteur de plus de soixante-dix romans, de cette aristocrate séparée de son mari et vivant ses amours comme bon lui semble, de cette conscience de gauche dans une monarchie bourgeoise. Elle n'est jamais autant elle-même qu'ici, dans sa cuisine, devant la marmite à confitures, sa grande chambre à l'étage, où elle reçoit dans sa ruelle, comme les dames du temps jadis, ou même dans le village voisin, y faisant office de médecin amateur, soignant gratuitement la population paysanne, les anciens vassaux de sa grand-mère au temps des Lumières, dont elle continue à être le seigneur – même s'il n'y en a plus dans la France de l'après-Révolution – mais aussi leur amie, qui s'inspire d'eux pour camper les personnages de ses livres.

Aurore Lucile Amandine Dupin était née à Paris, le 12 messidor an XII (1er juillet 1804), rue Meslay, dans le Marais, au ménage Maurice Dupin de Francueil, capitaine des hussards de l'armée impériale et de Sophie Victoire Delaborde. Du côté de son père, une famille de financiers, avec plus qu'un zeste aristocratique, puisque sa grand-mère n'était autre que la fille du maréchal de Saxe, lui-même fils du roi Auguste II de Pologne, pas moins. Du côté de sa mère, un lignage de bonne bourgeoisie parisienne, avec un grand-père maître oiselier sur le quai aux Oiseaux, justement. De cette double ascendance elle hérita son caractère de grande dame, mais aussi ses préoccupations sociales qui la firent pencher très nettement à gauche, alors que, par son arrière-arrière-grand-père, elle cousinait bien avec Louis XVI, Louis XVIII et Charles X, tous trois issus d'une princesse de Saxe. Un plus dans cette hérédité, le château de Nohant-Vic, dans le Berry, près de La Châtre, acheté par sa grand-mère paternelle à la fin du XVIIIe siècle et auquel elle allait demeurer fidèle toute sa vie, puisqu'il sera le lieu où elle vécut le plus souvent et même rendit son âme. Cette grand-mère, elle-même éduquée dans la tradition voltairienne du temps des Lumières, joua du reste un rôle considérable dans la construction de la personnalité de sa petite fille, puisque ce fut elle qui l'éduqua, d'autant que la naissance, après Aurore, d'un garçon aveugle, Auguste, qui allait s'éteindre peu de temps après, fit reporter sur elle les espoirs des siens, deuil suivi par celui du propre père de l'enfant, victime d'une chute de cheval à La Châtre, le 16 septembre de cette même année 1808.

Mais, en dépit de ses très grandes qualités intellectuelles, qui n'ont pas échappé à cette femme d'esprit, l'enfant, confiée au précepteur Jean-Louis Deschartres, se révéla très vite rebelle à l'autorité des adultes, préférant gambader dans les champs berrichons plutôt qu'étudier ses tables de multiplication ou sa grammaire française.

Pour corriger son caractère, sa grand-mère, bien qu'agnostique, la mit, en 1818, en pension au couvent des dames augustines de Passy, où elle resta deux ans, puisqu'on l'en sortit pour la préparer au mariage, dès lors qu'elle avait fêté ses seize ans, ce qui, pour une fille, était alors la règle. Ceci, en fait, fut davantage une initiation à la littérature, puisque, puisant dans la bibliothèque de sa grand-mère, elle se mit à dévorer les grands classiques, de Virgile à Shakespeare, de Voltaire à Jean-Jacques Rousseau, de Raynal à Diderot, mais aussi ses contemporains, parmi lesquels Chateaubriand. Le 26 décembre 1821 cependant, Madame Dupin de Francueil mourut, la laissant seule héritière de ses biens, mais non libre de son destin, puisque le Code Napoléon privait les femmes de leur liberté. Un tuteur lui fut donc désigné, son cousin le comte René Vallet de Villeneuve, propriétaire du château de Chenonceau, qui songea alors à lui faire épouser son frère cadet, Auguste, veuf de Laure de

Ségur. Mais il avait quarante-trois ans, ce qui était beaucoup, à cette époque, et elle n'en voulut pas. Sa mère, jusque-là écartée de son éducation, la reprit et, au printemps de l'année 1822, la confia à des amis de son défunt mari, Angèle et James Roettiers du Plessis, dans leur château francilien du Plessis-Picard, près de Fontainebleau. Ce fut là qu'elle rencontra un avocat à la Cour royale, le baron François-Casimir Dudevant, fils naturel, mais reconnu, d'un général de Napoléon, qu'elle estima, même sans amour, pouvoir être, sinon le meilleur des maris, du moins le moins pire. Se marier était, pour une jeune femme de son milieu, le seul moyen d'être indépendante – cela allait durer jusqu'après la Seconde Guerre mondiale ! – et celui, aussi, d'échapper à l'autorité d'une mère avec laquelle elle entretenait des rapports conflictuels, contrairement avec sa grand-mère. *Ma fille est un diable*, avait-elle coutume de dire. Deux enfants naquirent bientôt de cette union célébrée en 1822, Maurice en 1823, et Solange en 1828.

Entre-temps, la désunion s'installa rapidement dans le ménage et les premiers coups de canif dans le contrat de mariage apparurent, des deux côtés. Le baron Dudevant, violent, porté sur la boisson et passablement inculte, courait les femmes de chambre, tandis que la baronne, à l'occasion d'un voyage dans les Pyrénées, en 1827, tomba sous le charme du bel Aurélien de Sèze, neveu du défenseur de Louis XVI, qui se fit son cavalier servant. Ce fut le premier d'une longue série d'amoureux ou d'amants en titre, le second étant Stéphane Ajasson de Grandsagne, le deuxième Henri de Latouche et le troisième l'homme de lettres Jules Sandeau, qui allait jouer un rôle important pour la postérité, puisqu'il allait lui inspirer son pseudonyme d'écrivain. Passée une énième scène, au mois février 1836, le couple décida de se séparer, après que le tribunal de La Châtre eut prononcé cette séparation qui, à cette époque, faisait office de divorce, celui-ci ayant été interdit à nouveau par la Restauration. Mais le baron eut du mal à admettre cette décision. L'année suivante, il enleva sa fille pour la conduire au château de Guillery, en Aquitaine, chez son père. Pour la délivrer, la baronne requit l'aide d'un jeune sous-préfet inconnu mais promis à un bel avenir, Georges Eugène Haussmann, qui fit rapidement diligence et retrouva l'enfant qu'il rendit à sa mère, demeurant chez lui seul, ou presque, puisque sa servante-maîtresse partagea désormais sa vie. Ils n'allaient se revoir qu'une seule fois, beaucoup plus tard, à l'occasion des funérailles d'un de leurs petits-enfants, ce qui n'empêcha pas Casimir d'écrire à Napoléon III pour que lui soit octroyée la Légion d'honneur, attendu qu'il était l'homme le plus cocu de France.

À présent seule face à son destin, la baronne Dudevant, qui, outre Sandeau, fréquentait à Paris Balzac, Latouche, Sainte-Beuve, Hugo, Dumas, Mérimée, l'abbé de Lamennais, Marie Dorval et Marie d'Agoult, n'eut désormais comme objectif que d'être libre, d'abord, et indépendante, ensuite. Afin de parvenir à cet objectif, elle décida de vivre de sa plume, ce qui constituait la seule voie possible, puisqu'une femme ne pouvait alors ni exercer une profession officielle ni se lancer dans les affaires, ce que peu firent, à l'imitation de la veuve Cliquot. Mais, pour cela, il fallait trouver un pseudonyme masculin. Et ce pour deux raisons.

La première fut l'opposition de sa belle-mère qui, ayant appris cette intention de devenir écrivain, s'était écriée, affolée : *Pas sous notre nom, ma fille !* La seconde est que cela ne se faisait pas, nul éditeur, du reste, ne pouvant accepter de mettre le nom d'une femme sur une couverture. Ce fut *George* (à l'anglaise) et *Sand*, en souvenir de ce nom que Jules Sandeau et elle avaient choisi pour signer un roman qu'ils avaient naguère écrit ensemble. Très vite, ce nom allait s'imposer, puisque pendant des années, celle qui n'allait jamais cesser d'écrire, publiant, outre soixante-dix romans, des pièces de théâtre, des contes, des nouvelles, des relations de voyage ainsi que des articles dans la presse, montrant par là que ses centres d'intérêt étaient multiples, ce qui, au fond, fait d'elle un personnage plus proche de ceux du XXe siècle que de ceux du XIXe siècle. En choisissant cette voie, outre l'indépendance financière qu'elle allait lui assurer – elle fut la seule femme de son temps à vivre de sa plume et, pour tout dire, inventa ou initia le métier d'écrivain professionnel ! –, elle découvrit aussi l'indépendance intellectuelle, ce qui fit d'elle une exception dans la société de son temps où les femmes étaient reléguées aux tâches subalternes. *Je m'imaginais être arrivée au but poursuivi depuis longtemps,* dit-elle, *à l'indépendance et à la possession de ma propre expérience ; je venais de river mon pied à une chaîne que je n'avais pas prévue.* Mais, pour autant, contrairement à Madame de Staël et quelques autres, elle refusa de s'engager dans la voie de la revendication féministe, où elle ne reconnut pas son combat, bien que, pourtant, nombre de femmes s'y illustrèrent ; Eugénie Niboyet, Élisa Lemonnier, Jeanne Deroin ou Pauline Roland ne manquèrent pas, pourtant, de la solliciter, attendu que sa notoriété était grande chez ses lectrices émues par le destin de ses personnages féminins qui entrèrent alors dans l'imaginaire français : Indiana, Lélia, ou la Petite Fadette, dont les aventures répercutaient les révoltes successives de sa propre libération. Seuls, en fait, allaient être choqués par elle les hommes de son temps qui, jamais, ne lui ont pardonné d'être libre, quitte à proférer d'hallucinantes attaques, comme Baudelaire, qu'on a connu mieux inspiré, traitant *la femme Sand* (sic) de… *latrine,* avant d'ajouter :

Elle a le fameux style coulant cher aux bourgeois ; elle est bête, elle est lourde, elle est bavarde ; elle a la même profondeur de jugement et la même délicatesse de sentiment que les concierges et les filles entretenues.

Ou Edmond de Goncourt trouvant chez elle la justification de sa misogynie proverbiale : *Si on avait fait l'autopsie des femmes ayant un talent original, comme Madame Sand, on trouverait chez elle des parties génitales se rapprochant de l'homme.* En fait, bien plus que s'habiller en homme, habitude qu'elle commença à prendre pour se promener à la campagne, mais aussi pour accéder aux bibliothèques publiques et aux procès publics, voire celle de fumer le cigare – mais l'impératrice Eugénie n'allait-elle pas faire de même, quoique jamais en public ? –, la baronne rebelle était coupable de vouloir exister, penser et écrire en tant que femme, ce qui constituait, en ce commencement de la société de l'ordre moral, une insupportable transgression des règles et des usages en cours, que les hommes ne lui pardonnaient pas.

La postérité allait être plus juste avec cet écrivain du terroir, de l'âme humaine et des difficultés d'une population à laquelle, seule, elle apporta l'étude, la sympathie et la compassion, ce qui lui donna une place à part dans l'école romantique. Son vieux complice et camarade Flaubert en reconnut la force en l'appelant familièrement, dans leur correspondance, *chère maître*. À tout cela s'ajoutèrent des essais politiques. Dès 1837, George Sand se lia avec l'écrivain Michel de Bourges, dont elle fit l'un de ses amants, mais surtout se forma à ses côtés à la pensée socialiste et commença à s'intéresser au sort des prolétaires : *C'est avec de la douceur*, écrivait-elle, *qu'on changera les mœurs de cette classe abrutie qu'on a traitée jusqu'ici avec tant de dédain qu'elle n'a pas pu faire de progrès.* Elle s'opposa ainsi, dans la presse aux gouvernements conservateurs de Louis-Philippe et, avec Pierre Leroux, fonda, en 1841, *La Revue indépendante*, puis *La Revue socialiste*, en 1845, tout en fréquentant des hommes aussi divers qu'Armand Barbès ou Louis Blanc, mais aussi Bakounine et Mazzini. Ce message, la rebelle baronne descendante d'un roi le fit encore passer dans certains de ses romans, *Consuelo ou le Meunier d'Angibault*, où elle écrit : *Le ciel m'a fait poète, mais c'est pour faire entendre le cri de la misère du peuple, pour révéler ses droits, ses forces, ses besoins et ses espérances.* Aussi, dès le commencement de la révolution de 1848, dans laquelle elle vit l'aboutissement de ses pensées, elle quitta le Berry, afin de s'impliquer.

Vive la République, écrivit-elle au poète ouvrier Charles Poncy, quel rêve ! Quel enthousiasme ! Et en même temps, quelle tenue, quel ordre à Paris ! J'en arrive, j'y ai couru, j'ai vu s'ouvrir les dernières barricades sous mes pieds.

Elle créa à nouveau un journal, *La Cause du peuple*, dans lequel *la bonne dame de Nohant* écrivit : *Si par le communisme vous entendez le désir et la volonté que grâce à tous les moyens légitimes l'inégalité révoltante de l'extrême richesse et de l'extrême pauvreté disparaissent dès aujourd'hui pour faire place à un commencement d'égalité véritable ; alors nous sommes communistes [...].* Très engagée, elle compta parmi ceux qui trouvaient Lamartine trop modéré, pas assez socialiste, pas assez révolutionnaire, ce qui la conduisit à soutenir Ledru-Rollin à la présidence de la République. Pourtant, après l'échec de la Révolution de 1848, elle allait, sinon se satisfaire, du moins accepter un Second Empire qui, il est vrai, allait davantage s'intéresser à la condition ouvrière que les politiciens de la défunte II^e République, et même, *in fine*, condamner la Commune, comme la plupart des écrivains de son temps, de Théophile Gautier aux Goncourt, de Dumas fils à Leconte de Lisle, de Feydeau à Zola. La littérature, pour autant, et la politique ne constituent pas les seuls aspects de la personnalité de celle qui est désormais George Sand, dont les révoltes ne se mesurent pas seulement à la plume, mais aussi au cœur. Cette grande passionnée, en effet, est reconnue par ses pairs et compte dans le paysage romantique à Paris, celle que peignent Delacroix et Charpentier et qui choisit ses amants et s'en sépare comme font les hommes avec les femmes, ce qui là encore apparaît au regard de ses contemporains comme un scandale permanent – mais pas au regard du vieux Chateaubriand saluant en elle *une des lumières de ce siècle,* dans lequel il n'a plus sa place et que, du reste, il va bientôt quitter. Certains ne voient-ils pas dans cette femme, venue de sa province pour conquérir Paris, un personnage de son ami Balzac ?

La liste de ses partenaires s'allonge donc au fil des années, et trois d'entre eux y jouent, parmi d'autres, un rôle important. Le premier est Alfred de Musset, beau, jeune et génial poète de six ans son cadet, dont elle est tombée folle amoureuse, comme elle l'écrit à Sainte-Beuve : *Je suis heureuse, très heureuse, mon ami, chaque jour je m'attache à lui.* Ils se voient et s'aiment sans retenue dans une auberge de Fontainebleau. Elle l'appelle son *petit moussaillon*, et, malgré ses caprices, ses angoisses et son caractère insupportable, leur amour fascine le Paris romantique, parce qu'il offre l'image de l'union libératoire de l'art, ce qui est nouveau. Ensemble, ils s'en vont à Venise, en 1834, pour donner un aspect plus esthétique encore à leur union. C'est un voyage torride, fait de passion, de sensualité, mais aussi de violence puisque, profitant d'une maladie d'Alfred l'obligeant à garder la chambre, elle le trompe, presque sous ses yeux, avec le beau médecin Pietro Pagello. Leur séparation est cruelle, mais sera féconde pour l'histoire littéraire, puisqu'elle leur inspirera des pages immortelles. Le deuxième est Frédéric Chopin, un pianiste prodigieux et un compositeur bouleversant, que lui présente Liszt, lui-même en ménage avec une autre aristocrate rebelle, la comtesse d'Agoult, née Marie de Flavigny. Plus jeune qu'elle, comme Musset, Chopin va se faire materner par cette femme d'exception qui, tout à la fois, lui sert de mère, d'épouse et d'impresario. Tous deux, à l'automne 1838, s'en vont à Barcelone, destination peu courue à cette époque, et, de là, embarquent pour Majorque, où ils passent un hiver difficile, à la chartreuse de Valdemossa,

Chopin y voyant sa tuberculose s'aggraver. À leur retour, entre le square d'Orléans, à Paris, où ils passent l'hiver, et Nohant où ils s'installent pour l'été, la vie des amants devient d'autant plus conflictuelle que les enfants de George grandissant supportent de plus en plus mal ses amants. Le couple se sépare en 1847, malgré l'amour que la romancière continue de vouer au pianiste, elle qui écrit alors à un proche : *Dites à Chopin que je l'idolâtre,* avant d'apprendre sa mort quelque temps plus tard, ce qui lui fait bientôt dire : *Mon cœur est un cimetière.* Comme Madame de Staël, son dernier amour est infiniment plus jeune qu'elle, quinze ans d'écart, mais elle en est folle : *Oui, je l'aime,* écrit-elle à l'éditeur Hetzel, *il pense à tout ce qu'il faut et se met tout entier dans un verre d'eau qu'il m'apporte ou dans une cigarette qu'il m'allume.* Tout à la fois son secrétaire et son amant, il s'appelle Alexandre Manceau et leur liaison dure quinze années, qui sont peut-être les plus heureuses de la vie de l'écrivain qui, pour mieux la vivre, quitte Nohant pour une charmante chaumière, sise à Gargilesse, sur les berges de la Creuse. Hélas, Alexandre s'éteint de la tuberculose, le 21 août 1865 à Palaiseau.

Deux ans plus tard, George se réinstalle définitivement à Nohant, où les clichés photographiques remplacent les tableaux, Nadar, vieux camarade de l'écrivain, tirant son portrait à plusieurs reprises. Mais plus touchants, parce que plus spontanés, les derniers clichés montrent George Sand, assise dans le jardin de Nohant, sous une ombrelle, avec ses enfants et ses petits-enfants. On reconnaît bien, sans fard, celle qui a écrit elle-même l'histoire de sa vie, un de ses textes les plus essentiels, dans lequel elle analyse lucidement cette rébellion permanente qui a été le moteur de ses engagements, dont elle s'est nourrie depuis l'adolescence jusqu'à la vieillesse et qui, sans doute, l'ont tant aidé à se comprendre et à comprendre les autres, et qu'elle appelle *la gravitation incessante de toutes choses*. Mais, si son esprit est toujours aussi vif, son état de santé se dégrade après les années 1870, même si elle soutient encore le rythme incroyable de produire deux romans par an. Rebelle jusqu'au bout, elle refuse la Légion d'honneur que le gouvernement lui a attribuée et écrit au ministre de l'Intérieur : *Ne faites pas cela, Cher Ami, non ne faites pas cela, je vous en prie ! Vous me rendriez ridicule. Vrai, me voyez-vous avec un ruban rouge sur l'estomac ? J'aurais l'air d'une vieille cantinière.* Souffrant d'un cancer de l'abdomen, elle doit bientôt s'aliter, tandis que tous les siens, enfants, petits-enfants, cousins et petits cousins s'installent à Nohant pour l'accompagner dans son dernier voyage. Parfaitement consciente d'être devenue une des institutions nationales, le 8 juin 1876, à dix heures du matin, George Sand s'éteint, paisiblement, dans cette chambre qui fut, avant elle, celle de sa grand-mère, en ce tout début de cette III<sup>e</sup> République que, aristocrate rebelle, elle avait vivement souhaitée, à l'âge de soixante-douze ans. De partout arrivent des messages de sympathie pour les siens. Si elle a quitté la scène, la statue du Commandeur est bien installée sur son socle et ne va plus jamais quitter Nohant, comme va l'écrire si bien sa fille Solange, s'adressant à un ami, en 1883, soit sept ans après la mort de sa mère :

On a beau faire, les années s'accumulent et on est saisi par l'immense vide de cette gigantesque personnalité disparue.

Une morne et incommensurable tristesse emplit cette maison, ce jardin, ces prairies. Derrière chaque porte qu'on ouvre, on s'attend à la voir. Au détour d'une allée, on se dit : Où est-elle ? Pourquoi ne vient-elle pas ? Le soir surtout, sur cette terrasse, et le long de cette avenue du pavillon, quand l'ombre se fait sous les incertaines lueurs de la lune, on se figure qu'elle va enfin apparaître, cherchant un papillon ou une fleur préférée. Attente atroce qu'on sait vaine. Alors l'effroi de cette implacable absence vous glace. Le cœur se serre d'angoisse et de regret, dans la désespérance, de l'impitoyable néant où s'est englouti un être si précieux, une âme si vaste et si élevée.

# Abd el-Kader

## (1808-1883)

# Le rebelle humaniste

Ne demandez jamais quelle est l'origine d'un homme.
Interrogez plutôt sa vie, son courage, ses qualités et vous
saurez ce qu'il est. Si l'eau puisée dans une rivière est saine,
agréable et douce, c'est qu'elle vient d'une source pure.
**Abd el-Kader**

Le 16 mai 1843, bien loin d'une Europe se passionnant pour *Le Vaisseau fantôme* de Wagner, le *Songe d'une nuit d'été* de Mendelssohn ou les *Contes de Noël* de Dickens, dans le Sud de cette Algérie que les Français occupent depuis treize ans, aux alentours de la source de Taguin, au pied des crêtes du Djebel Amour, si bien nommées, les troupes de Louis-Philippe progressent en colonne et à marche forcée, sans pouvoir prendre le temps d'admirer le grandiose paysage offert au soleil levant. Il y a là deux bataillons d'infanterie de ligne, un bataillon de zouaves, trois escadrons de spahis et trois de chasseurs d'Afrique, soit environ 5 000 hommes que leur jeune chef, le fringant duc d'Aumale a divisés en deux, pour limiter les risques, tout en sacrifiant à une technique stratégique bien éprouvée depuis Bonaparte et parfaitement adaptée à la mission reçue : couper la route à leur adversaire, un émir charismatique qui, depuis des années, tient en échec l'occupant. La tâche est d'autant plus ardue que ce rebelle, on ne le voit jamais, alors qu'il est pourtant omniprésent, lui dont les puissants réseaux invisibles tentent d'empêcher la colonisation d'un immense territoire dont la monarchie de Juillet veut faire le symbole de son indépendance diplomatique et le réceptacle de ses ambitions de gloire. Depuis le congrès de Vienne, en 1815, qui a mis fin à l'Empire napoléonien, les Français rêvent de gloire et, faute de pouvoir s'étendre en Europe, c'est en Afrique qu'ils entendent bien la trouver. Toute la jeunesse de France rêve donc d'Algérie et, avec elle, nombre d'artistes, de Delacroix à Chasériau, fascinés par un Orient rêvé.

Le jeune duc d'Aumale sait que, cette fois, la chance est de son côté, car son adversaire, qui a trop tendance à surveiller l'armée de Lamoricière, a négligé de faire de même avec la sienne, qu'il croit être retournée à Boghar et qui, dans le plus grand secret, la suit discrètement depuis plusieurs jours. Soudain, entre dix et onze heures du matin, un extraordinaire spectacle se présente sous la forme de quantité de tentes vivement animées par leurs 60 000 âmes, ce qui fait songer à ce que Bonaparte et ses troupes, naguère, ont aperçu avant la bataille des Pyramides, en Égypte, lorsqu'ils surprirent les troupes de Mamelouks aux costumes bariolés, avec leurs chevaux, leurs mulets, leurs chameaux, leurs armes et leurs joyaux. En jouant du même effet de surprise, le duc d'Aumale lance ses cavaliers au galop, provoquant un mouvement de panique au sein de ce qu'on appelle la *smala,* c'est-à-dire cet ensemble confus de guerriers, mais aussi de femmes, d'enfants, qui se dispersent dans tous les sens. En un instant, tout ce monde se retrouve encerclé, virtuellement prisonnier et prêt à se soumettre au son de ces canons qui terrorisent ces populations plutôt habituées à se battre à la seule arme blanche.

Cet exploit, le peintre Horace Vernet va bientôt l'immortaliser dans une de ces immenses toiles – vingt et un mètres de long sur cinq mètres de hauteur! – dont il a le secret et qui, depuis, orne au château de Versailles le Musée de l'histoire nationale, tout en demeurant le cauchemar des photographes chargés de la capturer avec leurs appareils. Elle montre, sous un magnifique ciel bleu, la tente, au centre, de l'émir, avec les coffres contenant ses livres et manuscrits les plus précieux, et tout autour celles de ses subordonnés, le tout au moment où Aumale surgissant, la confusion est à son paroxysme. Jouant sur un subtil dégradé de couleurs, le peintre parvient à suggérer parfaitement, d'un côté, la progression ordonnée des Français symbolisant la civilisation et, de l'autre, le désordre des Arabes, ce qui est une vue de l'esprit, puisque, en fait, la smala n'était nullement un ensemble chaotique, mais ordonnancé selon une organisation hiérarchiquement et symboliquement très complexe. Un détail en passant: une des femmes musulmanes offre au spectateur son voluptueux postérieur qui fait fantasmer les messieurs prud'hommes de la monarchie de Juillet venus admirer l'offre!

La prise de la smala permet surtout, d'une part, la reddition de plus de trois mille personnes et, d'autre part, de s'emparer de quinze mille têtes de bétail, sans compter l'effet psychologique majeur, entre dans la légende des batailles, quoiqu'avec peu de sang versé, ce qui n'en fait pas une boucherie. Mais elle signe aussi la fin de l'aventure d'un homme exceptionnel, Abd el-Kader, dont l'échec est patent, même si, au dernier moment, il a pu s'enfuir. Le duc d'Aumale, devenu l'incarnation de toute la jeunesse romantique – qui écrit très modestement à son frère, le prince de Joinville : *Nous avons eu un assez joli combat de cavalerie dont on a bien voulu faire un grand bruit en France –*, est aussitôt promu général et s'impose parallèlement comme un chef humaniste, puisque, au moment de la victoire, il ordonne d'épargner les femmes, les vieillards et les enfants, de même que les hommes vaincus qui se soumettent à genoux.

## Le parcours d'un guerrier philosophe

Abd el-Kader, dont le nom signifie, littéralement, *serviteur de celui qui peut tout,* était né le 6 septembre 1808, soit le 15 du mois de Rejab 1223, au village de El-Guetna, près de Mascara. Troisième fils du lettré Sidi Muhieddine Ibn Mostafa, cheikh de l'ordre soufi de la Qadiriyya, et de son épouse Zohra, elle-même fille du cheikh Sidou Boudouma, il était donc, via son ancêtre Idris Ier descendant du Prophète et, de ce fait, appartenait à ce qu'on peut considérer comme la noblesse du Maghreb, selon les critères en vigueur dans le monde musulman. Élevé pour être, à son tour, un chef, ce fils d'un auteur d'ouvrages sur la gnose et d'une mère également très cultivée, fut un enfant prodige qui, à cinq ans, savait lire et écrire, ce qui conduisit les siens à développer une éducation intellectuelle qui fit de lui un lettré autant qu'un guerrier, puisqu'il apprit concomitamment l'équitation et le maniement des armes. Dès l'âge de douze ans, où il commença à commenter le Coran, il se perfectionna dans ces deux matières auprès d'un de ses oncles. Ahmed Bihar, à Oran, l'initia en particulier à l'astronomie, à la physique, à la géométrie, à la poésie, à la rhétorique et à la philosophie, lui faisant bientôt atteindre un haut niveau dans la connaissance du soufisme, cette quête spirituelle et initiatique à laquelle il allait demeurer fidèle sa vie durant. Durant les années qui suivirent sa formation, il voyagea en Orient, effectua son pèlerinage à La Mecque et s'en revint dans son terroir natal en 1830, au moment où les Français s'emparèrent d'Alger, alors province de l'Empire ottoman, administrée, au nom du sultan, par un Bey, au nom du gouvernement de Charles X, à qui cette conquête ne porta pas bonheur, puisqu'il fut peu après renversé par la révolution de Juillet.

À partir de cet événement, il eut pu, comme beaucoup d'autres, ici ou ailleurs, s'accommoder de cette situation et poursuivre paisiblement sa vie de notable, chef de tribu et guide spirituel, mais ce rebelle préféra s'engager contre ceux qui, tout de même, étaient les envahisseurs de son pays. Fédérant les guerriers de différentes contrées, il prit le titre d'émir (*celui qui commande*, en arabe) et pendant plusieurs années, mena contre les Français une guérilla, lançant ses redoutables cavaliers contre les troupes de ligne, tour à tour apparaissant et disparaissant dans un paysage qu'il connaissait infiniment mieux que ses adversaires, déployant un réel talent stratégique, mais aussi un comportement chevaleresque, qui lui valut l'estime de tous, puisqu'il laissait la vie sauve à ceux qu'il avait battus. Voulut-il accomplir la prophétie faite à ses parents qu'il serait un jour le *sultan des Arabes* ? Résister au nom d'un patriotisme culturel et théologique conçu par son évolution intellectuelle et politique ? Ou tenter l'aventure pour transcender le cours d'une vie qu'il ne voulait pas médiocre ? Il y eut sans doute de tout cela dans ses choix dont il convient cependant de dire qu'il ne fut pas partagé par toutes les tribus kabyles, puisque certaines auraient préféré vivre en bonne intelligence avec les Français. Quoiqu'il en fût, il imposa d'autant plus rapidement son autorité, qu'il passait pour avoir la *baraka*, c'est-à-dire cette faculté à éviter les balles et les boulets de l'ennemi, ce qui lui permit de revêtir le burnous violet, emblème de son pouvoir.

Sa tête fut ainsi mise à prix, mais nul ne put jamais le prendre pendant ces années d'échauffourées, ce qui lui permit d'unir ses forces et, grâce aux donations de chevaux, d'armes et de vivres, de constituer une armée assez puissante pour tenir tête, au nom de la *guerre sainte*, à l'armée du roi des Français, qu'il harcela dans l'Ouest algérien, parvenant même à s'emparer de Tlemcen en avril 1833, cette même année où il parvint à bloquer l'accès à Oran et à Mostaganem pendant quelques mois. Le général Desmichels, puis à son successeur le général Trézel – lequel tenta de monter contre lui certaines tribus rétives à son autorité – échouant à le neutraliser, il poussa les Français à traiter avec lui puisque, le 24 février 1834, le traité de Tafna conclu avec le général Bugeaud lui permit de devenir le chef du Beylik de l'Ouest (excepté Oran, Azew, Mostaganem et Mazagran), du Beylik du Titterie et de la province d'Alger (à l'exception d'Alger, de Blida et de la plaine de la Mitidja et du Sahel algérois). Cet important territoire, inspiré par le pacha d'Égypte, il le dirigea désormais avec sagesse et talent. Cette période constitua pour lui une trêve qui lui permit de lutter contre les tribus de nomades pillards hostiles à son autorité, en particulier les Zmalas, conduit par les aghas Benaouda Mazari, les Douars, conduits par Mustapha ben Ismaël, et les Bordja, conduits par l'agha Kaddour ben Mokhfi. Elle en constitua une autre pour les Français qui purent ainsi souffler au moment où nombre d'entre eux s'installaient en Algérie et commençaient à aménager son territoire. En le laissant battre ses ennemis et même en l'aidant parfois, dans cette tâche, les Français confortèrent donc la puissance de l'émir. Édifiant des citadelles, levant l'impôt et nommant ses propres administrateurs, envisageait-il de devenir le roi de ce territoire auquel il rêvait d'adjoindre, au fond, l'ensemble des terres algériennes pour ne laisser aux Français que le littoral qui ne l'intéressait guère ? C'est probable.

Pensant que le moment était venu, en 1839, il tenta de s'emparer du Constantinois, rompant de ce fait la paix. Bugeaud, promu entre-temps gouverneur militaire de l'Algérie et ayant appris à mieux le connaître, résolut alors de lui mener la vie dure tout au long d'une guerre infiniment plus violente que les précédentes, en partie parce que les Français disposaient désormais de troupes plus nombreuses, dans lesquelles servaient nombre d'Algériens, mieux organisées et connaissant bien le terrain. Deux faits d'armes affaiblirent alors considérablement l'émir rebelle, déclaré hors la loi : l'expédition dite *des Portes de Fer*, en octobre de cette même année ; puis, quatre ans plus tard, la prise de sa smala, c'est-à-dire sa capitale volante comprenant, outre sa famille, ses domestiques et ses vassaux, ses officiers, ses fonctionnaires, ses richesses et même ses archives. Réfugié au Maroc, mais chassé de cette contrée, en vertu du traité de Tanger, conclu peu après la prise de sa smala, avec le sultan, Abd el-Kader devint un chef traqué, tentant de porter, pendant trois ans, la guerre sur les hauts plateaux, mais harcelé de toutes parts et même trahi par certains de ses subordonnés. Il finit par réaliser que son rêve de royaume algérien s'était évanoui face à la réalité coloniale. Il cessa donc la lutte et envoya aux Français des négociateurs afin d'en finir au mieux.

Convaincu par la promesse que lui fit le général Lamoricière, de bénéficier, pour lui et sa famille, d'un sauf-conduit pour une destination de son choix qui, très certainement, eût été la Syrie, alors province de l'Empire ottoman, il se rendit, parce qu'il était fils de roi, au duc d'Aumale. Comme on pouvait s'y attendre de la part de deux personnages d'une telle envergure qui, même appartenant à deux cultures différentes, n'en étaient pas moins, l'un comme l'autre, d'authentiques chevaliers, l'entrevue du 23 décembre 1847 à Sidi-Vrahim fut magnifique. L'émir vint sur un splendide pur-sang arabe qu'il offrit à Aumale, entouré des généraux Lamoricière et Cavaignac. Mais il réalisa aussi qu'il était son prisonnier, puisque la France, ne respectant pas sa parole, le fit embarquer pour Toulon et non pour Saint-Jean-d'Acre, comme il l'avait espéré. Mais, comme Napoléon qui, envoyé à Sainte-Hélène, allait rebondir en écrivant lui-même sa propre légende,

Abd el-Kader, en montant sur l'Asmodée, décida qu'il allait ainsi gagner sa dernière bataille, qui n'était plus celle des armes mais celle de sa propre légende.

Débarqué à Toulon, le 29 décembre 1847, avec la centaine de personnes qui compose sa suite, dont sa propre mère, ses trois épouses, ses enfants, ses officiers et ses serviteurs, Abd el-Kader, passe quelques jours au Lazaret de Saint-Mandrier, comme il est d'usage, avant d'être envoyé, le 10 janvier 1848, au fort de Lamalgue. C'est là qu'il apprend, un mois plus tard, la chute de Louis-Philippe, tombé après la révolution de février. Au printemps souvent, le gouvernement provisoire lui attribue une nouvelle résidence, le château de Pau, en Béarn, où jadis était né Henri IV, et que le défunt régime avait restauré pour le duc de Montpensier, fils de Louis-Philippe, marié à une princesse espagnole, dont on n'avait plus besoin. L'émir et sa suite embarquent donc à nouveau jusqu'à Sète, où ils prennent, en diligence, la route du Sud-Ouest, via Toulouse. Ce voyage stupéfie Abd el-Kader, puisqu'il ne voit que des campagnes prospères, généreusement arrosées par des fleuves et des rivières, ce qui lui fait dire : *Je ne vois ici que des plaines verdoyantes, des vergers, des forêts et des lacs ; tant d'abondance. Quel besoin ont donc les Français d'occuper mon pays de sables, de déserts et des rochers !* Parvenu à destination, il prend ses quartiers au château de Pau où, contemplant les Pyrénées, il se concentre sur sa vie spirituelle pour conjurer l'angoisse de la perte des êtres chers, disparus au fil des années et la nostalgie de son pays natal, qu'il sait si loin, là-bas, de l'autre côté de l'Espagne. Six mois plus tard, nouvelle affectation dans un autre château royal, Amboise, au cœur d'une province plus riche encore, ce qui ne cesse de l'étonner. Comme à Pau, il reçoit nombre de visiteurs curieux de connaître ce chef de guerre charismatique, qui accueille tout un chacun avec cordialité, ecclésiastiques, officiers généraux, ministres, écrivains, voyageurs, parlementaires, tous séduits par la beauté de son regard, son français impeccable, sa vaste culture, sa dignité de reclus et ses manières aristocratiques. En quelques années, l'ancien chef de guerre redouté est devenu un héros romantique, dont l'opinion publique pense qu'il serait bien d'adoucir le sort, surtout lorsqu'on apprend que quelque vingt-cinq personnes de sa suite sont à présent enterrées à Amboise, dont deux de ses enfants, une de ses femmes et un de ses frères.

Enfin, le 16 octobre 1852, un visiteur qu'il n'attend pas se présente à lui, Louis-Napoléon Bonaparte en personne ; il est venu lui annoncer, quelques mois après le renversement d'une république qu'il avait présidée, sa libération et l'attribution en sa faveur d'une pension de 150 000 francs. Ce jour-là, les deux hommes parlent longtemps, de la vie, de la mort, du destin des peuples, et surtout de cette culture arabe qui passionne tant le neveu du grand empereur et que lui explique l'émir grandi par les épreuves. Le 2 décembre suivant Abd el-Kader assiste, à ses côtés, à Paris, à la proclamation du Second Empire, en faveur duquel il s'est prononcé, puisque le droit de vote lui a été accordé par son libérateur, qui voit en lui *le Jugurtha moderne,* celui-là même dont le peintre Jean-Baptiste Tissier effectue, cette même année, un célèbre portrait, que Carpeaux immortalise sur un bas-relief et qui, lors d'une visite à Versailles, découvre, stupéfait, l'immense tableau que Vernet a consacré à la prise de sa smala, jadis, par le duc d'Aumale.

## Le rebelle régénéré

Présent aux principales réceptions des Tuileries, où il fait toujours sensation, dans son costume arabe blanc, à l'opéra, ou lors des parades militaires, l'émir demeure quelque temps à Paris, puis repart, non pas pour l'Algérie, qu'il ne reverra plus, mais pour la Turquie, où il choisit une demeure au village de Brousse, près d'Istanbul. Un tremblement de terre ayant détruit celle-ci, il part alors pour Damas, en Syrie, autre province de l'Empire ottoman, et, là, dans une nouvelle demeure sise au quartier de Sallhieh, commence une vie studieuse, dans sa vaste et riche bibliothèque, étudiant sans cesse, pratiquant l'exégèse des textes sacrés, priant de même, s'attachant à la méditation soufie et se livrant à des exercices d'ascèse poussée. C'est là que, au mois de juillet 1860, le musulman, devenu, non seulement l'ami des Français mais encore des juifs, sauve, au péril de sa propre vie, les 12 000 chrétiens syriaques menacés de mort par les révoltés druzes, redevenant, l'espace de quelques jours, l'efficace chef militaire qu'il fut naguère. Cet événement qui connaît un retentissement considérable en Europe – le peintre Jean-Baptiste Huysmans va en tirer un fameux tableau – fait rejaillir la gloire du rebelle régénéré, ce dont témoignent non seulement l'empereur Napoléon III lui attribuant la croix de grand officier de la Légion d'honneur ou le pape lui attribuant l'ordre de Pie IX, mais aussi l'empereur de Russie et le roi de Prusse, sans compter le Grand Orient de France, lui proposant l'initiation maçonnique, qu'il accepte. Celle-ci lui est décernée, quelques mois plus tard, à Alexandrie, et sera suivie par celle de deux de ses propres fils. De cette époque, les gravures et les photographies le représentant dans son éternel habit blanc, à pied sur fond de désert ou à cheval, popularisent l'image d'un homme qui, avec un siècle d'avance, maîtrise avec art ce qu'on appellerait aujourd'hui sa *communication*. Là aussi réside le génie de celui qui, à l'instar de Napoléon, a su faire de sa vie un roman, en laissant à la postérité le souvenir d'un chef de guerre, religieux et lettré, ce qui fit de lui une exception dans ces trois domaines.

Toujours en mouvement, il effectue un nouveau pèlerinage à La Mecque, puis deux séjours en France, le second à l'occasion de l'Exposition universelle de 1867, dans laquelle il s'intéresse aux inventions qui annoncent les technologies du siècle suivant. Trois ans plus tard, il apprend avec tristesse la chute de Napoléon III. Commence alors une longue vieillesse, qui s'achève, le 25 mai 1886, ce jour où il s'éteint à un âge relativement avancé pour l'époque, 74 ans. Contrairement à la tradition musulmane, il est, selon ses propres volontés, non pas mis immédiatement en terre, mais incinéré, ses cendres étant déposées à la mosquée de Damas, où elles vont demeurer jusqu'en 1965, année où elles seront transférées au cimetière d'Alger. Et ce au lendemain de l'indépendance, puisque l'Algérie va faire de lui la figure tutélaire de son existence en tant que nation, ce dont témoigne par ailleurs sa statue équestre d'Alger, inaugurée en 1968, où elle a remplacé celle... de Bugeaud.

# Jérôme-Napoléon
## (1822-1891)

# Le Prince Rouge

*J'aspire à l'infini, sans le comprendre.* **Jérôme-Napoléon**

Au palais des Tuileries, l'année 1860, dans le cabinet de travail de l'empereur, le ton monte entre deux hommes que tout oppose, à commencer par le physique. Le premier, mince, les yeux mi-clos, le visage émacié, barré d'une moustache effilée que prolonge, sous la bouche, une courte barbiche, porte l'uniforme de général. Le second, plus lourd, malgré sa redingote noire à boutons d'or tentant de comprimer son embonpoint, paraît plus agité, ou tout au moins plus méridionalement césarien, ce qui ressort si bien sur l'imposant portrait que Flandrin vient de faire de lui. Depuis un bon moment, ils discutent des affaires de l'État et constatent que, à l'exception des questions économiques, ils ne sont d'accord sur rien, en particulier sur la manière d'exercer le pouvoir. Mais le principal litige prend sa source dans le soutien que le premier, souverain catholique, apporte au pape, encore maître d'une bonne partie de l'Italie, alors que le second, franc-maçon et libre penseur, déteste le Vatican. Comme jadis Napoléon Ier se querellait avec son frère Lucien, le républicain de la famille, Napoléon III tente de riposter à l'opposition sourde que mène contre lui son cousin germain Jérôme-Napoléon ; progressivement, leurs propos s'enveniment, traduisant une rivalité qui remonte à leur adolescence et qui, au fond, nourrie de jalousie, n'a jamais cessé d'être. La tension est telle que, hors de lui, le second finit par lancer perfidement au premier, en faisant allusion à ce bruit courant depuis longtemps sur le fait que l'empereur ne serait pas l'enfant de Louis, mais d'un des nombreux amants de sa mère :

– De toute manière, tu n'as rien d'un Bonaparte.
– Tu te trompes, mon cher, lui répond l'autre avec son calme inébranlable, j'ai hélas sa famille.

## Un fils de roi anticonformiste

Napoléon III a ici affaire à son cousin germain, Jérôme-Napoléon Bonaparte, que Paris surnomme *le Prince Rouge* en raison de ses opinions politiques et sa personnalité de rebelle patenté. Cadet des deux enfants de Jérôme Bonaparte, le dernier des frères de Napoléon I<sup>er</sup>, qui coiffa, pendant quelques années, la couronne de Westphalie, et de la princesse Catherine de Wurtemberg, il naquit à Trieste, où ses parents vivaient en exil, le 9 septembre 1822. Avant lui avaient vu le jour une fille qui allait devenir la célèbre princesse Mathilde et avec laquelle il demeura lié jusqu'à la fin de leurs jours, et un fils, Napoléon-Jérôme, qui allait servir comme colonel au 8<sup>e</sup> régiment de ligne, avant de s'éteindre prématurément. Même s'il vint au monde sept ans après l'effondrement définitif du Premier Empire et s'il ne connut jamais Napoléon, mort quelques mois avant sa naissance, il allait, non seulement conserver le souvenir de la gloire du régime, mais encore, par le jeu mystérieux des chromosomes, ressembler d'une manière extraordinaire, à son oncle, avec la même tête, le même regard, et, l'âge venu, la même corpulence, ce qui fascina ses interlocuteurs, dès lors que *Le Mémorial de Sainte-Hélène* étant devenu le best-seller du xixe siècle, ils croyaient revoir en lui l'homme le plus célèbre de leur époque. Son cousin, l'empereur, quand ils ne se querellaient pas, ne lui lançait-il pas cette boutade connue : *Le peuple me réclame; prête-moi ta tête?*

D'abord pensionnaire à Genève puis hôte, pendant quelque temps, de sa tante, la reine Hortense, veuve de son oncle Louis Bonaparte, l'ancien roi de Hollande, celui que, en famille, on surnommait *Plon-Plon*, parce que, petit, il ne parvenait pas à dire correctement Napoléon, fut ballotté dans l'Europe romantique, au hasard des villégiatures de ses parents. Il y prit le goût des langues, finissant par parler couramment le français, l'italien, l'allemand, et se forma aux sciences et à l'histoire, auxquelles il allait s'intéresser sa vie durant. Sa quinzième année révolue, il intégra l'école militaire de Ludwigbourg, en Allemagne, où il reçut cet enseignement militaire qui fit de lui un officier, le seul état que pouvait embrasser sans déchoir un homme de sa condition. N'était-il pas, par sa mère, le cousin de la plupart des principicules allemands, mais aussi du roi d'Angleterre et du tsar de Russie? Et, par son père, n'était-il pas, tout à la fois, le neveu de Napoléon Ier et, par le jeu des décès, une fois écartés les descendants de Lucien Bonaparte, déclarés non dynastes, le seul à pouvoir monter sur le trône impérial, avec son cousin germain Louis-Napoléon, le futur Napoléon III ? D'où une concurrence entre les deux qui, depuis l'adolescence, les anima et ne les lâcha plus. Celle-ci, du reste, se manifesta même avec les femmes, car tous deux étant de chauds lapins, ils chassèrent souvent le même gibier, ce qui allait être le cas d'Eugénie de Montijo, la future impératrice, qui écarta l'un pour épouser l'autre, d'où ce mot terrible de Jérôme-Napoléon : *On peut la désirer ; on ne l'épouse pas !*

Sa formation militaire achevée, Plon-Plon, profitant de l'aisance de ses revenus et empruntant l'un ou l'autre de ses titres – prince de Montfort, comte de Meudon ou marquis de Moncalieri – visita l'Europe de son temps, en compagnie de son ami Alexandre Dumas, séjournant successivement en Italie, en Allemagne, en Autriche, en Russie, en Angleterre et même en France, où le roi Louis-Philippe le reçut avec son père. De tempérament libéral affiché, il ne faisait pas mystère, malgré sa naissance, de ses opinions démocratiques et se fit même initier aux mystères de la franc-maçonnerie, à Paris, dans la loge *Les Amis de la patrie*. Fort de cette entrée en matière, il profita de la révolution de 1848 pour se présenter aux élections législatives et fut élu, à vingt-six ans, député de la Corse à l'Assemblée constituante. Siégeant à gauche, et même à l'extrême gauche, où il s'imposa comme un brillant orateur, il vota avec les républicains les plus convaincus et se fit même nommer ambassadeur du régime à Madrid, où son anticléricalisme farouche choqua la très catholique cour d'Espagne.

Élu député de la Sarthe à l'Assemblée législative de 1849, Jérôme-Napoléon retrouva sa place sur les bancs de la gauche, réclamant un jour le rétablissement du suffrage universel, un autre l'amnistie des insurgés de juin, flatté d'être surnommé par ses collègues *le prince de la Montagne*, en référence aux révolutionnaires jacobins de 1793, que ce fils de roi vénérait. Il désapprouva ainsi le coup d'État du 2 décembre 1852, opéré par son cousin le président de la République, dont, selon Victor Hugo, il songea alors à demander l'arrestation. Ceci, pour autant, ne l'empêcha pas d'accepter les dignités que le nouveau régime, le Second Empire, instauré l'année suivante, lui offrit : prince français, altesse impériale, général de division, sénateur, grand officier de la Légion d'honneur et président de l'Exposition universelle de 1855, le tout assorti de divers avantages, comme un vaste appartement au Palais-Royal, la jouissance du château de Meudon et des pensions conséquentes, qui lui permirent de faire édifier, par l'architecte Alfred Normand, un singulier hôtel, près des Champs-Élysées, en forme de villa romaine, avec le décor pompéien attenant.

Là, incarnant l'aile gauche du parti bonapartiste, opposé à l'aile droite dirigée par Rouher, il reçoit désormais un certain nombre de vedettes du jour, comme Théophile Gautier, Gustave Flaubert ou Charles Sainte-Beuve, mais aussi des opposants au régime, parmi lesquels Émile de Girardin ou Adolphe Guéroult, qu'il sait flatter, puisqu'il est aussi charmant en privé qu'il est odieux en public, sans compter ses maîtresses, dont les plus connus sont la comédienne Rachel et la chanteuse Hortense Schneider, l'égérie d'Offenbach, dont la vie est si libre qu'on la surnomme *le passage des princes*. C'est désormais vers lui que se tournent les mécontents, à qui il aime glisser, entre la poire et le fromage : *Croyez-moi, s'il arrivait malheur à l'empereur, ce ne serait pas cette niaise d'impératrice et ce bambin de prince impérial qu'on viendrait chercher, mais moi.*

## L'altesse républicaine

Héritier du trône, jusqu'à la naissance du prince impérial, dont la venue au monde le contrarie particulièrement – il ne s'en cache pas ! –, il effectue désormais des missions diplomatiques qu'il combine avec ces interminables voyages lointains dont il a le goût, le conduisant à parcourir les mers d'Europe jusqu'à la Scandinavie. Parallèlement, il commande, non sans courage ni talent, une division, pendant la guerre de Crimée, avant de se brouiller avec Canrobert et de rentrer en France, atteint de surcroît de dysenterie. Là, tout en étant nommé vice-président du conseil privé de l'empereur, il exerce la fonction de ministre de l'Algérie et des Colonies, ce qui lui donne l'occasion de développer des idées originales sur la civilisation arabe. Quand il ne gravite pas dans les hautes sphères de l'État, il marche en montagne ou chasse avec fureur, car ce sanguin est aussi un grand sportif, qui prise particulièrement la natation. Un jour de canicule, où, à Compiègne, il sort de l'Oise entièrement nu, après une heure de brasse, il tombe sur un groupe de dames de la Cour, surprises par la vision imprévue de ce puissant faune sortant de l'eau ! Très populaire dans le milieu maçonnique, il cherche à prendre la tête du Grand Orient de France et se présente contre son cousin, le prince Achille Murat, mais l'empereur brise net leurs ambitions rivales en imposant le maréchal Maignan à la tête de l'Ordre. Éternel insatisfait, Jérôme-Napoléon rêve de monter sur le trône de Grèce, mais l'affaire ne se fait pas et s'en console en s'en allant aux États-Unis assurer la promotion de la publication de la correspondance de Napoléon en trente-deux volumes.

Le 30 janvier 1859, il est requis pour cimenter l'alliance franco-italienne, et avec elle le processus d'unification et d'indépendance de la Péninsule, puisque ce jour, à Turin, il épouse la princesse Clotilde de Savoie, fille du roi Victor-Emmanuel II. Malgré l'aspect singulier de cette union entre une catholique rigoriste, descendante directe de Louis XIV, et un athée plutôt libertin et érotomane, neveu de Napoléon I$^{er}$, ce sera un ménage plutôt réussi dont naissent deux fils appelés à perpétrer la dynastie impériale, toujours en activité aujourd'hui, Victor et Louis, ainsi qu'une fille, Marie-Laëtitia, qui deviendra duchesse d'Aoste. Le prince, pour autant, n'en collectionne pas moins les maîtresses, dont on ne saurait donner ici la liste, tant elle est interminable, à l'imitation du catalogue du Don Giovanni de Mozart. Citons la sulfureuse Cora Pearl, la dame d'honneur de son épouse, Charlotte de Carbonnel de Canisy, de trente ans sa cadette, qui lui donne deux enfants adultérins, ou Anne Deslion, dont Zola va faire le modèle de sa Nana. C'est en se présentant à la porte de celle-ci qu'il rencontre le vaudevilliste Lambert Thiboust, et comprenant qu'il n'est pas le seul sur l'affaire, il s'incline en lui lançant :

– Trompé par un homme d'esprit est un honneur.

– Déshonoré par une altesse impériale en est un autre, lui répond l'écrivain en s'inclinant à son tour.

La guerre de 1870 le surprend alors qu'il voyage en Scandinavie. Il s'empresse de revenir et se voit affecté à l'état-major, où il tente de s'y imposer par des suggestions que les maréchaux ne retiennent pas, sans doute à tort. L'Empire effondré, le *prince rouge* n'abandonne pas la politique, puisqu'il se fait élire, en 1871, député de la Corse, qui le reconduit dans ce mandat en 1876. La mort du prince impérial, fils unique de Napoléon III et d'Eugénie de Montijo, fait de lui l'héritier du trône, en 1879, sous le nom de Napoléon V, si tant est que le précédent ait bien été Napoléon IV. Mais les bonapartistes le trouvent beaucoup trop à gauche et lui substituent son fils aîné, Victor, au demeurant désigné comme tel par le prince impérial, dans son testament. Cette désignation ouvre une crise dans le parti bonapartiste, qui ne s'éteindra qu'avec la mort du neveu de l'empereur, selon lui injustement mis sur la touche, et qu'on peut comparer à celle que connaît le parti royaliste, divisé entre tenants du comte de Chambord et tenants du comte de Paris.

Arrêté en 1886 pour avoir fait placarder, sur les murs de Paris, un manifeste bonapartiste, le Prince Rouge est victime de la loi d'exil, votée trois ans plus tard, qui interdit aux membres des anciennes dynasties de demeurer en France. Il se retire alors dans son château de Prangins, en Suisse, sur les rives du lac Léman, où il se remet sérieusement à l'étude, avec son secrétaire, Bétoléaud, et, pour la bagatelle, sa dernière maîtresse, la marquise de Saint-Paul. C'est là qu'il rédige son fameux livre *Napoléon et ses détracteurs*, reçoit de vieux amis, comme Théophile Gautier, Ernest Renan ou Émile Ollivier, et des nouveaux, comme le général Boulanger, venu le consulter, à qui il conseille de se lancer en politique, ou le jeune Gabriele d'Annunzio, fasciné à l'idée de converser avec le neveu du grand empereur, et son sosie. Il continue de voyager, manque de périr dans une tempête sur la Manche à bord du *Comte de Flandre* et passe ses hivers en Italie, soit au château de Moncalieri, où s'est retirée son épouse, toujours confite en dévotions, ou à l'hôtel de Russie, à Rome, villégiature qu'il affectionne particulièrement, malgré son mépris affiché pour le titulaire du trône de saint Pierre. C'est là qu'il meurt, d'une crise cardiaque, le 17 mars 1881. Il est alors inhumé à Turin, dans la crypte des Savoie, au cœur de la basilique de Superga, après de somptueuses funérailles en présence du roi Umberto Ier, son beau-frère, du gouvernement, des corps constitués et de l'ensemble du corps diplomatique, à l'exception de l'ambassadeur de France à qui le gouvernement avait interdit de paraître, ce qui est singulier, puisque le plus rebelle des napoléonides était, au fond, un républicain dans l'âme.

# Léon Tolstoï

## (1828-1910)

# Le barine du peuple

Vivre dans la clarté de la lumière qui est en moi, et la placer devant les hommes. **Léon Tolstoï**

En 1860 à Isanaïa Poliana, près de la ville de Toula, une journée d'automne commence, dès lors que les rayons du soleil dorent les bosquets de bouleaux et les étangs ponctuant cette campagne si caractéristique de l'ouest de l'immense empire russe. Nous sommes à moins de deux cents kilomètres de Moscou, des isbas de bois entourent une route à peine tracée qu'empruntent, à la belle saison, des voitures et, l'hiver, des traîneaux emportant les nobles s'en allant chasser dans les environs, pique-niquer autour des samovars ou se recevant les uns chez les autres. Entourés de l'immense forêt domaniale, une église à bulbe, un château dans l'esprit des Lumières avec sa longue façade blanche constituent les deux socles de cette petite communauté d'âmes, avec, entre les deux, ce grand orme sous lequel se réunissent les moujiks, lorsqu'ils sollicitent les conseils ou l'aide de leur seigneur et maître. Ce dernier est bien plus célèbre que ses pairs puisque, toute l'année, d'innombrables visiteurs, de Saint-Pétersbourg ou de plus loin encore, viennent le rencontrer avec admiration ou vénération, ce qui fait de lui un barine connu et respecté. Les moujiks savent qu'il est l'auteur de plusieurs livres, mais la plupart d'entre eux ne savent ni lire ni écrire, ce qui ajoute une once de mystère au personnage central de leur communauté, celui, en tous cas, qui les connaît si bien, les comprend si bien et aime à dire, car son cœur bat au rythme de cette propriété : *Sans Iasnaïa Poliana, je peux difficilement me représenter la Russie, sans lui, je verrais peut-être plus clairement les lois générales nécessaires à ma patrie, mais je ne l'aimerais pas avec passion.*

Et justement, ce matin-là, le comte est à l'école, qui est en fait une pièce de sa demeure. Là, debout, en blouse et bottes, *une face ressemblant à une forêt*, a dit de lui Stefan Zweig, *avec plus de fourrés que de clairières obstruant tout accès à la vision intérieure*, raconte lui-même aux enfants, assis autour de lui, un de ces vieux contes russes qu'il affectionne particulièrement et qui les captivent, car le ton qu'il donne à sa narration sait, tour à tour amuser ou effrayer les têtes blondes. Le comte Léon Tolstoï, en effet, depuis un certain nombre d'années, a pris conscience de la totale inculture du peuple russe, totalement livré par ses gouvernants aux préjugés archaïques, à la routine des traditions, à l'obscurantisme religieux, quand il ne s'agit pas de l'alcool. Ce progressiste convaincu, émule de Jean-Jacques Rousseau, qui a voyagé en Europe pour s'informer sur les divers systèmes d'instruction, dont il a tiré nombre d'ouvrages, s'intéresse donc aux questions d'éducation, et a même créé une école dans son village où, s'il n'a pas de maître sous la main, il fait lui-même la classe aux enfants de ses moujiks, leur apprenant à lire, écrire et compter. Il a même composé pour eux, mais aussi pour ses propres enfants, un *Abécédaire à l'usage des familles et des écoles* de 756 pages. Allons donc, un comte-maître d'école dans l'éternelle et vieille Russie ? Tout est possible chez celui qui a dit un jour, *je ne suis pas né pour être comme les autres*, ce que démontrent sa vie comme son œuvre. À ceux qui s'étonnent de ce goût pour l'enseignement, il répond : *C'est tout de même autre chose que d'écrire des romans*, avant d'ajouter : *L'école est toute ma vie, mon couvent, mon église.* Parfois il conduit ses élèves dans la forêt pour les initier à la compréhension de la nature et leur apprendre à rester eux-mêmes. À l'un d'eux qui demande à quoi sert-il de peindre, de sculpter ou de chanter, il répond : *Et l'arbre, à quoi sert-il, sinon à être beau ?*

Léon (Lev, en russe) Nikolaïevitch Tolstoï – dont le nom signifie *le gros* – est né le 9 septembre (équivalent du 28 août dans le calendrier européen) 1828 à Iasnaïa Polania, l'aristocratique demeure campagnarde de sa famille, située au milieu de quelque 1 600 hectares de terres. Son père, le comte Nicolas Illitch Tolstoï était un officier noble de l'armée impériale sans fortune qui avait participé, en 1812, à la défense de la Russie contre l'envahisseur français. Sa mère, née princesse Maria Nikolaïevna Volkonskaïa était, elle, d'une lignée plus relevée, prétendant descendre du héros scandinave Rurik et, plus sûrement, de Ghedimin, prince lithuanien fondateur de Vilnius. Fille d'un feld-maréchal particulièrement riche, ce qui allait grandement faciliter la vie de ses descendants, la comtesse Tolstoï, malheureusement, mourut prématurément d'une fièvre puerpérale en mettant au monde son quatrième enfant, Léon étant le troisième. Il n'allait jamais se remettre de ce deuil, qui dira plus tard : *Ma mère est ma plus haute représentation du pur amour*.

Élevé à la campagne, au milieu des enfants de moujiks, le garçon, parallèlement éduqué par des précepteurs qui lui apprirent l'allemand et le français qu'il allait aussi bien maîtriser que le russe, découvrit, à l'adolescence, Moscou où son père s'installa avec la fratrie ; pour peu de temps cependant, puisque celui-ci s'éteignit à son tour, le 21 juin 1837, d'une crise cardiaque, croit-on. Ce fut alors la tante Olga puis, après la mort de celle-ci, la tante Pélagie qui récupéra les enfants et les éleva dans sa ville de Kazan, sur les bords de la Volga, où son mari était un riche homme d'affaires. Le jeune Léon y effectua ses études de droit, dans lesquelles il ne brilla guère, préférant lire tout ce qui lui tombait sous la main, en particulier Jean-Jacques Rousseau qui eut sur lui une influence durable, de même que Cervantès et Goethe. Sensible – enfant, ses frères l'appelaient *Léon le Pleurnicheur* –, il faisait son autocritique à seize ans en ne se voyant pas d'avenir et en se décrivant sans complaisance dans ce journal qu'il tint, sa vie durant :

Qui suis-je ? Un des quatre fils d'un lieutenant-colonel resté orphelin à sept ans, sous la tutelle de femmes et d'étrangers, qui n'a reçu ni éducation mondaine ni instruction scientifique et s'est trouvé absolument libre, à dix-sept ans, sans grande fortune, sans aucune situation sociale et surtout sans principes. Je suis laid, gauche, malpropre et sans vernis mondain. Je suis irritable, désagréable pour les autres, prétentieux, intolérant et timide comme un enfant. Je suis ignorant. Ce que je sais, je l'ai appris par-ci, par-là, sans suite et encore si peu ! Je suis indiscipliné, indécis, inconstant, bêtement vaniteux et violent comme tous les hommes sans caractère. Mais il y a une chose que j'aime plus que le bien, c'est la gloire. Je suis si ambitieux que s'il me fallait choisir entre la gloire et la vertu, je choisirais la première !

Cette appréciation sur sa présumée laideur nous étonne, puisque les photographies de lui, jeune, montrent au contraire un visage intéressant avec un regard intense et profondément attirant.

Pour conquérir cette gloire, à l'imitation de ses frères aînés, surtout Nicolas, dont il était le plus proche, après un séjour à Saint-Pétersbourg, où il manqua de se ruiner en dettes de jeu, il entra, au printemps 1851, dans l'armée, même s'il commençait à noircir des pages, sans imaginer une seconde qu'il allait devenir un jour un écrivain. Il combattit d'abord dans la guerre russo-turque puis dans la guerre russo-anglo-française et, à cet effet, servit honorablement en Crimée où, en 1855, il participa, sur le quatrième bastion, à la bataille de Sébastopol. Il en tira, en 1863, trois récits – *Enfance*, *Adolescence* et *Jeunesse* – dont la lecture bouleversa l'impératrice qui les fit lire à l'empereur. *C'est un talent de premier ordre*, jugea Tourgueniev qui, à Saint-Pétersbourg, introduisit le jeune auteur dans les milieux littéraires, où on célébra l'écrivain en herbe rescapé du combat qui, à vingt-quatre ans, commença à percevoir son génie littéraire. Mais cela ne fit pas du sauvageon qu'il était demeuré un homme de salon – et encore moins un homme de Cour ! – puisque rebelle à toute vie mondaine, ce qu'il allait demeurer sa vie durant, Tolstoï préféra se retirer à Iasnaïa Poliana qu'il hérita de sa mère, et où il s'établit, après avoir tout de même voyagé, en Allemagne, en Suisse, en Italie, en Angleterre et en France, ce qui paracheva sa formation, y compris les plus insolites, puisque à Paris, il assista, devant la prison de la Roquette à l'exécution d'un condamné, ce qui commença à lui inspirer le dégoût de l'autorité publique. Il rencontra ainsi Diesterweg, Auerbach, Bois-Reymond, Herzen, Proudhon et Dickens, avec lesquels il échangea des idées.

À son retour, il s'éprit de la ravissante Sophie Andréïevna Behrs, de seize ans sa cadette, fille d'un de ses voisins, le médecin du tsar, d'origine allemande, qu'il épousa à Moscou, le 23 septembre 1862, après avoir confié à sa tante: *Moi, vieil imbécile édenté, je suis tombé amoureux*. Elle allait être sa *Sonia*, cette épouse admirable qui sut composer avec le caractère rebelle de ce mari qu'elle adora jusqu'au bout, lui servant tour à tour de secrétaire, d'historiographe et même de photographe. Ce fut le commencement d'une longue, paisible et heureuse existence, à Isanaïa Poliana, marquée par la naissance de treize enfants (dont plusieurs moururent prématurément) et celle de nombreux ouvrages, dès lors que Tolstoï comprit que le sens de sa vie passait par l'écriture, activité complémentaire à la gestion de son domaine et celle, plus complexe, d'arbitre de paix chargé de régler les contentieux issus de la libération des serfs, ordonnée par le tsar Alexandre II. Entre ses exercices de barres parallèles pour conserver la forme et les interminables chevauchées, les titres s'égrainèrent régulièrement: *Les Cosaques*, en 1863, *Guerre et Paix*, en 1869 – qu'il mit cinq ans à finir –, *Anna Karénine*, en 1877, et *Résurrection*, en 1899, pour ne citer que les plus connus d'une œuvre infiniment plus abondante qu'on ne le croit, comportant de nombreux essais et nouvelles, comme *La Matinée d'un seigneur*, en 1856 ou *Le Bonheur conjugal*, en 1859. De l'épopée de *Guerre et Paix*, racontant la campagne de Russie par Napoléon, dans lequel il se met en scène lui-même dans les deux personnages principaux, qui reflètent les deux aspects de sa personnalité, le prince André Bolkonsky et Pierre Bézoukhov, sur fond d'une certaine sérénité, à *Anna Karénine*, où la désespérance de l'héroïne, dont l'amour dressé contre les règles de la société russe, fait écho à la sienne propre, c'est toute la détresse russe qui berce son écriture si simple et si évidente, ce qui explique pourquoi ces livres furent bien reçus par le public, et un peu moins par la critique. Et ce pessimisme morbide s'accroît avec les suivants, en particulier *La Mort d'Ivan Ilitch*, en 1886, ou *La Sonate à Kreutzer*, en 1889. Jusqu'au bout, Tolstoï demeure ce rebelle qui, profondément marqué par Schopenhauer mais aussi par African Spir, cultivait une philosophie de la vie particulièrement noire et désespérante, consécutive au mal-être traditionnel de la société russe, au sentiment de l'absurde qu'il ressentit très jeune, après la mort de ses parents et à son profond dégoût de la guerre, de l'injustice sociale et de la superficialité :

Pourquoi suis-je vivant ?, se demande-t-il en vain. Quelle est la raison de ma vie et celle de chacun ? Comment devrais-je vivre ? Qu'est-ce que la mort ? Comment faire pour me sauver ?

En fait, malgré *l'effrayant bonheur de sa vie*, selon sa propre expression, sa fortune, le succès de ses livres – *affreux métier que le nôtre*, dit-il, *il pourrit l'âme! –*, Tolstoï, qui de tous les écrivains russes a été le plus favorisé par la vie, n'a jamais été un homme heureux. Sans cesse pris en tenailles, pour ne pas dire écartelé, entre sa sensualité et sa désespérance intérieure, inquiète et morbide, il envisagea sincèrement, à plusieurs reprises, de tout abandonner pour se retirer, soit dans la plus misérable des isbas de ses terres, soit au monastère d'Optima Proustyn. Ne s'écria-t-il pas un jour, ce qui est déjà révolutionnaire : *Je ne croirai jamais aux sentiments humanitaires d'un homme qui fait vider son pot de chambre par un laquais?* Ne condamne-t-il pas l'institution du mariage et ne laboure-t-il pas ses champs lui-même avant de faucher ses blés, un râteau à la main, lui le comte reniant jusqu'à sa propre noblesse au nom de son humanité retrouvée, de son altruisme et de son empathie pour les pauvres? Ne refuse-t-il pas le confort moderne dans sa demeure, où il vit d'une manière de plus en plus spartiate? Seuls s'autorise-t-il quelques séjours en Crimée, chez la comtesse Panine, pour soigner sa santé chancelante avec l'âge, où chacune de ses apparitions suscite l'enthousiasme des curistes ou des estivants l'acclamant à sa descente du train, où il voyage toujours en troisième classe, non pas par avarice mais pour partager, en vieillissant, la condition de ce peuple russe dont il se sent si proche. Mais Gorki n'est pas dupe de cette modestie, qui écrit : *Soudain, derrière le décor de la barbe de moujik et de la blouse chiffonnée, surgissait le vieux seigneur russe, le magnifique aristocrate...*

Bien plus qu'un romancier, si talentueux fût-il, Tolstoï est ainsi un moraliste qui réfléchit sur les relations de l'homme avec Dieu, le cosmos, la destinée, l'éthique, la conscience, la sagesse et le bonheur, concluant que l'unique sens de la vie est l'aspiration au bien, la régénération intérieure et spirituelle. Vivant en solitaire au milieu des siens et de ses paysans, l'écrivain, habillé de la traditionnelle blouse russe, portant la casquette populaire et la longue barbe slave, comme le montrent ses portraits peints ou photographiques de la fin de son existence, se mue ainsi, progressivement, en conscience de son peuple, y compris par sa foi religieuse, demeurée très forte malgré ses critiques de l'Église orthodoxe, ce qui le conduisit à se justifier, en publiant, en 1879, *Ma confession et ma religion*, dans laquelle il réaffirme sa foi dans le Christ. Mais sa vision extrêmement personnelle et non conforme aux préceptes des Églises lui vaut d'être excommunié par l'orthodoxie. Parallèlement, ce rebelle est capable de laisser ses affaires en plan, pour aller s'occuper d'organiser le ravitaillement des paysans, lors de la grande famine, opération dans laquelle, récoltant des fonds et donnant de sa personne, il fait montre d'un dévouement sans borne. *Tolstoï fait tout ce qui est en son pouvoir*, écrit Tchekhov, *pour aider les paysans, et son inlassable générosité suscite l'admiration générale. Ce n'est pas un homme, mais un surhomme, un véritable Jupiter.* Adepte d'un christianisme non violent et surtout détaché du matérialisme, y compris du sexe, qu'il finit par prendre en horreur, celui qui, dans ses dernières années, devient un spiritualiste inspiré touchant par certains côtés au mysticisme et à la compassion pour les autres, va ainsi influencer nombre d'hommes du XXᵉ siècle se réclamant de sa pensée, parmi lesquels Gandhi, Romain Rolland, Martin Luther King ou Nelson Mandela. *Il n'y a pas d'homme plus complexe, plus admirable, plus contradictoire que lui*, a dit Gorki, qui le connaissait si bien. *Il est un homme englobant tous les hommes, un homme-humanité.*

Ne devient-il pas encore végétarien, lui qui, dans sa jeunesse, fut un chasseur obstiné, au nom du respect de la vie, la consommation de la viande animale étant désormais, à ses yeux, *immorale*? Ne renonce-t-il pas au tabac et à l'alcool? Ne tente-t-il pas de donner ses terres à ses anciens serfs, ces derniers, méfiants, refusant toutefois son cadeau? Ne prône-t-il pas les vertus du travail manuel et la vie au contact de la nature, voire l'anarchisme politique, contestant toute forme d'autorité? Et n'affirme-t-il pas que seule la loi morale doit gouverner le monde, celle dont chaque individu doit lui-même fixer les règles, quitte à envisager, pour les aider, de fonder une religion nouvelle? Avec l'âge, il se rapproche du bouddhisme, prône le dépouillement, condamne tous les dogmes et demande la *justice sociale*, ce qui lui vaut l'ironie de Gorki raillant *le bienheureux boyard Léon*. Il n'empêche, malgré le scepticisme de l'aristocratie russe, les disciples accourent à Isanaïa Poliana, qu'il reçoit, avant de s'en lasser, tout comme de sa famille, voulant mourir seul comme il est né et, au fond, comme il a vécu dans son intériorité mentale et intellectuelle, ne s'accordant comme seul plaisir que celui de galoper dans la steppe, des heures durant, sur son cheval préféré, Délire, même à quatre-vingts ans passés. Est-ce le commencement de la sagesse? Il confie lui-même: *C'est à quatre-vingt-deux ans que je commence à comprendre comment il faut vivre pour que la vie demeure une joie continue !*

Mais sa quête du détachement absolu le conduit, une fois de plus, à envisager de tout abandonner, y compris sa famille et ses terres qu'il ne supporte plus. Malgré l'amour qu'il leur voue, il leur rend la vie impossible, en particulier sa femme, avec laquelle, après quarante-cinq ans de mariage, de multiples querelles l'opposent quotidiennement, même s'il ne peut rien lui reprocher, elle qui a été une mère et une grand-mère admirable. *Tu as donné au monde tout ce que tu as pu*, lui écrit-il, *mais depuis des années nos voies se sont séparées… Je sais que j'ai changé mais il m'était impossible de ne pas changer.* Il est temps pour lui, estime-t-il, de passer à autre chose : *J'ai fait une promenade à cheval et la vue de ce domaine seigneurial me fait tellement souffrir que l'envie me vint de m'enfuir et de me cacher.* Il a pourtant été un père attentif et un tendre grand-père, ce qui, avec sa barbe et ses cheveux blancs, lui donne une certaine ressemblance avec Victor Hugo, un autre grand écrivain national, un oracle de la conscience humaine. De même, il a été un ami fidèle pour les deux hommes qu'il considère, sinon comme des disciples, du moins comme ses fils spirituels, Tchekhov et Gorki, sans compter le pianiste et compositeur Anton Rubinstein, qui vient jouer chez lui, parfois à quatre mains, car Tolstoï est aussi un musicien accompli. Mais son insatisfaction permanente, ponctuée par ses crises mystiques et, probablement aussi, ce qu'on appellerait aujourd'hui sa dépression, ne le laissent plus en repos. Dans la nuit du 27 au 28 octobre (6-7 novembre) 1910, il fait atteler sa voiture et quitte sa propriété en laissant une lettre d'adieu à sa femme, après s'être plusieurs fois exclamé : *Ils me déchirent. Les fuir tous ? J'y songe parfois.* Elle lui répond : *Est-il possible que tu m'aies quittée pour toujours ? Je ne pourrai survivre à ce malheur. Je me tuerai.* Il lui rétorque : *Il est exclu que je revienne. Je te conseille de te résigner, de t'adapter à ta nouvelle situation et surtout de te soigner.*

En fait, il a décidé de prendre le train pour s'en aller le plus loin possible des siens et de ses sources, mais, en arrivant à Astapovo, dans le gouvernement de Riazan, il a contracté une pneumonie le contraignant à s'installer dans l'isba du chef de la gare. Quelques jours plus tard, le 7 novembre, il succombe, malgré tout, dans les bras de sa femme qui est parvenue à le rejoindre et à recueillir son dernier mot : *Ficher le camp ! Il faut ficher le camp !* Sept ans avant la révolution qui va fondamentalement transformer la vieille et sainte Russie, ce qu'il avait peut-être anticipé en sachant qu'il était impossible que les choses restassent, dans l'avenir, comme il les avait connues, le corps du grand Tolstoï est inhumé en toute simplicité sous un modeste tertre au milieu des bois qui furent les siens, à l'emplacement où, jadis, il avait lui-même, avec ses enfants, enterré un bâton magique qui devait porter bonheur au monde entier. Quel meilleur lieu pour permettre au maître de la littérature russe, qui fut et demeure incontestablement le grand visionnaire des temps nouveaux, de reposer pour l'éternité, lui qui confia à Romain Rolland, dans ses dernières années : *Toute l'histoire n'est autre chose que la conception de plus en plus claire et l'application de cet unique principe de la solidarité de tous les êtres ?* Mais si Tolstoï fut, incontestablement, le père de tous les écrivains russes qui le suivirent, c'est leur confrère français, Anatole France, qui l'a le mieux compris en disant, dans une conférence prononcée sur Tolstoï :

Tu es bien plus qu'un Messie. Tu es l'Homère, tu es le Goethe de la Russie. Tu ne nous as jamais trompés, tu as toujours dit la vérité puisque tu as exprimé la beauté, et que la beauté est la seule vérité que l'homme puisse atteindre, la seule qui soit en rapport exact avec son intelligence et ses sens.

# Henri (de) Rochefort
## (1831-1913)

# Le marquis contestataire

Si haut qu'on monte on finit toujours par des cendres.
**Henri Rochefort**

A u mois de mars de l'année 1874, en Nouvelle-Calédonie, la petite communauté de Nouméa dort paisiblement dans une nuit particulièrement sombre que bercent seulement le clapotis des eaux et le souffle de la brise. Quel bruit, quel mouvement, quelle animation, du reste, pourraient troubler la morne quiétude de ce lieu si lointain où il ne se passe presque jamais rien, à l'exception des activités de ce sinistre bagne, ouvert dix ans plus tôt, tout à côté, sur la presqu'île Ducos, que le Second Empire avait annexé, en 1853, pour y installer, le plus loin possible de Paris, tout à la fois un centre de rétention et une base militaire, au nord de la Nouvelle-Zélande et de l'est de l'Australie, possessions de Sa Majesté britannique.

Pourtant, glissant comme des ombres, un groupe de six hommes se faufile à pas de Sioux, entourant celui qui fait office, sinon de chef, du moins de personnage important, un individu maigre au long visage effilé, barré d'une courte moustache, le haut du crâne prolongé par une touffe de cheveux ébouriffés, le regard toujours un peu halluciné, que ses camarades tiennent en haute estime. Et pour cause, c'est lui qui finance totalement l'audacieuse opération, au demeurant fort bien préparée, puisque tout s'est déroulé comme prévu. La franc-maçonnerie australienne, contactée par sa sœur française, a-t-elle joué un rôle décisif dans cette évasion improbable du plus sûr des centres fortifiés ? C'est incontestable, quatre de ces six hommes étant des *frères*.

Soudain, la lumière d'une faible lanterne traverse la nuit. C'est le signal. Le groupe se rapproche du rivage où un complice a amarré un de ces canots qu'on appelle *baleinière*. Tous s'y précipitent et celui-ci s'éloigne rapidement sur ces flots d'autant plus inquiétants qu'y rodent des requins capables de ne faire qu'une bouchée de ces fuyards affaiblis par une déjà trop longue détention.

Encore un moment d'attente et le trois-mâts tant espéré, le *Peace, Comfort and Ease*, navire de commerce battant pavillon britannique est enfin visible dans la baie de Nouméa, où il est venu livrer un stock important de charbon. Le canot s'approche et des échelles de corde sont jetées depuis le bastingage, pour permettre aux hommes de monter à bord. Les fugitifs ne se font pas prier et se voient accueillis poliment par le capitaine ayant reçu une forte somme, envoyée de Paris par Edmond et Juliette Adam pour les ramener en Europe, ce qui n'est pas une mince expédition puisque la Nouvelle-Calédonie est située à 22 000 kilomètres de la métropole, dans l'archipel calédonien. Toujours silencieusement, le navire s'éloigne lentement des côtes vers le grand large, consommant ainsi l'une des plus spectaculaires évasions du bagne, qui va bientôt faire la Une des gazettes de l'Hexagone, celle d'Henri Rochefort et de ses amis Ballière, Grousset, Jourde, Pain et Grant, eux, naguère les ennemis du Second Empire, et, aujourd'hui, de cette IIIᵉ République qui s'en est débarrassé en les expédiant, trois ans plus tôt, en Nouvelle-Calédonie, avec le ferme espoir de ne les voir jamais revenir. Pari perdu : ils viennent de la quitter en compagnie du plus redouté et du plus redoutable des journalistes, ce qui inspire à Édouard Manet un tableau représentant cette nuit historique présenté au Salon, une provocation pour le gouvernement français, ridiculisé par l'aventure.

## L'aristocrate journaliste

Victor Henri de Rochefort-Luçay, dont l'histoire va retenir le souvenir sous le nom d'Henri Rochefort – puisque si beaucoup s'ajoutent une particule, lui seul a définitivement rayé la sienne de sa vie ! – était né à Paris, le 31 janvier 1831, dans une des familles les plus anciennement connues de la noblesse française. Du Moyen Âge à la fin de l'Ancien Régime, celle-ci, originaire de Franche-Comté, avait donné des capitaines d'armées, des maréchaux, des évêques, un compagnon de Philippe le Hardi et même deux chanceliers de France. La Révolution, comme d'autres lignages, à cette époque où son grand-père servit dans l'armée de Condé, la ruina, et Claude-Henri, le père du polémiste, n'avait plus rien, sous la Restauration, que son titre de marquis et son talent de plume qui fit de lui un vaudevilliste à la mode, auteur de pièces à succès dans le Paris du romantisme. Poussant l'originalité jusqu'au bout, il épousa la fille d'un soldat de l'épopée napoléonienne, dont il s'était épris, Nicole Morel, qui éleva leur fils dans les idées républicaines. Boursier au collège Saint-Louis, le jeune homme, grand admirateur de Victor Hugo et des romantiques, y effectua une excellente scolarité marquée par de réels succès littéraires et, après avoir effectué plusieurs métiers – précepteur, gratte-papier à l'Hôtel de Ville, *nègre* d'Eugène de Mirecourt –, devint tout à la fois, de la monarchie de Juillet au Second Empire, vaudevilliste et journaliste, parvenant à vivre plus ou moins correctement de sa plume et à s'imposer parmi les figures du *Tout-Paris,* en raison de son caractère emporté, de son humour saillant et de son style incisif, tant à la plume qu'à l'épée, car à son goût pour le pamphlet, il ajouta bientôt celui pour le duel.

Chroniqueur au *Charivari,* cofondateur, avec Jules Vallès, de *La Chronique parisienne*, il fut bientôt appelé à collaborer au *Figaro* par son directeur, Hippolyte de Villemessant. Avec Alexandre Dumas, Edmond About, Arsène Houssaye et quelques autres, il s'y spécialisa dans les rosseries et les effronteries en tous genres, ce qui permit d'augmenter le tirage du journal, mais aussi les menaces du gouvernement impérial, même si l'empereur était le premier à rire des critiques émises par Rochefort, y compris quand il était comparé à son collègue africain Soulouque. *Il est devenu l'égratigneur de l'empire,* écrit alors, en connaisseur, un autre rebelle, Jules Vallès. *Il égratigne avec son esprit, son courage, ses crocs, ses ongles, son toupet, sa barbiche, avec tout ce qu'il a de pointu sur lui, la peau de Napoléon.* Ses attaques directes contre certains dignitaires du régime lui valurent donc des duels retentissants avec, entre autres, le prince Murat ou Paul Granier de Cassagnac. Au préfet de police, qui convoqua Villemessant à plusieurs reprises et qui lui demandait : – *Quand prendront fin les offenses de Rochefort ?* Celui-ci répondit : – *Quand vous l'arrêterez.* – *Justement, nous y songeons.* Une caricature de Gill montra alors le directeur du *Figaro,* grimé en bonne d'enfant, tirant l'oreille de Rochefort et de son confrère Wolff, représentés en enfants terribles, avec ce commentaire : *Je les emmène à la campagne ; le propriétaire se plaint qu'ils font trop de bruit à la maison.*

Ce dernier dut cependant se séparer à regret de son meilleur collaborateur, et Rochefort s'écria : *On veut m'empêcher de casser des vitres chez les autres ? Très bien, j'aurais donc ma maison à moi !* Aussitôt, il fonda son propre journal, *La Lanterne,* dont le premier numéro sortit le 30 mai 1868, avec une phrase qui allait entrer dans la légende du journalisme : *La France compte trente-six millions de sujets, dit l'Almanach impérial, sans compter les sujets de mécontentement.* Le succès fut immédiat et total ; en quelques heures, 20 000 exemplaires partirent comme des petits pains, puisque le journal était tellement simple, vif et drôle que tout un chacun pouvait en comprendre les termes. Anticipant ce que seront, plus tard, *L'Assiette au beurre, Le Canard enchaîné* et *Charlie Hebdo, La Lanterne* dévoilait tout ce que le pouvoir voulait cacher, ce qui ne marchait pas ou allait de travers, lancé à bientôt 100 000 exemplaires comme une bombe dans la société française. Certes, la police saisissait les exemplaires, mais ils continuaient de circuler sous le manteau. Certes son principal rédacteur était condamné à des amendes de plus en plus fortes et à des peines de prison de plus en plus longues, mais elles n'étaient pas exécutoires, puisqu'on ne le trouvait pas. Hébergé chez ses amis, Rochefort changeait d'adresse tout le temps et se moquait ouvertement des argousins : *La statue de Napoléon III, représenté en César (rions-en pendant que nous y sommes), est l'œuvre de M. Barye,* lit-on sous la plume de Rochefort. *On sait que M. Barye est le plus célèbre de nos sculpteurs d'animaux.*

La surveillance se resserrant, il finit par s'établir à Bruxelles, où Victor Hugo l'accueillit en frère, dans sa propre maison. De là il continua la publication de son journal, dont les exemplaires étaient expédiés en France cachés dans des bustes de… Napoléon III, avec ce commentaire sans appel : *Le venin impérial porte en lui-même le contrepoison !* Un an plus tard, Rochefort faisait rebondir son combat politique en décidant de se porter candidat aux élections législatives. Le 6 novembre 1869, il franchit donc la frontière et se vit aussitôt arrêté. Mais le gouvernement comprenant qu'en agissant ainsi il lui offrait une publicité gratuite, ordonna qu'il soit relâché et le laissa libre de faire campagne. Élu député, il siégea au Palais-Bourbon près de Raspail et, dans la foulée, fonda un nouveau quotidien, *La Marseillaise*, avec d'éminents collaborateurs, Millière, Flourens, Ducasse, Grousset. Lors de la sortie du premier numéro, le prince Pierre Bonaparte, cousin de l'empereur, lui adressa une lettre d'insultes, à laquelle Rochefort répondit en lui envoyant ses témoins, qui furent Jean-Baptiste Millière et Victor Noir. Ceux-ci se présentèrent chez le prince qui, ne se contrôlant pas, abattit le second à bout portant. Le lendemain, Rochefort écrivit :

J'ai eu la faiblesse de croire qu'un Bonaparte pouvait être autre chose qu'un assassin. J'ai osé imaginer qu'un duel était possible dans cette famille où le meurtre et le guet-apens sont une tradition. Peuple français est-ce que, décidément, tu ne trouves pas qu'en voilà assez ?

Pendant ce temps, le corps de Victor Noir était accompagné au cimetière par des centaines de milliers de Parisiens et les funérailles tournèrent à l'émeute, tandis que Rochefort, condamné à 3 000 francs d'amende et à six mois de prison, était arrêté et incarcéré à Sainte-Pélagie.

## Révolutionnaire jusqu'au bout

Libéré après la chute de l'Empire, Rochefort entra au gouvernement de Défense nationale, où les Parisiens le portèrent spontanément, et dans lequel il fit figure de caution de l'extrême gauche. Il en démissionna rapidement pour fonder un nouveau journal, *Le Mot d'ordre*, étant parallèlement réélu député de Paris. Toujours rebelle à l'ordre établi, il s'engagea à fond dans la Commune, dont il dénonça pourtant les exécutions d'otages, ce qui acheva de lui aliéner la droite française.

Arrêté, au mois de mai 1870, à Meaux, alors qu'il tentait de gagner Bordeaux, où l'Assemblée nationale venait de s'installer, cette fois par les Prussiens qui le livrèrent aux versaillais, il fut publiquement insulté par la populace avant d'être traduit devant un conseil de guerre qui le condamna à la déportation à vie. Conduit sous bonne escorte à l'île d'Aix puis à l'île d'Oléron et enfin à l'île de Ré, il n'embarqua pas tout de suite, puisque, saisi par Victor Hugo et quelques autres, Adolphe Thiers accepta de différer sa déportation, le temps qu'on l'oublie. La chute de Thiers fit que la sentence devint exécutoire. Le 8 août 1871, il embarqua à bord du bateau-prison la *Virginie*, après avoir épousé, la veille de son départ, sa compagne Marie Renaud, la mère de ses deux enfants, unique grâce que la société bien-pensante accorda à ce révolutionnaire d'autant plus rebelle qu'il était issu de l'aristocratie. À bord du bâtiment, Rochefort se lia d'amitié avec une condamnée aussi charismatique que lui, Louise Michel. Et le navire fila vers sa destination, la Nouvelle-Calédonie, à l'autre bout du monde, qu'il fallait à cette époque plus de six mois de traversée pour atteindre.

Rochefort n'y reste pas longtemps. Après son évasion, il revient en Europe, via Sidney, Melbourne, New York, Dublin, Londres et enfin Genève, d'où il lance un énième journal, *L'Intransigeant*, l'objet de ses attaques étant désormais cette jeune IIIᵉ République qui refuse de le laisser revenir en France. La loi d'amnistie, votée en 1895, lui permet de rentrer enfin à Paris où, malgré son âge, il conserve toute sa fougue, écrivant à la hâte un livre de témoignage qu'il intitule *Les Aventures de ma vie*, dont le succès relance sa popularité. En témoigne son ami Édouard Manet s'écriant : *Au fond, la gloire, c'est de n'avoir plus à donner son adresse à un fiacre. Aucun ne demande à Rochefort la sienne pour le ramener chez lui.* Pourtant, le vieux républicain, l'homme aux vingt duels, aux trente procès et aux 13 000 articles, le socialiste qui a mené la vie dure à l'Empire et soutenu la Commune change subitement de camp en soutenant la cause du général Boulanger, c'est-à-dire la droite nationaliste et cocardière. Ultime volte-face d'un rebelle n'ayant jamais cessé de défrayer la chronique. Jusqu'au bout Rochefort, dont Roll a laissé un portrait, Rodin un buste et Nadar un cliché photographique, reste un homme hors norme, un être au-delà des classements traditionnels, libre jusqu'au plus profond de lui-même, en guerre avec la société et peut-être avec lui-même !

Le 1ᵉʳ juillet 1913, Henri Rochefort succombe à une crise d'urémie, alors qu'il prend les eaux à Aix-les-Bains. Son corps est ramené à Paris pour être inhumé, au milieu d'une foule immense, au cimetière Montmartre, attentive au discours d'Émile Massard, conseiller de Paris, de l'écrivain Robert de Flers, du président de l'Association des journalistes Jean-Marie Destrem, du député Charles Bernard, et des représentants des révolutionnaires grecs et espagnols ayant rendu hommage au polémiste absolu.

# Élisabeth d'Autriche

## (1837-1898)

# Le refus
# du conformisme

Qu'importent les sceptres, les couronnes et les manteaux de
pompe ! Ce ne sont que haillons dérisoires, guenilles bariolées,
hochets ridicules dont nous tentons vainement de couvrir
la nudité de nos âmes alors que nous devrions penser
à sauvegarder notre vie et nos sentiments intimes.
**Élisabeth d'Autriche**

À Genève, le samedi 10 septembre 1898, un soleil de plomb écrase la paisible cité, laissant apparaître, parfaitement dégagés, les hauts sommets des Alpes se mirant dans le lac. Ce climat de fin d'été justifie pleinement la vocation touristique de la ville, au croisement des routes d'Europe, que fréquentent depuis un demi-siècle les voyageurs du monde entier. Beaucoup de monde, de ce fait, encombre les rues. Dans l'indifférence générale, vers une heure trente de l'après-midi, deux femmes quittent l'hôtel Beau-Rivage pour se rendre sur le quai d'embarquement, où elles doivent monter à bord du bateau devant les conduire à Montreux, ce qui, en principe, ne devrait prendre que quelques minutes, d'autant que leurs bagages ont déjà été convoyés à bord. Malgré leurs vêtements discrets – toilette noire, chapeau et voilette de même, ombrelle et gants blancs, éventail – ces deux femmes, par leur maintien et leurs manières, trahissent leur appartenance à un certain monde qui n'est pas celui du commun des mortels, ce qu'accentue le fait que l'une des deux manifeste le plus grand respect pour l'autre, avec laquelle elle s'exprime en hongrois. Ainsi vont *incognito*, par les rues, comme deux touristes ordinaires, l'impératrice Élisabeth d'Autriche, reine de Hongrie, et sa dame d'honneur, la comtesse Irma Sztaray.

Soudain, un jeune homme s'approche d'elles et heurte l'impératrice qui, aussitôt, chute sur le trottoir. Sa dame d'honneur la relève et lui demande si elle souffre de quelque chose. Livide, l'impératrice lui répond que non, et poursuit sa marche vers le bateau qui, quelques instants plus tard, largue les amarres. À peine à bord, elle s'évanouit. On lui administre alors des sels, mais elle reperd connaissance, après s'être plainte d'une douleur à la poitrine. On cherche un médecin, mais il n'y en a pas à bord. Une infirmière, cependant, offre ses services et suggère de délacer cette dame dont elle ne connaît pas l'identité. C'est elle qui découvre du sang sur sa chemise et en conclut qu'elle a reçu, une demi-heure plus tôt, probablement du jeune homme qui l'a bousculé, un coup d'instrument dont, semble-t-il, elle n'a pas eu conscience. La comtesse se précipite auprès du capitaine du bateau pour le conjurer de faire machine arrière et de reconduire l'impératrice à Genève, ce qui est aussitôt fait. Vers deux heures et demie, Élisabeth est couchée, dans sa suite à l'hôtel Beau-Rivage, où le docteur Golay l'ausculte.

– Y a-t-il un espoir? lui demande la comtesse?
– Aucun, lui répond le médecin.

Effectivement, un quart d'heure plus tard, le cœur de celle que ses sujets appellent *Sissi* cesse de battre, alors qu'elle s'apprêtait à fêter, dix jours plus tard, sa soixantième année. Il ne reste plus qu'à embaumer son corps et le déposer dans un cercueil qui, quelques jours plus tard, va être reconduit à Vienne pour être inhumé dans la crypte des Jacobins, avec le somptueux cérémonial en usage à la cour des Habsbourg, et de prévenir son mari, l'empereur François-Joseph qui, après avoir pris connaissance de la dépêche lui annonçant la mort de son épouse tant chérie, s'effondre en disant: *Rien, rien ne m'aura été épargné*, avant de confier à un proche, plus tard: *Personne ne saura combien je l'ai aimée*. Entre-temps, l'assassin a été arrêté. Il s'appelle Luigi Lucheni; il a vingt-cinq ans. Maçon de son état et anarchiste de conviction, il est venu de Lausanne à Genève pour tuer une personne haut placée, sans savoir laquelle, celle-ci ou une autre, peu importe. Un rebelle vient de mettre fin à la vie d'une rebelle, qui, peut-être plus que lui, détestait la puissance et, au fond d'elle-même, désirait la mort pour échapper à tout ce qu'elle fuyait depuis toujours! Lucheni, lui aussi, va désirer la mort plus que tout, mais après son procès aux assises, sera condamné à la réclusion à perpétuité, la peine capitale n'existant pas en Suisse. Alors, il finira par se pendre dans sa cellule, douze ans plus tard, le 16 octobre 1910.

Élisabeth Amélie Eugénie de Wittelsbach était née à Munich, le 24 décembre 1837, au palais royal de la Ludwigstrasse, peu avant le commencement de la nuit de Noël. Son père le duc Max Bavière appartenait à la branche cadette de la famille ducale de Bavière, promue au rang royal par Napoléon. Sa mère, Ludovika, était sa cousine, sœur de l'impératrice d'Autriche, de deux reines de Saxe successives et de la reine de Prusse. Fuyant les mondanités de la Cour de Bavière, le duc Max vivait à la campagne, au château de Possenhofen, sur les rives du lac Starnberg, dans une bohème chic, simple et libre, où il apprit à ses huit enfants – cinq filles et trois fils – à aimer la nature, les voyages, la littérature, la musique, les chiens et les chevaux. D'emblée, il apparut que celle qu'on surnommait *Sissi,* la dernière de la lignée, était la plus proche de son père, la plus jolie, aussi, la plus espiègle, elle qui séduisait tous celles et ceux qui la rencontraient. Mais tel n'était pas le cas de sa mère qui, toute sa vie, considéra qu'elle avait été mal mariée, alors qu'elle s'était éprise, jeune, du roi du Portugal, et qui considérait Élisabeth, ressemblant par trop à son mari, comme le *vilain petit canard* de sa lignée, tentant, sans y parvenir, de faire de cette délicieuse rebelle une princesse convenable, elle qui, au tout début de son adolescence, s'éprit d'un écuyer de son père qu'on dut éloigner. Parfaite incarnation du romantisme germanique, Élisabeth, qui, à la manière des héroïnes littéraires, aimait galoper dans la nature, bavarder avec les paysans et rêver devant les lacs de montagne, attendait le prince charmant en composant des poèmes inspirés. Cette sensibilité, cette authenticité de de la nature alpine et cette simplicité de bon aloi, elle n'allait jamais s'en séparer, ne comprenant comment le monde pouvait être différent de ce qu'elle avait connu, là, durant son enfance.

Elle n'avait pas seize ans, lorsque, l'été 1853, elle accompagna sa mère et sa sœur aînée, Hélène, à Bad Ischl, pour présenter cette dernière à leur cousin François-Joseph, l'empereur d'Autriche âgé de vingt-trois ans, à qui il fallait trouver une épouse. Or le jour de cette réunion de famille, rien ne se passa comme prévu, puisque le jeune homme n'eut d'yeux que pour Sissi, plus séduisante que son aînée, certes, mais infiniment plus libre de ses gestes et de ses propos et, de ce fait, moins préparée pour monter sur un trône, qui plus est l'un des plus prestigieux du monde. Entre deux bals, deux soupers et deux promenades, il s'enflamma pour sa jeune cousine, s'opposa frontalement à sa mère, l'archiduchesse Sophie, qui pensait qu'Hélène était le bon choix, et fit sa demande dans les règles. À la question qu'on lui posa de savoir si elle aimait l'empereur, Sissi répondit : *Bien sûr que je l'aime, si seulement il n'était pas l'empereur.* Ainsi commença une merveilleuse histoire d'amour doublée d'un malentendu aussi intense ! Les fiançailles furent célébrées le 18 août 1853 à Bad Ischl et le mariage, le 24 avril 1854, à Vienne, où, d'emblée, la nouvelle impératrice fut, d'une part, effarée par le poids du protocole, d'autre part plutôt déconcertée par une nuit de noces qui ne répondit guère à ce à quoi elle s'attendait. Plus habitué aux *comtesses hygiéniques* qu'aux jeunes filles pudiques, François-Joseph expédia l'affaire sans trop se poser de question, comme à son habitude. Certes, pour tenter de l'apprivoiser, il accepta de quitter quelque temps la Hofburg pour le plus intime château de Laxenbourg, mais rien n'y fit. Sissi prit en grippe Vienne et les Viennois, la Cour et son étiquette, les obligations et la vie conjugale, estimant désormais qu'elle avait été *vendue* par sa mère, même si elle conserva toujours son estime pour un mari qui l'adorait mais qu'elle allait toujours voir comme il l'était, un militaire bureaucrate, catholique et borné qui, passant douze heures par jour derrière son bureau, ne vivait que pour assumer pleinement la tâche que le Ciel lui avait confiée, et se trouvait totalement incapable de concevoir la complexité de l'âme humaine, à commencer par celle de sa femme.

Elle n'en mit pas mois au monde quatre enfants, l'archiduchesse Frédérique, en 1855, qui allait s'éteindre deux ans plus tard, l'archiduchesse Gisèle, en 1856, qui allait plus tard épouser son cousin Léopold de Bavière, l'archiduc Rodolphe, héritier du trône, en 1858, qui allait tant lui ressembler, et l'archiduchesse Marie-Valérie, en 1868, qui allait épouser son cousin François-Salvador de Habsbourg, prince de Toscane. Mais ceux-ci ne la guérirent pas de sa dépression, puisque sa belle-mère et tante, qui la jugeait *puérile et égoïste*, lui interdit de s'en occuper pour les élever elle-même, tout en lui donnant pour dame d'honneur une grande dame hautaine à sa botte, la comtesse Esterhazy, que, bien sûr, Sissi prit en grippe. Vingt ans durant, une intense, sourde et implacable guérilla occupa la belle-mère et tante à la belle-fille et nièce, où tous les coups furent permis. Désormais retirée dans sa villa *Hermès*, aux environs de Vienne, où elle se sentait moins surveillée, la très jeune impératrice de vingt ans perfectionnant son assiette à cheval avec une écuyère de cirque, y galopa tout à loisir dans les forêts environnantes, dépensa sans compter pour ses toilettes et ses plaisirs, ce que lui permettait l'immense fortune des Habsbourg, et conserva cette part de liberté qui lui était aussi indispensable que l'air ou l'eau. Là, elle se mit à vivre la nuit, et à se reposer le jour, effectuait des exercices de gymnastique et fumait, ce qui scandalisa la Cour lorsqu'elle l'apprit, de même que les aphorismes qu'elle confiait et qu'on répétait en ville, comme celui-ci : *La mode est faite pour les femmes sans goût, l'étiquette pour les gens sans éducation et les églises pour ceux qui n'ont pas de religion !* Littéralement obsédée par son poids – elle ne dépassa jamais les cinquante kilos pour 1,72 m ! – elle devint rapidement anorexique, ne se nourrissait plus, à la longue, que de quelques verres de lait et d'un peu de jus de viande, ce qui perturba gravement sa santé. De même, elle se sentait irrésistiblement attirée par les asiles d'aliénés, qu'elle ne manquait pas de visiter, subissant une réelle fascination pour leurs pensionnaires, tout en cultivant des lubies étonnant toujours ses proches, comme ce jour où, à l'empereur lui demandant ce qu'elle voulait comme cadeau pour son anniversaire, elle répondit : *Un tigre.* Fuyant ses angoisses intérieures, elle commença ensuite à voyager en Europe, officiellement pour soigner ses affections pulmonaires, en fait pour fuir son mal être chronique, la conduisant, au fil des années, à aller toujours plus loin, de préférence *incognito*, sous le pseudonyme de comtesse de Hohenems, accompagnée, seulement, par quelques familiers. À l'enthousiasme provoqué par la découverte de paysages nouveaux succèdèrent les crises d'angoisse, ou de dépression, lui faisant écrire qu'elle craignait *d'être une charge pour l'empereur et leurs enfants* et qu'elle croyait *sa fin prochaine*, alors qu'elle n'avait pas encore vingt-cinq ans !

En 1860, sa première destination fut Madère. Ce fut le commencement d'une errance à laquelle seule la mort allait mettre fin, compensée par la découverte d'un point d'attache privilégié, sur l'île de Corfou, en Grèce, où elle fit construire une superbe villa, qu'elle baptisa *L'Achilleion*, en hommage à la statue de l'Achille blessé, devant sa façade, qui incarnait ses propres souffrances. Parfois elle revenait à Vienne, pour la plus grande joie de son mari qui, jusqu'au dernier jour, ne cessa de l'aimer, sans que, naturellement, cet esprit militaire, administratif et religieux ne comprît ce caractère imprévisible et fantasque, totalement imprégné par le romantisme ambiant, qui ne trouva son double que chez son cousin, le roi Louis II de Bavière, souffrant des mêmes névroses et communiquant, avec elle, dans une solitude esthétique qui les éloignait, l'un et l'autre, du reste des humains. Certes, elle aimait son mari, à sa manière, et même ses enfants, même si elle ne les voyait qu'en passant, éblouissant toujours par son incroyable beauté ceux qui la croisaient dans les couloirs de la Hofburg, l'hiver, ou de Schönbrunn, l'été, les rares fois où elle acceptait de se montrer à ses sujets ou aux peintres chargés de l'immortaliser – comme Winterhalter, en ayant fait l'un de ses plus célèbres tableaux, en 1865, où elle apparaît dans une somptueuse robe de chez Worth. Même si l'artiste avait un génie particulier pour embellir ses modèles, ce portrait est néanmoins fidèle, puisque les photographies qu'on a de Sissi confirment l'inaltérabilité de ses traits, que toute l'Europe connaît et admire, et qui n'ont pour seuls rivaux que ceux d'une autre impératrice, celle des Français, Eugénie, à laquelle du reste une solide amitié l'unit jusqu'à la fin de leur vie. En la voyant lors d'un déplacement officiel, le shah de Perse fut stupéfait, confiant qu'il n'avait jamais vu de sa vie une femme aussi belle, elle dont l'extraordinaire photogénie renforçait le prestige.

Le 8 juin 1867, cependant, Élisabeth accepta de suivre l'empereur à Budapest, pour y être, avec lui, couronnée reine de Hongrie. Et ce parce qu'elle aimait les Hongrois, dont le côté imprévisible la séduisait, attirance au demeurant réciproque. En connaisseur, le plus célèbre des musiciens hongrois, Franz Liszt, la jugea ainsi : *Elle n'avait jamais été aussi belle ; c'était une vision céleste dans le déroulement d'un faste barbare.* Les Magyars, qui adoraient celle que, dans leur langue, ils appelaient *Ersébet*, lui offrirent le château de Gödöllő ; elle en fit une de ses résidences préférées. Cette manifestation, qui établit ce qu'on appela désormais la double-mo-narchie, la rapprocha quelque temps de l'empereur, puisqu'il parut incontestable que son comportement, à cette occasion, renforça la cohésion politique de la double-monarchie austro-hongroise. Mais, comme toujours avec elle, lorsqu'il faisait un pas en avant, elle en faisait deux en arrière sous la pression de ses craintes, de ses doutes, de ses crises de mal-être. Elle refusa ainsi de l'accompagner à Paris pour les fêtes liées à l'Exposition universelle, à l'inauguration du canal de Suez ou à un voyage officiel à Constantinople, à l'invitation du sultan, conservant sa part de mystère et reparaissant de temps à autre, à la cour de Vienne, pour certaines manifestations, comme les mariages de ses enfants ou les baptêmes de ses petits-enfants, puisqu'elle fut pour la première fois grand-mère à… trente-six ans. Une intense correspondance entretint toutefois les relations entre ces deux époux qui s'aimaient à leur manière, se voyant que de temps à autre mais comptant l'un pour l'autre, comme le montre l'affolement de François-Joseph, lorsqu'il fut informé des problèmes que Sissi rencontrait, tel cet été de l'année 1875 durant lequel elle manqua de se tuer, en Normandie, suite à une violente chute de cheval. Vienne les surnomme alors *l'Aigle et la Mouette*.

Pourtant, le temps semblait ne pas avoir de prise sur elle, comme on le vit le jour de la célébration du jubilé de son mari, où elle apparut aux Viennois plus belle que jamais, alors que la vieillesse faisait son œuvre sur les traits de son entourage. Mais si l'allure de l'impératrice semblait inaltérable, son équilibre psychologique demeurait toujours fragile. De surcroît, une incroyable succession de deuils, en quelques années, la firent replonger dans sa dépression. Le premier fut celui de sa belle-sœur, Sophie de Saxe, victime de la grippe, suivie par l'archiduchesse Mathilde, âgée de dix-huit ans, qui, ayant pris comme elle l'habitude de fumer, mit le feu à sa robe de bal, enduite de glycérine comme on faisait alors, et transformée en torche vivante devant son propre père. Et puis vinrent le tour de son beau-frère Maximilien, éphémère empereur du Mexique, tombé sous les balles de ses sujets révoltés contre lui, puis de sa sœur Sophie-Charlotte, duchesse d'Alençon, elle aussi brûlée vive dans l'incendie du Bazar de la Charité, son cousin Louis II de Bavière, mystérieusement noyé dans un lac, et enfin de son fils, Rodolphe, qui se suicida à Mayerling après avoir tué sa jeune maîtresse Sophie Vetsera, au terme d'un drame qu'elle ne vit pas venir. Ébranlée par toutes ces épreuves, l'impératrice, qui désormais fuyait les photographes et cachait son visage derrière un éventail, reprit alors le cycle de ses voyages, Venise, Corfoue, Londres, la Côte d'Azur, la Bavière de son enfance, sans jamais se fixer nulle part, après avoir elle-même choisi une remplaçante auprès de son mari, la douce, tendre et dévouée Catherine Schratt, une comédienne sur le retour. Son dernier voyage fut celui de Genève, dont elle ne revint pas vivante. Sissi, pour autant, mourut-elle vraiment ? Son souvenir allait demeurer tellement ancré dans l'inconscient de l'Autriche, que lorsque le cinéma la mit en scène, elle apparut naturellement à travers son double, cette comédienne qui lui ressemblait tant et qui sut si bien camper son personnage, Rommy Schneider. Et ce, tout au long de plusieurs films, tournés dans les années d'après-guerre avec des capitaux américains et un but bien précis : faire oublier au peuple allemand son engagement dans le nazisme et lui rappeler qu'avant les atrocités des trois *Reichs*, son pays avait été le berceau du romantisme. Ce fut la plus extraordinaire entreprise de démilitarisation intellectuelle et esthétique, qui fonctionna parfaitement et servit le développement économique pacifique allemand. Le souvenir de la princesse rebelle qui ne rentra jamais dans le rang demeura ainsi, peut-être davantage après sa mort qu'avant, par la magie du cinéma, le plus fidèle allié de la cause de la liberté, par celle qui aimait répéter : *Je voudrais quitter ce onde comme un oiseau qui s'envole*, ajoutant cette ultime remarque, avant Genève : *Mes ailes sont brûlées, je n'aspire plus qu'au repos.*

# Isabelle du Brésil

## (1846-1921)

# La princesse rédemptrice

Si j'avais eu mille trônes, j'aurais donné mille trônes
pour libérer les esclaves du Brésil. **Isabelle du Brésil**

Au printemps de l'année 1888, à Pétropolis, en fin d'après-midi à l'heure où la chaleur est plus supportable, une dame, vêtue d'une discrète crinoline de soie grise, coiffée d'un chapeau à fleurs à la mode de Paris, une ombrelle pour se protéger du soleil, donne le bras à son mari, vêtu d'une élégante redingote *fashionable*, d'un pantalon pied-de-poule, un gilet rouge comprimant son estomac, pour faire, avec lui, quelques pas sur la terrasse d'un vaste château de style néo-classique, rouge gainé de blanc. Tous deux contemplent, comme chaque jour, la magnificence de ce paysage de la Serra de Orgaos, si différent de celui de Rio de Janeiro, à pourtant une heure seulement, à l'est, et qu'on appelle justement les Alpes brésiliennes. Heureuse d'échapper un moment à son travail de régente et de profiter de son mari très aimé qu'elle ne voit pas assez à son gré, la princesse Isabelle sourit avec prévenance, disponibilité et gentillesse à ses gens, ses domestiques et ses officiers, puisque chacun sait, dans l'immense empire dont elle a la charge, qu'elle est la femme la plus accessible et la moins portée sur les honneurs qui l'embarrassent plus qu'ils la séduisent.

Depuis son enfance, cette dame de haut parage apprécie particulièrement ce lieu, renommé pour son bon air, moins étouffant qu'ailleurs, dans ce pays tropical, dont son grand-père, Pierre I$^{er}$ a voulu faire sa capitale, ce rêve qu'on peut comparer en tous points, à l'exception du climat, à celui d'un autre empereur, Pierre I$^{er}$ de Russie, qui fit de même en bordure du golfe de Finlande. Pétropolis/Pétrograd, l'idée fut identique, même si, en fait, ce fut Pierre II, père d'Isabelle, qui a réalisé ce vaste projet de palais et de ville où se sont installés les aristocrates et les fonctionnaires de cet immense État sur lequel règne l'empereur Pierre II de Bragance, dit *le Magnanime*, mais qui est souvent absent, puisqu'il adore les voyages en Europe, en Afrique ou aux États-Unis. Cet homme de grande culture, tout à la fois scientifique et littéraire, continue en effet d'apprendre, tout en cultivant des amitiés aussi diverses que variées, de Wagner à Victor Hugo, qui l'a surnommé *le petit-fils de Marc-Aurèle*. Voilà pourquoi, à chacun de ses déplacements hors du Brésil, il laisse la régence à sa chère fille Isabelle qui n'a qu'un désir, bien faire, dans l'intérêt de tous, comme au reste son père, ce grand bel homme blond aux yeux bleus auquel elle ressemble beaucoup, physiquement comme moralement. Mais là, en cette année décisive, qui voit, en France, le triomphe d'une III$^{e}$ République se préparant à commémorer le premier centenaire de la Grande Révolution, que va célébrer une Exposition dont le clou sera cette tour Eiffel en construction, le plus haut bâtiment de la planète afin de rappeler au monde ces droits de l'Homme dont Paris est le symbole, la régente Isabelle, pieuse et attentive aux autres a, elle aussi, résolu de frapper un grand coup. Et sans doute le plus grand de toute l'histoire de son pays. Sans témoin, elle en parle à présent à son mari, qui, tout au long de promenade intime, l'approuve.

## Une libérale de haute lignée

Fille aînée de l'empereur Pierre II du Brésil et de l'impératrice, née Thérèse de Bourbon-Sicile, Isabelle du Brésil (*Isabel do Brasil* dans sa langue natale), était née à Rio de Janeiro, le 29 juillet 1846. Bragance par son père, Bourbon par sa mère, elle descendait tout à la fois des rois de Portugal et des rois de France, et, avec sa sœur cadette, Léopoldine, passa son enfance au palais de São Cristóvão. Là, elle fut remarquablement élevée, par une éducatrice française qu'avait recommandée sa tante, la princesse de Joinville, sœur de son père, devenue l'une des belles-filles de Louis-Philippe, la comtesse de Barral, qui leur inculqua les idées libérales, au reste présente dans cette famille de haut lignage mais profondément acquise aux idées du siècle. Le jour de ses quatorze ans, en tant qu'héritière du trône, elle prêta le serment solennel de *maintenir la religion catholique apostolique et romaine, d'observer la constitution politique de la nation brésilienne et d'obéir aux lois et à l'empereur.* Selon les convenances du temps, il ne restait plus qu'à la marier, ce qui fut bientôt fait, le 15 octobre 1864, dès lors qu'un fiancé fut agréé, en l'occurrence son cousin le prince Gaston d'Orléans, son aîné de trois ans, petit-fils du roi des Français Louis-Philippe en tant que fils du duc de Nemours.

L'union d'Isabelle et de Gaston fut épanouie, même si le couple dut attendre dix ans pour que leur premier bébé vînt au monde. Plusieurs enfants naquirent alors, dont Pierre d'Alcantara d'Orléans-Bragace, prince du Grao-Pata, en 1875, ancêtre de la branche aînée des actuels prétendants au trône du Brésil, et Louis d'Orléans-Bragance, en 1878, ancêtre de la branche cadette. Quand il n'honorait pas son épouse ou, avec son beau-frère, chassait le perroquet, le comte d'Orléans commandait l'artillerie des troupes brésiliennes, combattant, avec le titre de maréchal de l'armée, en 1866, contre le Paraguay dirigé par le dictateur Solano López. Des photographies de la famille impériale représentent alors, comme n'importe quels membres de toute famille, les princes et les princesses du Brésil, avec leur progéniture, dont ils s'occupaient avec attention. Tout aurait pu aller pour le mieux dans le meilleur des mondes, dans cette nation, grande comme des dizaines de fois la France, si deux choses n'allaient pas contrarier Isabelle. La première fut la mort de sa sœur, fauchée par le typhus en 1871. La seconde fut la situation des esclaves noirs, extrêmement nombreux au Brésil, et qui, selon elle, non seulement heurtait sa sensibilité, choquait ses principes libéraux et lui paraissait contraire à ses convictions religieuses, mais encore donnait de son pays une image détestable. L'empereur Pierre II qui, du reste, comme aucun membre de sa famille, ne possèdait le moindre esclave, n'appelait-il pas cette situation *la honte nationale* ? Tout au plus était-il parvenu à faire voter, en 1871, la loi, dite *du ventre libre*, qui stipulait que tout enfant né d'une mère esclave, était *ipso facto* libre, en 1885 celle abolissant l'usage du fouet et, en 1887, celle dite *des sexagénaires*, qui émancipaient les esclaves de cet âge. Malgré les multiples révoltes, dont il comprenait les causes, il ne put aller plus loin.

Encouragé par son mari qui, en bon Orléans, déteste le despotisme, la princesse Isabelle tente du mieux qu'elle le peut d'améliorer leur sort, en achetant, entre autre, leur artisanat, portant ostensiblement sur elle un camélia blanc, dont les partisans de l'abolitionnisme ont fait leur emblème. Cela fait-il d'elle une rebelle ? Assurément, car l'ensemble, pour ne pas dire l'unanimité des grands propriétaires du Brésil – les fameux *fazendeiros* – sont favorables au maintien de ce système existant depuis le xvie siècle. Le Brésil, en effet, ou mieux, le Portugal dont il fut naguère la plus importante colonie, est le plus ancien pays esclavagiste au monde, qui a même mis au point ce système constituant à acheter en Afrique des hommes vendus aux Occidentaux pour récolter le sucre et le café. L'Angleterre, la France et les États-Unis qui, pour y parvenir, ont dû affronter une violente guerre, qu'on appela *de sécession*, ont, depuis des années, libéré leurs esclaves, mais pas le Brésil (de même que Cuba), qui continue de profiter d'un système que pourtant l'ensemble des consciences éclairées du monde dénonce et condamne sans appel. Du reste, les grands propriétaires ne sont pas les seuls propriétaires d'esclaves, chaque famille brésilienne, même modeste, en utilisant un, deux ou trois à leur service. Qui d'autre qu'un aristocrate de haute naissance pourrait le faire ? C'est tout le combat de la princesse Isabelle, alors que, pour la troisième fois, elle assure la régence du Brésil, puisque son père se trouve à l'étranger, ferraillant sans relâche contre les ministres de son très conservateur gouvernement. S'appuyant sur la Société brésilienne contre l'esclavage, de même que sur la franc-maçonnerie, ce qui, pour une catholique fervente, est assez singulier, elle attend qu'une opportunité politique se présente. Une émeute urbaine éclate dont elle rend aussitôt responsable le gouvernement et qui lui permet de le renvoyer. Aussitôt, elle charge son ami et principal conseiller Joado Alfredo, qui lui est tout dévoué, de constituer le nouveau gouvernement, bien décidée à passer en force.

## La rédemptrice

Le 13 mai 1888, au palais de Pétropolis, la régente Isabelle, assise derrière le vaste bureau de son père, signe ce que l'histoire va appeler la *loi d'or* (*lei aurea*), en raison de la plume qu'elle utilise faite de cette matière, mais aussi de la rose d'or que va lui envoyer le pape Léon XIII, pour la féliciter de sa décision. Ce texte met fin à l'esclavage au Brésil et vaut à la régence le surnom d'*Isabelle la Rédemptrice*. Aussitôt, c'est, partout, dans cet immense pays, une explosion de joie populaire qui n'a pas d'équivalent dans son histoire, sauf peut-être, au siècle suivant, lorsque le Brésil remportera la Coupe du monde de football. Un seul homme demeure de marbre, le baron de Cotegipen qui, s'inclinant profondément devant Isabelle, lui lance : *Votre Altesse a libéré une race, mais elle a perdu le trône.* En effet, les grands propriétaires terriens, qui s'estiment lésés de leurs *biens*, entament une véritable guérilla parlementaire, en se fondant sur le fait que, depuis le début, l'empire du Brésil repose sur un accord tacite entre les grands propriétaires terriens, qui composent la majorité du Sénat et de l'Assemblée, et la famille impériale. Le gouvernement du vicomte de Ouro Preto est alors renversé par l'armée, qui installe à sa place une dictature militaire et proclame, le 17 novembre 1889, la république.

Aussitôt, la famille impériale prend le chemin de l'exil et, après avoir traversé l'Atlantique, s'installe au château d'Eu, propriété du mari d'Isabelle. Encore deux années et la mort de l'empereur Pierre II, survenue à Paris, rue de l'Arcade, dans le modeste hôtel où il résidait, le 5 décembre 1891, fait de sa fille l'impératrice Isabelle et de son mari l'empereur Gaston, mais virtuellement. Commence alors pour elle une digne et longue vieillesse, qui s'achève le 14 novembre 1921 au château d'Eu, où, âgée de soixante-quinze ans, elle s'éteint au milieu des siens, enfants et petits-enfants, fidèle à ses principes et heureuse d'avoir vu lever la loi d'exil un an plus tôt. Son mari ne lui survit que quelques mois puisqu'il meurt, le 28 août 1922, à bord du vaisseau *Massilia*, qui, justement, le ramène au Brésil, où on l'attend pour célébrer le centenaire de l'indépendance du pays.

Si elle ne revoit pas sa patrie, son corps va cependant y revenir en 1953 pour être inhumé dans le mausolée

impérial de Pétropolis, en 1971. Le souvenir de l'impératrice Isabelle demeure, depuis, très vif au Brésil où, à
la requête de l'archevêque de Rio de Janeiro, Mgr Orani
Tempesta, une procédure de béatification a été initiée.
La rébellion peut-elle conduire à la sainteté ? Sans
doute, mais elle peut aussi conduire à l'humanisme,
dont Isabelle de Brésil demeure un éloquent exemple.

# Pierre Savorgnan de Brazza

## (1852-1905)

# Le héros humanitaire

Je n'ai rien fait de particulier ; j'ai seulement montré qu'on pouvait faire. **Pierre Savorgnan de Brazza**

Emportées par le courant, les pirogues glissent silencieusement sur l'immense fleuve boueux, entouré de part et d'autre d'une impénétrable forêt d'où émergent, parfois, le cri d'un oiseau dérangé, ou les hurlements des singes qu'on aperçoit furtivement sautant d'une haute branche à une autre, ou le plongeon d'un crocodile dérangé dans sa sieste. La chaleur humide incite les hommes à garder le silence, à ne pas s'épuiser dans des gestes inutiles, y compris celui de tenter d'échapper aux piqûres de moustiques et autres insectes. En cette seconde moitié du XIXᵉ siècle, depuis que les hommes blancs ont décidé de s'implanter dans Afrique équatoriale, il n'est pas rare de les voir traverser, toujours pressés, ces somptueux paysages en partie vierges, où la nature constitue une sorte de mystérieuse divinité, nourricière et redoutée, à laquelle l'animisme rend hommage à chaque moment de la journée des peuples qui l'habitent.

Dans une des pirogues, un homme de haute taille, coiffé d'un casque blanc, un cigarillo aux lèvres, scrute particulièrement le cadre en prenant des notes ; ceux qui l'aperçoivent de loin comprennent, d'instinct, que par son allure et son charisme, il est bien le chef de ce groupe d'hommes venus de contrées inconnues. Et c'est ainsi que Nadar l'a immortalisé sur un de ses célèbres clichés photographiques : debout, sa taille bien prise dans une ample et indéfinissable tenue orientalisante, les pieds nus mais la tête recouverte d'une coiffe de toile enserrant, à la manière des Bédouins, son long visage, pris de trois quarts, laissant paraître avec la barbe courte et le nez parfaitement, un visage dont la beauté latine et les yeux splendidement clairs, impriment à l'ensemble quelque chose de singulièrement actuel. Il est vrai que, à l'instar des hommes d'aujourd'hui, Pierre Savorgnan de Brazza, comme Abd el-Kader naguère, sait se mettre en scène, lui qui se laisse complaisamment photographier en uniforme, tenant un fusil de la main droite ou assis sur une chaise longue, dans un vêtement rimbaldien, le col largement échancré pour pouvoir respirer sous la chaleur suffocante trempant les chemises. Ces vues, que *L'Illustration* fait entrer dans la légende coloniale, dès lors que les écoliers de cette France de la IIIᵉ République les découvrent, font rêver le public, puisque c'est désormais à l'aune des conquêtes coloniales que se mesure la puissance des nations. La France et l'Angleterre rivalisent ainsi en Afrique, à la manière d'une compétition dans laquelle émergent des figures mythiques parmi la sienne. Les explorateurs, de ce fait, ne sont-ils pas les héros de la Belle Époque, eux qu'on statufie sur les carrefours des grandes villes et que l'on montre en exemple à tous ceux qui s'ennuient dans les champs, les usines et les bureaux de l'Hexagone ? Mais, au-delà de sa seule apparence, Brazza jouit aussi d'une réputation qui fait de lui, au regard des Africains, un homme différent des autres, celui qui, rebelle à la colonisation telle que la conçoivent les Français – et pas seulement, puisque les Anglais, les Allemands et les Belges font de même –, affirme d'autres valeurs. Comme Livingstone, son modèle, cet être, formellement opposé à l'esclavage, de fait sinon de droit, puisqu'il est juridiquement révolu, au pillage en règle et au mépris des peuples, de leurs traditions et de leurs coutumes, présente un comportement volontiers altruiste et humaniste. Et c'est cela qui, plus que ses audaces d'explorateur, font de lui, comme plus tard Albert Schweitzer sur ces mêmes terres, un héros intemporel.

## Un itinéraire insolite

Celui qui arpente l'Afrique occidentale avec ce charisme subjuguant tous ceux qui le suivent était né le 26 janvier 1852, à Castel Gandolfo, dans cette commune dominant le lac d'Albano, au cœur du Latium, connue pour être, depuis le XVIIe siècle, le siège de la résidence estivale des papes. Mais ce fut à Rome qu'il passa son enfance, avec ses six frères et sœurs, ses aînés, au ménage du comte Ascanio Savorgnan di Brazza, issu de la noblesse vénitienne, et de la comtesse son épouse, née Giancinta Simonetti, d'une

illustre lignée elle aussi, qui avait donné deux doges à
la Sérénissime. Grand voyageur devant l'Éternel, le
chef de famille rêvait d'être explorateur, mais passa
son temps entre Rome, où il était devenu conservateur
du musée du Capitole, et son château d'Udine, après
avoir tout de même parcouru les routes d'Europe. Son
rejeton allait vivre ses rêves qui, après de bonnes études
à l'ombre du Saint-Siège, puisque Rome, qui n'était
pas capitale d'une Italie n'existant pas encore, était la
propriété du pape. Attiré par la Marine, qu'il découvrit
dans les livres de la bibliothèque familiale, il résolut de
partir pour la France, les États italiens n'offrant pas de
formation spécifique à cet effet, sur les conseils et avec
la protection de l'amiral de Montaignac, ami de son
père. Pendant ces dernières années du Second Empire,
il commença par être interne au collège parisien de
Sainte-Geneviève, où il se perfectionna en français
puis, en 1867, après avoir été brillamment reçu au
concours, intégra l'École navale de Brest, dont il sortit,
trois ans plus tard, avec le grade d'enseigne de vaisseau,
avant d'embarquer sur la *Jeanne-d'Arc* pour achever sa
formation d'officier. La guerre de 1870 éclatant, il
demanda une affectation combattante. Celle-ci fut le
cuirassé la *Revanche*, croisant en mer du Nord, pour peu
de temps, puisque la France capitula assez rapidement.
Sa conduite lui valut de recevoir ses lettres de naturali-
sation. Il croisa ensuite en Méditerranée, servit sur les
côtes algériennes, puis découvrit l'Afrique, quatre ans
plus tard, en servant à bord de la frégate *Vénus*, envoyée
pour intercepter les navires négriers. Ce fut le choc de
sa vie, puisque conquis par ce territoire, dans lequel il
se sentit aussitôt chez lui, il sollicita de ses supérieurs

l'autorisation d'explorer le fleuve Ogooué jusqu'à sa source, pour prouver qu'il ne faisait qu'un avec celui du Congo et reconnaître les terres inconnues sur lesquelles la France lorgnait, et qu'avaient cherché en vain ses illustres prédécesseurs, dont il avait lu les livres, à l'École navale : David Livingstone, Thomas Baines ou George Schweinfurth, pour n'en citer que quelques-uns.

En 1875, le gouvernement français, qui depuis la défaite contre la Prusse, cinq ans plus tôt, et la perte de l'Alsace et de la Moselle qui suivit, cherche à rebondir, accepte son projet ; mais l'avaricieuse République ne lui octroie qu'une modeste subvention qu'il complète avec les fonds personnels de son héritage, l'équivalent, tout de même de 150 000 euros. Il engage donc une équipe d'hommes déterminés, compétents et courageux, dont un médecin, un naturaliste et une douzaine de fantassins africains, et achète le matériel nécessaire. Commence alors, le 20 août de cette même année, l'une des plus singulières aventures qu'un aristocrate, rétif au conformisme d'une vie sans histoires, peut mener, méprisant les innombrables dangers qui vont s'offrir à lui en affrontant l'inconnu : les risques de maladies, les agressions de toutes sortes, la possibilité d'être dévoré par des animaux sauvages, celle d'être tué par des populations parfois agressives ou de se perdre dans des lieux inconnus. C'est sa première expédition et, malgré les difficultés, elle se traduit, trois ans plus tard, par un succès. L'année suivante, Jules Ferry le charge d'une nouvelle tâche : faire pièce aux visées coloniales des Anglais et des Belges dans la région, mais cette fois avec des moyens financiers plus conséquents. Avec ses adjoints Antoine Mizin et Jean-Noël Savelli, le médecin Noël Ballay et le naturaliste Alfred Marche, Brazza atteint le fleuve Congo en 1880 et parvient à convaincre le roi des Tékés, Illoy I$^{er}$, de se mettre sous la protection de la France, créant ainsi un premier établissement français dans la région, à Nkuna, sur les rives du Congo. Il s'agit, en fait, d'une simple case située à quelque 500 kilomètres du premier poste français, qu'il confie à la garde du sergent Malamine Kemara. Celui-ci, chaque matin, va, pendant des mois, hisser les trois couleurs et résister seul à toute incursion anglaise ou belge. Ce poste prendra plus tard, en son honneur le nom de Brazzaville.

Rentré en France, le 6 janvier 1879, l'explorateur donne nombre de conférences de presse et scientifiques, qui popularisent son action, flattent les militaires et les politiques. Il obtient, de ce fait, outre la Légion d'honneur, les crédits nécessaires à une troisième expédition, cette fois avec le titre de commissaire général du Congo français. Au passage, il consolide tout à la fois sa position dans la société civile en se faisant initier dans la franc-maçonnerie, par la loge *Alsace-Lorraine,* celle-là même qui, en d'autres temps, avait recruté Abd el-Kader. De retour en Afrique, il reprend le cours de ses explorations, découvrant enfin les sources de l'Ogooué, remontant l'Oubangui au-delà de l'équateur et, plus tard, explorant la Haute-Sangha. Au sommet de sa maturité, il ne se contente pas d'aménager les territoires qu'il a apportés à la France, qui deviendront le Gabon, le Congo et l'Oubangui-Chari. Infiniment plus altruiste et intègre que la plupart de ses contemporains, il n'a pas une vision mercantile de la colonisation, mais une vision humaniste, ce qui le conduit à s'opposer à tous ceux qui sont prêts à se jeter sur l'Afrique pour la piller copieusement. Plus même, il s'oppose à certaines coutumes des Africains eux-mêmes, en particulier, la pratique de l'esclavage, en proclamant dans les villages qu'il traverse : *Tous ceux qui touchent le drapeau de la France sont libres.* Il gagne de ce fait le titre de *père des esclaves*, au prix, toutefois, de sa santé, puisque, fréquemment atteint par les fièvres putrides, il manque plusieurs fois de périr, sortant de ces épreuves toujours plus amaigri, plus faible, mais aussi plus déterminé, ne conservant intact que son intense regard frappant tous ses interlocuteurs. Passionné par le terrain, par les peuples qu'il croise et par cette véritable mission civilisatrice qu'il entend tout autant assumer qu'incarner, il se donne à fond à sa tâche en dépit des difficultés et parfois même des menaces de ses concurrents.

Tout ceci lui vaut donc de s'opposer à celui qui n'est pas seulement son antithèse mais son meilleur ennemi, le Britannique Henry Morton Stanley, surnommé par les Africains *Mbula Matari* (*le briseur de roches*), l'homme, par ailleurs soutenu par le roi des Belges contre Brazza, qui impose l'autorité de sa nation à coups de combats sanglants. Pendant des années tous deux se jouent les tours les plus pendables, poussant les pions dans leurs dos respectifs, se mentant effrontément. Le roi des Belges, Léopold II, va jusqu'à recevoir Brazza, dans son palais de Laeken, pour lui proposer de travailler pour lui, l'acheter en quelque sorte, mais l'explorateur lui rappelle noblement qu'il est avant tout officier de l'armée française et que, à ce titre, il ne peut la trahir.

Mais si ce flibustier de Stanley, que Brazza finit par neutraliser, est un conquérant, son adversaire est, lui, un organisateur, qui fonde quantité de stations sur lesquelles flotte désormais le drapeau français, traite en égal avec les rois de la région, en particulier le Makoko, et protège les populations placées sous son autorité, qu'elles soient blanches ou noires, le plus souvent au prix de sa sécurité personnelle et de sa propre fortune, puisque lorsque la République ne le soutient pas, il y va de sa poche. Pourtant, en moins de trois ans, il avait apporté à la France un territoire correspondant au tiers de sa superficie !

De retour en France en 1883, puis en 1888 et en 1895, il prend le temps, enfin, de se consacrer un peu à lui-même en se mariant, le 12 août de cette dernière année, avec Thérèse Pineton de Chambrun, descendante de La Fayette, séduite par le charme de ce conquérant si différent de tous ceux qui, jusque-là, lui ont fait la cour. Femme de grande classe, elle va lui donner quatre enfants et se révéler comme une épouse exceptionnelle. À nouveau en Afrique, Brazza, soutenu par Jules Ferry mais pas par Clemenceau qui, obnubilé par la reconquête de l'Alsace et de la Moselle, estime ces expéditions lointaines inutiles, reprend le cours de ses activités et finalise les postes qu'il a fondés et qui vont devenir les futures cités coloniales des régions reconnues – soit environ 640 000 kilomètres carrés ! – parmi lesquelles, bien sûr, Brazzaville. Il a trente-trois ans, c'est le sommet de sa carrière. Pendant une dizaine d'années, il va administrer ces territoires, avec l'assentiment des ministres successifs, parmi lesquels Albert Hanotaux le décrivant ainsi :

Je le vois encore entrant d'un coup de vent dans mon bureau des protectorats du ministère des Affaires étrangères alors que notre programme africain était mis en chantier. Maigre et hirsute, le dos voûté, la barbe inculte, les yeux infiniment doux, il apparaissait dans notre sceptique Paris comme un prophète du désert. Il était sous ses apparences délicates, l'homme de la précision, de l'énergie et de la persévérance inlassable... Quand il mettait le doigt sur la carte, vierge de noms, et qu'il disait : Il faut aller là !, l'exécution, dans sa bouche, paraissait si simple, qu'on eût dit qu'il n'y avait qu'à le suivre pour toucher le but... La porte refermée, vous vous disiez, dans l'angoisse : reviendra-t-il ? Et après des années d'attente et d'espoir désespérés, il entrait sans bruit, timide, modeste, disant : J'en reviens.

Toujours fidèle à ses principes, Brazza, dont l'administration est critiquée par ceux qu'on n'appelle pas (encore) les *lobbies* mais qui en tiennent lieu, désapprouve, en 1897, la décision du ministre des Colonies, André Lebon, de soumettre les territoires qu'il administre, au régime de la concession, afin de permettre aux sociétés privées de mieux les exploiter. C'est un véritable coup de poignard dans le dos de cet homme qui, jusque-là, a conduit une politique totalement différente et explique pourquoi il faut le discréditer. Une violente campagne de dénigrement se développe alors contre lui, à l'initiative, parmi d'autres, du capitaine Marchand et de ses officiers, le décrivant comme un homme paresseux, débraillé et velléitaire, incapable de prendre les bonnes décisions quand il faut, tout en se comportant comme un monarque impulsif et caractériel. Le coup de grâce tombe, l'année suivante : le rebelle est placé à la retraite d'office par le ministre de la Marine, qui le remplace par Émile Gentil. Dépité, Brazza se retire à Alger, où sa femme et ses enfants l'entourent de son affection, tentant de le consoler de la mise en coupe réglée de ses territoires par les quarante sociétés attributaires, comme les quarante voleurs des *Mille et une nuits*.

Durant les cinq années qui suivent, il ne dit pas un mot de sa déception, mais continue de suivre de loin les affaires de ses anciens territoires. Plusieurs scandales ayant, entre-temps, terni l'image coloniale, que Brazza avait prédit, en particulier l'affaire Toqué-Gaud, mettant en cause deux administrateurs français ayant assassiné l'ancien guide Pakpa en lui attachant de la dynamite autour du cou et en la faisant exploser, le gouvernement lui demande d'inspecter les colonies d'Afrique. Brazza repart donc et, une dernière fois, revoit ces paysages qui lui sont si chers, tout en achevant un rapport qui, en 1905, dénonce les influences néfastes des intérêts privés dans la politique coloniale, texte que la République s'empresse de ne pas publier. N'y écrit-il pas : *J'avais des plans immenses ; j'étais au seuil des grandes choses*, avant de constater, amer *et maintenant, à cause de cette canaille* ? Mais, lors de ce dernier séjour, il contracte des fièvres qui altèrent gravement sa santé, si rapidement que ses fidèles pensent qu'il a été empoisonné par ses adversaires. Le 14 septembre de cette même année, veillé jusqu'au bout par sa femme, il s'éteint en fin d'après-midi, à Dakar, tenant dans sa main la photographie de son jeune fils, Jacques, mort quelques années plus tôt. Le gouvernement français, un peu gêné, propose de l'inhumer au Panthéon, après des funérailles nationales, mais sa veuve refuse cet hommage et fait rapatrier son corps, à Alger, où elle le rejoindra le moment venu. Un siècle plus tard, tous deux seront transférés à Brazzaville, où ils reposent toujours, dans un mausolée en marbre de Carrare, édifié aux frais du gouvernement congolais, et surmonté du buste de l'explorateur. Ainsi l'Afrique a-t-elle souhaité rendre hommage à celui dont l'épitaphe est la suivante : *Sa mémoire est pure de sang humain*, et dont Nicolas Hulot a si justement dit : *Beau comme un prince italien, sombre comme un Titan de Victor Hugo, Savorgnan de Brazza est l'un des héros les plus touchants du XIX⁵ siècle. Cœur pur, silhouette à la Corto Maltese : un destin immémorial.*

# Henri de Toulouse-Lautrec

## (1864-1901)

# La liberté de l'artiste

Quand on pense que je n'aurais jamais été peintre si mes jambes avaient été un peu plus longues !
**Henri de Toulouse-Lautrec**

À l'automne de l'été 1889, à la terrasse d'un café de la place de Clichy, à Paris, pendant que les fiacres circulent sans se préoccuper des passants, un tout petit homme, presque nain, assis devant une absinthe bien dosée, mais, selon son habitude, relevée d'une bonne dose de cognac, observe à la dérobée deux femmes à l'élégance un peu tapageuse très occupées par leur conversation, tandis que, au pied de la première, un petit chien se prélasse au soleil, exhibant sa singulière physionomie de produit de croisement génétique aux ramifications incertaines lui donnant, malgré son évidente laideur, un aspect attendrissant. Chapeau melon sur la tête, monocle à l'œil droit, barbe courte, l'homme ne peut s'empêcher de trouver quelque analogie entre l'animal et lui, dont l'apparence met toujours mal à l'aise ceux qui le découvrent, se demandant comment la nature a pu enfanter cette sorte de gnome d'un mètre cinquante à peine, aux jambes excessivement courtes, au regard humide, aux lèvres épaisses, au nez fort, qui de surcroît s'exprime en zézayant. Les deux femmes continuent de bavarder jusqu'au moment où le petit chien, qui commence à s'ennuyer, gémit pour que sa maîtresse le prenne sur ses genoux.

– Mais qu'il est vilain, ton chien, s'écrie la première.
– Comment, il est vilain ! C'est pourtant un chien de race, lui répond la seconde et, se tournant vers leur voisin, le prend à témoin : N'est-ce pas, Monsieur, qu'on peut être vilain et être de bonne race ?
– Oh, certainement, Madame, à qui le dites-vous !, lui répond-il en s'inclinant devant sa belle interlocutrice.

Lui, l'avorton fou de femmes, dont seules les initiées connaissent et apprécient l'extraordinaire virilité, puisque s'il est doté d'une taille minuscule, celle de son organe, inversement proportionnelle, est considérable, ce qui lui vaut, dans les bordels de la rive droite, par une analogie assez osée, le surnom de… cafetière ! Ne se compare-t-il pas lui-même à une *bouteille*, au sens propre comme au sens figuré, et n'aime-t-il pas répéter *qu'il ne peut exister un amant plus laid que lui* ?

## Un jeune handicapé provincial

Ainsi Henri Marie Raymond de Toulouse-Lautrec-Monfia, fils du comte Alphonse de Toulouse-Lautrec-Monfia et de la comtesse, née Adèle Tapié de Celeyran – *tapir de Ceylan*, aime-t-il à dire – rappelle-t-il, dans la bonne humeur, ses origines aristocratiques, lui qui appartient à l'une des plus anciennes familles du Sud de la France, descendante directe, prétend-elle, de Charlemagne, plus sûrement de Louis XI, par une de ses bâtardes, mais aussi des ducs d'Aquitaine et des comtes de Toulouse. Une famille illustre, qui partage sa vie entre son hôtel d'Albi et ses châteaux du Bosc, en Aveyron, ancienne forteresse aux proportions imposantes, et de Celeyran, dans l'Aude, sorte de vaisseau toscan au centre d'un immense vignoble ; une famille, enfin, catholique, traditionnelle et extrêmement aisée, comme il se doit, car propriétaire de multiples terres, ayant donné nombre de grands notables tout en cousinant avec d'autres, parmi lesquels les La Fayette.

Né le 24 novembre 1864 à Albi, dans l'antique demeure familiale située tout près de la vaste cathédrale Sainte-Cécile, Henri de Toulouse-Lautrec, demeuré fils unique après la mort prématurée de son frère cadet, y a passé une enfance heureuse et choyée, jusqu'à son triste dixième anniversaire où la rupture de ses cols du fémur, à quelques mois d'intervalle, révéla cette terrible maladie du tissu osseux qui allait freiner sa croissance, la pycnodysostose, produit, croit-on, des effets pervers de la consanguinité, puisque ses parents étaient cousins germains. Cette maladie, encore mal connue et, comme telle, mal comprise par les médecins, on tenta de la guérir à coup de décharges électriques et en plaçant à chaque pied de l'enfant de grandes quantités de plomb, ce qui, naturellement, ne la fit qu'empirer, l'empêchant de grandir et de se développer harmonieusement ! Le petit martyr n'en effectua pas moins d'honorables humanités et décrocha son baccalauréat, à Toulouse, en 1881, avant de renoncer, vu son état, à tout espoir de carrière dans l'armée, l'Église ou la diplomatie, les trois voies alors admissibles pour les fils de la vieille noblesse de France, en ce début de cette III^e République si mal acceptée par ses membres, fidèles à la cause du comte de Chambord puis, après sa mort, à celle du comte de Paris. Ne fut-il pas prénommé Henri, en hommage au premier ?

Qu'allait-on faire de ce pauvre handicapé, que sa mère surnommait *petit bijou*, certes héritier du titre comtal et de la fortune des siens, sinon un être inutile condamné à attendre le loyer de ses fermages en traînant dans ses logis seigneuriaux aux toits de lauze, et que, probablement, aucune femme ne voudra pour époux ? C'était l'angoisse de son père, beau et fringant mâle de vieille race, ancien sous-lieutenant au 4^e lanciers sous le Second Empire, et qui, depuis, croquait ses rentes et son inaction sur les champs de courses et les chasses à courre, montant avec fougue les plus beaux destriers et culbutant au passage, avec la même énergie, les marquises, les filles de ferme et les pensionnaires des bordels, puisque sa séparation d'avec son épouse le laissait libre de ses mouvements, entre le Jockey-Club, à Paris, et son château du Languedoc. Quant à son épouse, partageant sa vie entre la rue Boissy-d'Anglas, dans la capitale, et son domaine de Malromé, en Bordelais, puisqu'ils faisaient désormais château à part, c'était une grande dame lettrée, parlant couramment anglais, ce qui était rare à l'époque, et très proche de son fils, qu'elle adorait malgré ses infirmités, et souriant lorsqu'il écrivait de spirituelles lettres à cette *maman poule qui avait couvé un bien vilain canard.*

Heureusement, la seule fée qui se pencha sur le berceau de leur fils lui donna un don, celui du dessin, qu'il pratiqua avec une aisance naturelle depuis son enfance, donnant sa préférence aux croquis d'animaux. Celui-ci allait, tout à la fois, faire de lui un grand artiste, dès lors qu'un ami de la famille, le peintre René Princeteau convainquit ses parents de le laisser partir pour Paris s'initier dans l'atelier de Léon Bonnat d'abord, de Fernand Cormon, ensuite, où il fréquenta un Hollandais famélique à l'esprit passablement dérangé, Vincent Van Gogh, qui compta parmi ses meilleurs amis. Ce fut à ce moment que le jeune aristocrate connut le grand amour, non pas avec l'une de ses cousines, la belle Jeanne d'Armagnac, dont il s'était épris, mais pour la pauvre Marie Charlet, issue du sous-prolétariat parisien, qui, dans sa chambre de bonne, à Saint-Michel, l'initia à l'amour physique. Mais c'est avec sa consœur Suzanne Valadon qu'il vécut sa première liaison, suivie de beaucoup d'autres, en particulier avec Yvette Guilbert, La Goulue et Rosa la Rouge, cultivant jusqu'au soir de sa vie le culte du blason féminin, surtout lorsqu'il s'agissait des rousses, partageant ce goût avec son confrère Courbet, même si l'une d'entre elle lui offrit cette quasi inévitable syphilis qui, avec d'autres pathologies, va le détruire avant ses quarante ans.

## Le peintre de la vie parisienne

Tout à la fois livré et révélé à lui-même, Henri de Toulouse-Lautrec loue bientôt un atelier rue Tourlaquet et, parallèlement, pénètre dans le Montmartre de cette fin du XIXe siècle, où il se fait une réputation de boute-en-train, amusant le public par son physique, son humour et sa joie de vivre, par lesquels il transcende ses infirmités. Parfaitement conscient de son physique, il pousse la provocation en se faisant photographier, nu, sur la plage de Trouville, habillé d'une robe de Jeanne Avril, avec col de fourrure et chapeau à plumes, en clown ou, par un savant montage, assis sur un tabouret discutant avec lui-même, tout à la fois peintre et modèle du peintre. N'est-ce pas encore lui que, au mois de février 1895, le riche banquier Alexandre Natanson, son ami, charge d'organiser la fête d'inauguration de son hôtel de l'avenue du bois de Boulogne? L'artiste anticonformiste transforme le grand salon en bistrot, s'installe lui-même derrière le bar avec un camarade choisi pour sa très haute taille, et tous deux, secouant les shakers, soûlent par des cocktails explosifs les quatre cents invités, parmi lesquels Alphonse Allais, Stéphane Mallarmé, Jules Renard, Alfred Jarry, mais aussi Vuillard et Bonnard, roulant bientôt à terre.

Souvent, il reçoit amis et confrères dans son appartement qu'approvisionne sa mère en produits de son terroir girondin – foie gras, charcuterie, volaille et vin de Malromé – et, à cet effet, se met lui-même aux fourneaux, se surpassant dans la réalisation de certains plats et même en en inventant certains, comme les oignons confis piqués de clous de girofle qu'on appelle depuis *à la Toulouse-Lautrec*. Avec une prodigalité en tous points comparable à celle de ses aïeux sur leurs terres languedociennes, Lautrec régale, et toute la nuit. Chez lui, c'est connu, on mange, on boit et on rit. La chanteuse Yvette Guilbert, pour sa part, évite ces agapes, car le spectacle du peintre mangeant est assez peu ragoûtant, comme elle en témoigne : *Chaque mouvement de mastication montre la manœuvre humide et salivée des énormes muqueuses que sont ses lèvres. Et si c'est un poisson, sauce rémoulade, le clapotis est extraordinaire.*

Quand il ne reçoit pas, il sort, pratiquement tous les soirs, pour tout à la fois s'amuser, s'informer et peindre, puisque c'est dans la nuit parisienne qu'il puise son inspiration. De l'Élysée-Montmartre au Chat noir, du Cabaret d'Aristide Bruand, où les bourgeois viennent se faire insulter aux troquets où les Parisiens, le samedi soir, se régalent, du Moulin de la galette au Moulin rouge, en passant par le bal de l'opéra, *Le Divan japonais* ou *Le Rat mort*, le plus mythique des cafés, sans compter les théâtres et les cirques, la fête bat son plein sur la rive droite de la Seine et le peintre en fait rapidement la trame de son œuvre à nulle autre pareille. Celle-ci exalte avec une intensité personnelle la liberté des mœurs, l'humour et la passion des femmes, toutes les femmes, mais plus particulièrement les écuyères de cirque, les danseuses, les trapézistes et les pensionnaires des innombrables bordels disséminés dans Paris pour le plus grand plaisir des étrangers attirés, comme les mouches avec la lumière, par ces lieux mythiques de la très libérale société parisienne de l'après Second Empire, et en particulier ces femmes à vendre ou à louer, comme il dit, *qui n'ont que leur chemise entre elle et leur métier.* Il n'a pas d'heure pour rentrer chez lui, et le plus souvent, s'endort dans le fiacre qui la ramène au petit matin ou plus tard encore, rêvant de cette frénésie des beuglants dans lesquels triomphe cette danse considérée désormais comme le symbole de Paris et que le monde entier, là encore, vient voir car elle n'est tolérée qu'ici, cet impudique french cancan incarnant la joie de vivre et celui de la transgression *à la française.*

Passant, en effet, de l'huile à la lithographie, de l'illustration de textes littéraires aux dessins de cirque, pour lequel il éprouve une véritable passion, celui que, désormais, on appelle familièrement *Lautrec,* fait de Paname, où il réside désormais rue Fontaine, dans l'actuel IXᵉ arrondissement, voisin de Degas, sa thébaïde. Il ne regrette pas un seul instant la vie qu'il pourrait ou devrait mener dans les châteaux familiaux de l'Albigeois ou du Rouergue, vivant sa liberté le jour comme la nuit, dans les bistrots, les beuglants et les bordels qui, bientôt composèrent le paysage ordinaire de sa vie. C'est qu'il y a ses habitudes, allant, comme Alfred de Musset jadis, y vivre en pension, jusqu'à y manger et, parfois même, à y dormir! *Je plante ma tente au bordel,* annonce-t-il à ses amis lorsqu'il s'absente quelques jours. À la demande des *mères supérieures* (le surnom des tenancières), il en décore certains et y vient donc avec ses pinceaux, ses couleurs et sa palette, tellement présent que les filles ne font même plus attention à lui, ce qui lui permet de les peindre avec un naturel qu'aucun artiste n'a jamais manifesté dans ce domaine. *Les modèles sont toujours empaillés*, dit-il, au moins, ici, elles vivent. Elles s'étalent sur les canapés, comme des animaux; elles sont sans prétention.

Ceci, du reste, le fait régner en maître sur un nouveau genre, dont il est, sinon l'inventeur, du moins le généralisateur, celui de l'affiche. Celles qu'il consacre à Aristide Bruant, avec son écharpe rouge, à Yvette

Guilbert, avec ses gants noirs ou à Jeanne Avril, avec sa robe orange, entrent bientôt dans la légende du genre, cette dernière surtout, à qui une grande complicité l'unit, puisque bâtarde d'un noble espagnol et d'une Parisienne, elle a, comme lui, du sang bleu dans les veines. À ceux qui ne comprennent pas son art, il rétorque : *La peinture, c'est comme la merde ; ça se sent, ça ne se comprend pas.* Mais, en privé, il confie aussi : *Quand on dit qu'on se fout de quelque chose, c'est qu'on ne s'en fout pas !*, ce qui montre qu'il n'est pas aussi insensible aux critiques qu'il veut bien le dire.

En ce sens il est doublement un rebelle, d'abord à sa classe, qu'il abandonne à son ennuyeuse vie de province, ensuite à sa qualité d'artiste, puisque, là encore, il pratique la transgression, manifestant son mépris pour l'aristocratique art du paysage, qu'il déteste – il n'y en a pas dans ses tableaux ! – le genre considéré comme noble, préférant exposer au Salon des arts incohérents qu'au Salon officiel, et surtout par ses sujets d'inspiration qui sont, encore et toujours, les femmes, mais représentées dans les positions les moins nobles, c'est-à-dire vautrées sur les canapés des bordels, pour bavarder ou jouer aux cartes entre deux passes, surprises pendant leur toilette intime, dans toute la réalité de leur nudité la plus réaliste ou dansant effrontément pour provoquer le désir des salles emplies d'hommes. La peinture de Lautrec, avec ses sujets représentées dans les positions les plus inattendues, le plus souvent sous une lumière crue, est une peinture qui sent la femme, jusqu'au coin le plus secret de son corps. Pour beaucoup, il est à son art ce que Zola est à la littérature et donc choque les bourgeois, qui le considèrent comme *le peintre de la canaille*, et même les autres, puisque son propre père se permet de brûler une centaine de ses dessins qu'il trouve trop obscènes ! Tel n'est pas le cas des anarchistes sévissant en cette Belle Époque de toutes les audaces, dont l'un s'écrie alors :

C'lui qui a un nom de Dieu de culot, mille pelochons, c'est Lautrec. Y'en a pas deux comme lui pour piger la trombine des capitalos gagas attablés avec des filasses à la coule qui leur lèchent le museau pour les faire carner [c'est-à-dire payer].

Toulouse-Lautrec eût-il été le peintre de Montmartre s'il avait été autre que ce qu'il fut ? La question ne cesse d'être posée depuis plus d'un siècle. En fait, même sans être handicapé, il aurait probablement été un artiste, car il en avait le tempérament. Reste que sa mauvaise santé le convainquit peut-être de ne pas ajouter la gêne à ses infirmités et de laisser libre cours à sa vitalité sensuelle, sexuelle et esthétique. Une addiction, en revanche, infiniment plus grave que les femmes, le poussait dans une voie quasisuicidaire, l'alcool, auquel il s'adonne totalement, fonctionnant du matin au soir à l'absinthe – le fléau de l'époque ! – que de surcroît il mélange avec du cognac, dont ses cannes creuses contiennent toujours une dose. Et, avec cela, tout ce qui lui tombe dans le bec, tout au long de ses nuits blanches : champagne, vermouth, porto, armagnac, bière, en tous lieux et à toute heure, d'où, aussi, la place des buveurs et, plus encore des buveuses, dans son œuvre, ainsi que des serveurs et des serveuses. Car Toulouse-Lautrec, qui n'a pas l'aspect compassé des peintres de son temps, comme Meissonnier ou

Bonnat, est aussi celui qui met sa vie en conformité avec son œuvre, lui qui ne boit jamais d'eau et dissuade ses convives, lorsqu'il reçoit à sa table, d'en consommer en mettant des poissons rouges dans les carafes! Lui encore qui se montre, un soir, à l'opéra, accompagné de deux prostituées, lui, enfin, qui, lors d'un séjour à Londres, et, dans la galerie où il expose, s'endort au moment où le prince de Galles vient le visiter. Apprenant à son réveil que celui-ci a refusé qu'on le dérange, Lautrec s'écrie : *Chic type!* En bon aristocrate, il est partout lui-même, au restaurant, au théâtre, au café ou au bordel, qu'il soit en compagnie des gens de son monde comme des gens du peuple à qui il ne fait jamais sentir ni sa naissance ni son éducation ni sa qualité d'artiste, car beaucoup de femmes l'aiment davantage pour ce qu'il est que pour sa réputation. *Arrêtez de me faire si laide*, lui dit un jour Yvette Guilbert, qui l'adore, mais déteste... sa peinture!

Ainsi, à travers les 737 toiles, 275 aquarelles, 369 lithographies, 5 000 dessins et 31 affiches qu'il a laissés, Lautrec a peint Yvette Guilbert, Jane Avril, Valentin le Désossé, Louise Weber, dite La Goulue, Nini Patte-en-l'Air, le clown Chocolat, Émilienne d'Alençon, Polaire, mais aussi Réjane, Antoine, Mounet-Sully, et même Oscar Wilde – autre rebelle! – sans compter tant d'inconnus des deux sexes choisis parmi les spectateurs saisis dans l'instantanéité de leur fascination pour le spectacle.

Avec une couleur différente, parfois sourde et somptueuse, parfois boueuse, presque sale, écrit fort à propos Gustave Geffroy dans *La Justice* du 15 février 1893, Lautrec, peintre et pastelliste, se montre aussi expert à exprimer le surgissement d'un individu, l'apparition spontanée d'une attitude ou d'un mouvement, l'allée et venue d'une femme en marche, le tournoiement d'une valseuse... Il y a de la gouaillerie, de la cruauté avec complaisance chez lui, lorsqu'il donne à visiter les bals, les intérieurs de filles, les ménages hors nature, mais il reste artiste intègre, son observation impitoyable garde la beauté de la vie, et la philosophie du vice qu'il affiche parfois avec une ostentation provocante, prend tout de même, par la force de si dessin, par le sérieux de son diagnostic, la valeur de démonstration d'une leçon de clinique morale.

Une exception, sa mère, à laquelle l'unit une grande complicité et à qui il consacre plusieurs toiles, de face, de profil, devant une tasse de thé, dans son jardin, avec une tendre subtilité montrant qu'avec elle tout au moins, il n'a pas tout à fait coupé les ponts avec ce grand monde dont il est issu. *J'ai tant souffert et si peu de critiques l'ont compris*, confiera-t-elle, après la mort de son fils à Maurice Joyant. Mais, dans d'autres domaines, il demeure grand seigneur, et pas seulement avec Aristide Bruant qui l'appelait *Monsieur le comte* :

Ce qui m'a le plus frappé chez lui, c'est sa magnifique intelligence toujours en éveil, a dit son confrère Henri Rachou ; sa bonté était extrême pour ceux qui l'aimaient et sa connaissance parfaite des hommes... Il était extrêmement psychologue et ne se livrait qu'à ceux dont il avait éprouvé l'amitié. D'une éducation parfaite quand il le voulait, il dévoilait un sens exact de la mesure en s'adaptant à tous les milieux.

Mais bientôt épuisé par ses bamboches nocturnes, et plus encore par sa consommation effrénée d'alcool, Toulouse-Lautrec est victime, non seulement de plusieurs attaques, qui l'affaiblissent considérablement, mais encore de crises de *delirium tremens* lui faisant voir, la nuit, de menaçantes araignées venues le dévorer vivant contre lesquelles, dans un état d'hallucination, il tire des coups de revolver, réveillant ainsi tout l'immeuble. En 1898, il est interné plus d'un mois dans la clinique du docteur Semelaigne, où on le met à l'eau. Il en sort et reprend quelque force, mais ne tarde pas à retomber dans ses excès, ce qui conduit sa mère à lui donner pour chaperon, afin de le surveiller, une sorte de gardien. Mais celui-ci ne tient pas l'alcool et s'effondre rapidement. Nouvelle crise, en 1899, et nouveau séjour à la clinique Madrid, à Neuilly, où on le soigne, mais sans pouvoir empêcher la propagation, dans Paris, de la nouvelle que le peintre est devenu fou. Il en sort pourtant et recommence même à peindre, des chevaux surtout, tournant sur des pistes de cirques dont les gradins sont vides, à l'image de ses interrogations, sans doute sur ses angoisses existentielles. Le 15 août 1901, près d'Arcachon, où il passe l'été, il est terrassé par une crise d'apoplexie, ce qu'on appellerait aujourd'hui un AVC. On le ramène aussitôt chez sa mère, au château de Malromé, qui le veille jour et nuit et à qui il confie : *Maman, savez-vous, c'est bougrement dur de mourir.* Arrive enfin son père, prévenu à temps, ce grand chasseur auquel son fils lance : *Je savais bien, papa, que vous ne manqueriez pas l'hallali.* Plus prosaïquement, voyant quelques minutes après que celui-ci entreprend de faire la chasse aux mouches qui s'insinuent sur son lit, il dit à son cousin en le montrant du doigt : *Regarde ce vieux con*. Le 9 septembre de cette deuxième année du nouveau siècle, Henri de Toulouse-Lautrec s'éteint, à l'âge de 37 ans. Le lendemain, il est enterré au cimetière de Verdelais, tout proche, un coin de province un peu perdu pour celui qui fut une des grandes figures de Paris, qu'on eût dû, plus logiquement, inhumer au cimetière Montmartre, au cœur de sa véritable patrie, celle de la bohème. L'annonce de sa fin, dans la presse, fait sensation dans la capitale, et déjà la cote de ses tableaux grimpe en flèche. Un siècle et demi plus tard, les œuvres de cet aristocrate rebelle se vendent à prix d'or, tout en symbolisant sans doute l'image d'un Paris faisant rêver le monde.

# Winston Churchill

## (1874-1965)

# Le bouledogue du monde libre

L'histoire me sera indulgente, car j'ai l'intention de l'écrire.
**Winston Churchill**

L e jeune Winston Churchill, avec son allure de bouledogue et ses mâchoires de chien méchant, semblait prédestiné pour figurer sur la longue liste des aristocrates rebelles. Combien de fois dans l'histoire de l'Europe ou du monde a-t-on vu les cadets de famille se jeter dans des aventures dangereuses avec cette rage qui leur est propre dans le désir de surpasser les défis de leurs aînés et de pulvériser leurs performances. Ainsi est *l'école des cadets*, où ces perpétuels seconds qui à force de ruse, d'énergie, d'intelligence et de ténacité s'attaquent à la place des aînés. À l'université de la vie, la matière où ils excellent, c'est l'art de la colère. Il suffit d'écouter parler Winston quand il clame avec un bonheur insolent : *Parfois ce sont les fous qui ont raison*. Il suffit de le suivre dans sa marche d'homme pressé : *Quand tu te retrouves en enfer, marche plus vite*. C'est dans l'accumulation de ces différences qu'un aristocrate rebelle trouve sa nouvelle noblesse : *Attitude, une petite chose qui fait une grande différence.* Winston Churchill connaît le code secret dans tous les temps, il sait qu'il vient d'un passé consacré et il sent que c'est dans un présent ultraviolent qu'il saura se distinguer : *Quand on oublie son passé on se condamne à le revivre.*

Au château de Blenheim, à Woodstock, près d'Oxford, dans la nuit du 30 novembre 1874, la fête bat son plein. Les salons de l'immense demeure, construite plus d'un siècle plus tôt, par John Vanbrugh pour l'illustre général John Churchill, premier duc de Malborough, et dont personne ne sait exactement combien de pièces elle renferme, sont remplis des invités du descendant direct du général qui, à l'instar des membres de la haute aristocratie britannique, aime à recevoir chez lui. Entre les portraits de famille, les scènes de bataille, les porcelaines chinoises ou japonaises ornant les murs ou les consoles de bois doré, sous la lumière des lustres de cristal de roche, les couples valsent au son de l'orchestre, tandis que d'impeccables valets en livrée, le plateau à la main, servent champagne, brandy et petits-fours aux amateurs. Malgré la saison, et le large décolleté des dames, on commence à étouffer et il faut ouvrir les fenêtres pour pouvoir respirer. C'est une fête comme il y en a tant, en Grande-Bretagne, avec son lot de lords en habit noir, d'officiers de l'armée des Indes aux uniformes surchargés de décorations, de *clergymen* aux manières onctueuses, de vieilles ladies arborant leur face à main pour contempler le spectacle et de jeunes et jolies femmes, dont certaines entrent dans le monde pour la première fois, avec l'espoir d'y trouver, selon les cas, un mari ou un amant.

L'une d'elles, qui n'a cessé de danser, toute la soirée, attire sur elle tous les regards, par sa beauté brune, certes, son élégance, aussi, mais surtout par cette sorte de décontraction et de charme qu'on ne trouve pas dans la vieille Angleterre où les mœurs sont plus compassés. Et pour cause, elle est américaine ! Jennie Jerome, en effet, née à Brooklyn, vingt ans plus tôt, est l'épouse de sir Randolph Churchill, troisième fils du septième duc de Malborough, le maître de la demeure. Soudain, la voilà qui s'évanouit. Vite, on fait cercle autour d'elle et on la réanime avec des sels. Mais, lorsqu'on s'aperçoit qu'elle est en train de perdre les eaux, on réalise enfin que l'imprudente danseuse est en à son huitième mois de grossesse ! Il faut la raccompagner à sa chambre de toute urgence. Mais la galerie de Blenheim, qu'il lui faut emprunter est si longue, si interminable que la jeune femme ne peut bientôt plus avancer. Que faire ? Une solution se présente : ouvrir le placard à balais que dissimule une porte dérobée. Aussitôt dit, aussitôt fait. Lady Randolph est à peine couchée que naît, vers deux heures du matin, un gros garçon en parfaite santé. Ainsi vient au monde dans le lieu le plus insolite qu'un écrivain n'eût jamais trouvé – un placard d'office dans un des plus vastes châteaux de l'Empire britannique – un aristocrate rebelle qui, justement, soixante ans plus tard, allait débarrasser l'Europe du pire fléau de sa longue histoire !

Trois éléments pour camper le début de l'histoire de Winston Leonard Spencer Churchill : une famille de la haute aristocratie anglaise marquée par un héros qui donna bien du fil à retordre aux soldats de Louis XIV, ce duc de Malborough dont les Français ont fait le *Malbrough s'en va-t-en guerre* d'une célèbre chanson. Un père cadet sans fortune, mais brillant politicien, successivement député de Woodstock, ministre des Indes puis chancelier de l'Échiquier (c'est-à-dire ministre des Finances) avant de disparaître prématurément à 45 ans. Une mère, enfin, fille d'un millionnaire américain d'origine française – et comme telle ardente francophile, ce qu'elle transmettra à son fils – lancée dans le Londres de la Belle Époque, où elle multiplie les liaisons, en particulier avec le prince de Galles, futur Edouard VII. Et tout se passe bientôt comme dans la trame d'un feuilleton britannique : une nourrice, Elizabeth Everest, qui, jusqu'à son dernier jour va être sa meilleure amie, une petite enfance à Dublin, auprès de son grand-père nommé vice-roi d'Irlande, une enfance à Londres, dans la maison familiale de Saint James Place, l'école, où il ne fait pas merveille, et puis la prestigieuse Saint George's Scholl d'Ascot où, pratiquement abandonné par ses parents, il fortifie son caractère au contact de la rude discipline britannique, mais sans guère s'intéresser aux études.

Ses résultats scolaires, cependant, sont plus que médiocres, ce que ne fait que renforcer son défaut d'élocution (une sorte de bégaiement assorti d'un bafouillement chronique). Son père est persuadé que son fils est un idiot qui n'a aucune chance de lui succéder dans la vie politique et décide d'en faire un militaire. À cet effet, on lui fait préparer le concours de l'académie de Standhurst, le Saint-Cyr anglais. Après deux échecs, il finit par y être admis – 92e sur

102 ! – et en sort sous-lieutenant le 2 février 1895. Direction Cuba, où il subit le baptême du feu, puis les Indes, où il parachève son expérience du monde, et enfin le Soudan et ses multiples conflits où, pour agrémenter ses fins de mois, car il a des goûts de luxe, il se fait correspondant de guerre pour les journaux britanniques. Malgré son courage, sa belle conduite au feu et ses talents – il demeurera, sa vie durant un tireur d'élite – il réalise qu'il n'a aucun goût pour l'état militaire et préfère la vie politique, comme il l'explique lui-même avec son humour inhérent à sa personnalité : *La politique est presque aussi excitante que la guerre, et tout aussi dangereuse, car, à la guerre vous pouvez être tué une fois seulement, en politique plusieurs !*

Très marqué par la mort de son père, auquel il ne pourra jamais prouver sa valeur, ce qui, pour lui, va constituer le drame de sa personnalité profonde, il démissionne le 3 mai 1899 pour se présenter, sans succès, au Parlement. Reprenant son état de correspondant sur le front, il se distingue, ensuite, en Afrique du Sud, pendant la guerre des Boers, se voit capturé et envoyé en camp à Prétoria, s'évade, devient un héros national, le rebelle, justement, qui refuse de se soumettre à son sort. De retour en Angleterre, il se présente à nouveau aux élections et est magistralement élu député d'Oldham en 1900. L'armée, parallèlement, l'élève au grade de major du prestigieux corps des hussards. Entre deux permissions, il rencontre, chez son oncle Malborough, Clementine Hozier, sous le charme duquel il tombe et demande aussitôt sa main, une fois dissipé le malaise causé par le fait qu'il avait raté leur premier rendez-vous ne s'étant pas réveillé à temps. *C'est à Blenheim que j'ai pris les deux décisions les plus importantes de ma vie,* confiera-t-il plus tard, *celle de naître et celle de me marier. Je n'ai regretté aucune des deux.* Le voilà parlementaire accompli et mari heureux d'une femme exceptionnelle qui, jusqu'à la fin va s'occuper de lui, et bientôt père de trois enfants, qui feront de lui, plus tard, un grand-père attentif et chaleureux.

## Un parlementaire anticonformiste

Alors que le nouveau siècle commence, le jeune Winston Churchill fait donc son entrée à la Chambre des communes, et, apprenant vite, devient rapidement un parlementaire chevronné, connu pour ses traits d'humour qui vont jalonner l'ensemble de sa vie politique, à commencer par le plus connu : *La démocratie est le pire des régimes à l'exclusion de tous les autres.* Membre du parti libéral, il ferraille alors contre le gouvernement travailliste et, désirant mettre ses pas dans celui de son père, lui consacre une éloquente biographie publiée en 1905. Par goût comme par talent, il va demeurer, tout au long de sa carrière, soit en tant que journaliste soit en tant qu'essayiste, un écrivain talentueux, ce que montrera, plus tard encore, une autre de ses biographies, celle de son ancêtre – et modèle ! – le premier duc de Malborough. Sa plume, souvent étincelante, lui permettra non seulement d'asseoir sa notoriété, mais encore d'augmenter ses revenus, car, bien qu'issu d'une grande famille aristocratique, il n'a hérité d'aucune fortune et, possédant des goûts de luxe tout en étant chargé de famille, a de gros besoins financiers. Le gouvernement ayant entre-temps été renversé, il entre dans le nouveau, dirigé par Campbell-Bannerman, en qualité de sous-secrétaire d'État aux Colonies, puis dans le suivant, dirigé par Asquith, d'abord comme ministre du Commerce, ensuite comme ministre de l'Intérieur et enfin comme premier lord de l'Amirauté, c'est-à-dire ministre de la Marine, poste essentiel dans une thalassocratie comme la Grande-Bretagne. Là, il joue un rôle particulièrement important dans le progressif passage de la propulsion au charbon à celle au fioul, ce qui améliore les performances de la Royal Navy, et accélère la construction des cuirassiers. Il prépare ainsi cette Grande Guerre que, contrairement aux autres ministres anglais, il appelle de ses vœux, pour en finir avec les provocations allemandes. Mais les bâtiments britanniques ne se comportant pas comme il l'avait prévu, il doit faire face à une impopularité que renforce, en 1917, l'ouverture du front des Dardanelles, qui s'achève en hécatombe dont il porte la responsabilité, ce qui le conduit à démissionner en 1915 pour redevenir simple député puis, combattant sur le front de France en tant que colonel, commandant le 6e bataillon du Royal Scots Fusiliers. Un an plus tard, il est repêché et intègre à nouveau le gouvernement Llyod George, d'abord comme ministre de l'Armement puis comme ministre de la Guerre et enfin comme secrétaire d'État aux Colonies, ce qui lui donne l'occasion de soutenir le colonel Lawrence – le futur *Lawrence d'Arabie* – dans sa politique arabe. Mais, critiqué par une droite qui le trouve trop mou et par une gauche qui le trouve trop dur, et en fait même l'épouvantail de la vie politique britannique, il finit, dans l'entre-deux-guerres, par intégrer le parti conservateur, qu'il a pourtant attaqué longtemps. Ceci lui permet de devenir chancelier de l'Échiquier en 1925. Empirique, Churchill n'a, en fait, jamais été un homme de parti, ce qui fait de lui un parlementaire anticonformiste qui privilégie davantage sa propre personnalité que la doctrine de l'*establishment*. De même, c'est un ministre atypique qui, là encore, joue souvent en solo. Il prend en effet des positions très conservatrices sur l'Inde, dont il appréhende mal l'évolution, considérant entre autres Gandhi comme un dangereux activiste. De surcroît, à l'instar du front oriental, pendant la Grande Guerre, il commet une nouvelle erreur, le retour à l'étalon-or, qui pénalise l'industrie britannique. En 1929, confronté au chômage et aux grèves, qu'il ne peut endiguer, le gouvernement conservateur perd les élections. Il en profite pour prendre du recul, commence la rédaction des volumes de son essai, *The World Crisis*, part aux États-Unis donner une série de conférences et ne manque pas de voyager dans cette France qu'il adore, dont il envie, outre la gastronomie, la joie de vivre, malgré les nuages s'accumulant à l'horizon

Mais, en dépit de son évidente notoriété, c'est pour lui la traversée du désert, comme il le reconnaît lui-même : *Me voici, après trente années à la Chambre des communes, après avoir détenu plusieurs des plus hautes fonctions de l'État, congédié, écarté, abandonné, rejeté et détesté.* Pour les observateurs politiques, il est désormais considéré comme un homme fini, un has-been, sur lequel nul ne parierait un penny, un politicien tout juste bon pour écrire ses souvenirs dans les journaux, à raconter à son club, le soir, un whisky à la main et un cigare à la bouche, un de ces aphorismes dont il a le secret : *Le vice inhérent au capitalisme consiste en une répartition inégale des richesses. La vertu inhérente au socialisme consiste en une égale répartition de la misère … En Angleterre, tout est permis, sauf ce qui est interdit. En Allemagne tout est interdit, sauf ce qui est permis. En France tout est permis, même ce qui est interdit. En URSS tout est interdit, même ce qui est permis … Un pessimiste voit la difficulté dans chaque opportunité, un optimisme voit l'opportunité dans chaque difficulté … Christophe Colomb fut le premier socialiste : il ne savait pas où il allait, il ignorait où il se trouvait et il faisait tout ça aux frais du contribuable … J'ai retiré plus de choses de l'alcool que l'alcool m'en a retiré.*

Est-il ensuite, le week-end, condamné à satisfaire à la passion de sa vie, la peinture – il est tout de même l'auteur de quelque 500 toiles ! – assis devant un chevalet dans le jardin de sa belle propriété de Chartwell, dans le comté de Kent, qu'il s'est offert avec ses droits d'auteur ? a-t-il encore un avenir ?, se demande-t-il à l'heure où, une fois de plus, la vieille Europe glisse vers la guerre. Pourtant, fondamentalement antimarxiste, il estime que seuls les grands hommes peuvent faire l'histoire, qui ne saurait se résumer à un ensemble de statistiques et de raisonnements à froid. Confusément, il sent que lui-même peut en devenir un, même si, malgré la diversité des ministères qu'il a dirigés, il peine à le prouver. Ne sait-il pas, en pur produit de l'éducation, de la culture et de la tradition britanniques, que c'est dans l'épreuve qu'on est grand ? En attendant, c'est toujours en rebelle de l'*establishment* politique qu'il s'inscrit dans les dernières années de l'entre-deux-guerres, puisque, d'abord, contre l'avis de ses pairs, il soutient le roi Edouard VIII dans sa volonté d'épouser la femme qu'il aime, ensuite il s'oppose aux pacifistes satisfaits d'avoir vu Chamberlain, en 1938, conclure un accord avec Hitler et Mussolini. D'où sa célèbre apostrophe montrant que, *a posteriori*, il allait avoir raison contre tous : *Vous aviez le choix entre la guerre et le déshonneur. Vous aurez la guerre et le déshonneur.* Cette fois, ses prises de position le mettent enfin en évidence. Dès le commencement de la Seconde Guerre mondiale, au mois de septembre 1939, Winston réintègre le gouvernement au poste de premier lord l'Amirauté, qu'il avait déjà assuré lors de la première. L'histoire, se dit-il, est un éternel recommencement. Mais, au printemps de l'année 1940, un singulier concours de circonstances politiques aboutit au départ du Premier ministre Neuville Chamberlain et son remplacement par... Churchill qui à soixante-cinq ans, commence enfin, à la surprise générale, une nouvelle vie.

## Les épreuves et la gloire

Tout commence par un fameux discours, à l'heure où la situation est catastrophique, puisqu'une grande partie de l'Europe est occupée par le III<sup>e</sup> Reich, y compris la France, alliée de la Grande-Bretagne depuis un demi-siècle : *Je n'ai rien à offrir que du sang, de la peine, des larmes et de la sueur. Vous me demandez quelle sera ma politique ? Je vous dirais : c'est faire la guerre, sur mer, sur terre et dans les airs, de toute notre puissance et de toutes les forces que Dieu pourra nous donner,* avant d'ajouter, plus tard : *Nous combattrons sur les plages, nous combattrons dans les champs et dans les rues, nous combattrons dans les collines et jamais nous ne nous rendrons.* D'emblée, le discours churchillien, qui rappelle celui président du Conseil Georges Clemenceau en 1917, sonne juste, car non seulement il renforce l'énergie des Britanniques, mais encore les soude derrière lui, dans le plus profond respect, il va sans dire, des institutions représentatives d'une grande démocratie parlementaire, et avec la complicité de la famille royale, la reine en particulier, qui décide de demeurer à Londres, malgré le bombardement incessant de la ville, et de faire front avec tous ses sujets. Chacun se souvient du mot d'Hitler considérant cette dernière comme son *pire ennemi*, Churchill mis à part, il va sans dire ! En fait, le Premier ministre britannique aurait pu se désintéresser du sort de ses voisins et signer un armistice avec l'Allemagne, comme l'URSS l'a fait, ce qui est le vœu d'Hitler. Mais il ne considère pas cette guerre comme un simple conflit. Selon lui, il s'agit bien, dans l'application d'une conception métaphysique de la situation générale, de la lutte du bien contre le mal, mission d'essence divine que le Ciel lui a confiée, même si celle-ci, il va la mener d'une manière pragmatique, en s'alliant à Staline contre Hitler, puisqu'il considère – tous ses pairs ne pensaient pas comme lui ! – qu'il y a une graduation dans l'évaluation du mal.

Commencent alors quatre années d'épopée, dans lesquelles le Premier ministre britannique, toujours grassouillet dans les uniformes les plus fantaisistes, les plus improbables couvre-chefs sur la tête et, bien sûr, son éternel cigare vissé aux lèvres et ses les deux doigts de sa main droite figurant le V de la victoire le font entrer dans ce qu'on n'appelle pas encore les médias mais qui en tiennent lieu, popularisant son magnifique sourire, devenu la sympathique antithèse de inquiétant et tragique rival, le dictateur allemand, sur lequel il ironise en disant : *Je n'ai jamais détesté personne, sauf peut-être Hitler, et encore, c'est professionnel !* Le cigare, pratiquement en permanence aux lèvres, est peut-être l'élément le plus marquant de l'existence de ce bon vivant, grand amateur de bonne chère, de whiskies et de vins fins, qui aime répondre à ceux qui lui demandent comment il tient le coup : *No sport, never sport !* Ne dit-on pas que l'expression du plus célèbre de ses portraits photographiques, avec ce singulier regard d'enfant contrarié, a été saisi parce que, au dernier moment, le photographe lui a arraché son cigare ? Reste que, dans le privé, le héros se comporte en véritable tyran domestique, usant par ses lubies ou ses caprices ses secrétaires et ses domestiques, justifiant l'adage affirmant qu'*il n'y a pas de grand homme pour son valet de chambre.*

Malgré une santé précaire – deux infarctus et une pneumonie ! – Churchill, voyageant d'ouest en est et du nord au sud, pour discuter avec Roosevelt et avec Staline, supervisant jour et nuit les opérations dans son QG, à Londres, encourageant l'armement massif ou rendant compte de son action devant les députés, manifeste une extraordinaire énergie pour son âge. La guerre, en effet, est totale, dans les airs, et plus particulièrement, au-dessus de Londres, sans cesse bombardée pendant des mois, comme dans le désert libyen, mais aussi sur et sous les mers, dans l'aide portée aux résistances intérieures, en accueillant en Grande-Bretagne, leurs chefs, en Europe comme à l'autre bout du monde, dans les colonies, dans les transmissions, dans les communications. La tâche est immense et l'attention de tous les instants, avec ces fronts depuis entrés dans la légende de l'histoire de l'humanité, la bataille d'Angleterre et la bataille de l'Atlantique. Voulant tout connaître, à défaut de pouvoir tout décider, Churchill ne dort plus que quelques heures par nuit pour tenter de tout contrôler et s'attire un jour cette remarque du chef de l'état-major Alan Brooke : *Vous ressemblez à quelqu'un qui veut coller le doigt dans le gâteau avant qu'il ne soit cuit !* Ou cet autre de Roosevelt lui-même : *Winston a cent idées par jour dont trois ou quatre sont bonnes.* Lucide sur lui-même, ne réplique-t-il pas d'un nouveau bon mot : *Je suis toujours prêt à apprendre, bien que je n'aime pas qu'on me donne des leçons ?* Toujours *so british*, le Premier ministre britannique, qui incarne désormais la civilisation humaniste en lutte contre la barbarie déshumanisée, ne manque jamais de manier cet humour subtil qu'il cultive depuis toujours, tel ce jour où, sortant de sa douche, il entre dans sa chambre entièrement nu et, s'aperçoit qu'on y avait fait installer, sans le prévenir, l'ambassadeur des États-Unis. Tout en gardant son flegme, il attrape un peignoir et lui lance : *Vous pourrez dire au président Roosevelt que l'Angleterre n'a rien à cacher !*

Poussant les raids aériens sur les principales grandes villes d'Allemagne, qui finissent par être détruites et de ce fait contribuant avec une redoutable efficacité au découragement de sa population, préparant activement, en grand stratège qu'il est devenu, les débarquements de Sicile puis de Normandie, il occupe enfin, pendant et après la guerre, le devant de la scène diplomatique, puisque c'est lui qui, avec Roosevelt et Staline, dans les grandes conférences du Caire, de Téhéran, de Casablanca, de Posdam et de Yalta, partage le monde pour le demi-siècle qui va venir. Une ultime image, parmi tant d'autres, illustre l'extraordinaire popularité qu'il suscite désormais chez ses compatriotes : l'honneur jamais accordé jusque-là à un non-membre de la famille royale, fût-il issu de l'aristocratie, d'être ovationné par la foule au milieu du roi, de la reine et de leurs filles, au balcon de Buckingham Palace, ce jour où le politicien haï et méprisé des années 1930, devenu le seigneur de la guerre puis le père de la nation britannique, l'image même de la civilisation dressée contre la barbarie.

De ce jour, il y a deux Churchill. Le premier est le héros de la Seconde Guerre mondiale, *le vieux lion* omniprésent sur les images de la Libération, celui que symbolise sa statue de bronze, le représentant debout, sur son piédestal, devant l'abbaye de Westminster, un Churchill, cependant, qui, à la surprise générale, perd les élections de juillet 1945 et remet sa démission au roi George VI. Pour peu de temps, cependant, puisque, six ans plus tard, en 1951, les élections le ramènent au 10 Downing Street, d'où il va bientôt guider les premiers pas d'une très jeune souveraine, après la mort de Georges VI, Elizabeth II, dont il fut le premier Prime Minister d'une longue, très longue série. Le second est le vieil homme, enfin retraité, victime en 1953, d'un AVC le laissant assez diminué, bien que cette même année, il soit, d'une part, titulaire du prix Nobel de littérature et, d'autre part, décoré, par la reine, du plus prestigieux des ordres britanniques, celui de la Jarretière. Ceci le conduit, en 1955 à cesser son troisième mandat de Premier ministre et à vivre, désormais, le plus souvent sur la Côte d'Azur, où il aime venir planter son chevalet, et profiter de la gastronomie française, qu'il prise particulièrement, quand il ne séjourne pas sur le yacht d'Aristote Onanis, le milliardaire grec, à l'Eden-Roc ou dans la propriété de sa cousine Consuelo Vanderbilt, née Spencer. Ce second Churchill, peut-être plus intime et comme tel plus touchant, achève sa vie qui, le 24 janvier 1965 succombe dans son domicile londonien à un nouvel AVC, ce qui provoque une immense émotion sur la planète. De somptueuses funérailles nationales, auxquelles assistent les chefs d'État et de gouvernement du monde entier mettent un point final à l'itinéraire de cet aristocrate rebelle, dont le corps, bouclant son histoire, prend ensuite le chemin de Blenheim, où il est inhumé, laissant cet énième principe: *On vit de ce que l'on obtient. On construit sa vie.*

# Antoine de Saint-Exupéry

## (1900-1944)

# L'aventurier des cieux

Je veux vite devenir autre chose que moi. Je ne m'intéresse plus. Mes dents, mon foie, le reste, tout ça est vermoulu et n'a aucun intérêt en soi. Je veux être autre chose que ça quand il faudra mourir. **Antoine de Saint-Exupéry**

Au-dessus de l'Atlantique sud, en cette nuit de l'été 1930, un Latéocère trace sa route dans le vrombissement de ses moteurs. Coincé dans le cockpit, un homme, jeune encore, aux traits plutôt ingrats mais au sourire séducteur lorsque, à terre, il croise une jolie femme, semble plongé dans une méditation intérieure, comme il est d'usage lorsqu'on est seul, si haut, au-dessus de l'immensité de l'océan, entre deux continents. Piloter, chacun le sait, demande une concentration soutenue, et ce d'autant que, à cette époque, les conditions sont extrêmement difficiles, puisqu'on ne peut ni bouger ni satisfaire un besoin naturel pendant de longues heures. Il ne reste plus à ceux qui relèvent ce défi qu'à méditer ou rêver, en admirant la splendeur des couchers ou des levers de soleil, selon l'heure où on se trouve. Mais, après tout, n'est-ce pas ce que ce pilote a voulu tout jeune encore, lorsqu'il composa ce poème manifestant sa passion des avions et son désir de s'élever au-dessus des autres hommes, sachant, comme l'a si bien dit Aragon, qu'il est plus beau de *voler avec les aigles que de picorer avec les poules* :

Les ailes frémissantes et le souffle du soir
Le moteur de son chant berçait l'âme endormie
Le soleil nous frôlait de sa couleur pâle ?

Où du reste mieux penser qu'ici, dans cette totale liberté d'esprit ? Alors qu'il tente de ne pas céder au sommeil ce qui serait la pire chose qui puisse lui arriver celui qui, tout à la fois, réussit l'exploit d'être un homme d'action et un intellectuel, laisse, comme à son habitude, son imagination vagabonder à travers les nuages, interprétant les formes que ceux-ci prennent. C'est alors que l'un d'eux lui inspire cette minuscule planète sur laquelle pourrait vivre un enfant, qui lui ressemble, sinon comme un fils, du moins comme un frère, un enfant blond, vêtu d'un costume blanc, avec une cape et qui pourrait être un prince, un petit prince, le double de ce qu'il fut enfant, avec ses frères et ses cousins, naguère, quand il jouait, là-bas, aux abords du château familial. Oui, un petit prince, avec – pourquoi pas ? – un renard, un allumeur de réverbère et tant de questions à poser qui n'auront jamais de réponse, mais c'est sans importance, puisque dans cette longue nuit, c'est avec lui qu'il échange. Ou mieux avec elle, puisque ce texte qu'il médite dans sa tête, est aussi une lettre d'amour à la femme de sa vie, Consuelo, que symbolise la rose du Petit Prince, qu'il ne faut pas couper. Ainsi est conçu ce qui va devenir l'un des livres les plus emblématiques du xxᵉ siècle, dont le succès, depuis sa publication, d'abord en version anglaise, à New York, en 1943, ensuite en version française, à Paris, en 1946, deux ans après la mort de son auteur, n'a jamais été démenti, ce que montre sa traduction, aujourd'hui, en… cinquante langues. Pilote et écrivain ou écrivain et pilote ? Toute sa vie, Antoine de Saint-Exupéry s'est posé cette lancinante question à laquelle il n'a jamais trouvé de réponse, de même qu'il ne pourra pas davantage analyser cette étrange relation entre son inspiration littéraire et ses avions successifs, les paysages qu'il survola et les êtres qu'il rencontra, lui qui savait d'instinct, comme il écrivit lui-même que toute *différence enrichit* ? C'est pourquoi, en revenant du ciel, comme un oiseau, un extraterrestre ou un ange, l'aristocrate rebelle devint un humaniste, c'est-à-dire celui qui sait parler aux hommes de leur humanité, sans fard, sans mensonge, sans trahison, celui qui fait dire à l'un de ses personnages : *Il existe peut-être quelque chose d'autre à sauver, et de plus durable ; peut-être est-ce à sauver cette part de l'homme.*

## Le courage et le rêve

Antoine Jean Baptiste Marie Roger de Saint-Exupéry, né le 29 juin 1900 à Lyon, rue du Peyrat, au foyer du vicomte Martin de Saint-Exupéry et de la vicomtesse, née Andrée de Fonscolombe, aurait pu passer une enfance heureuse, entre le domicile familial de la capitale des Gaules et le château de

Saint-Maurice-de-Rémens, dans l'Ain, si, quatre ans plus tard, son père n'avait pas succombé, sa quarantaine à peine dépassée, à une commotion cérébrale. Pourtant, il n'allait jamais parvenir à quitter son enfance, comme il le confia lui-même, persuadé que seuls les rêves d'enfant constituent l'essentiel d'une vie, parce que les enfants, contrairement aux adultes, comprennent mieux la vie en raison de leur innocence. Avec courage et détermination, sa mère éleva seule ses quatre orphelins en inculquant les valeurs aristocratiques de sa famille, originaire de Provence, qui avait donné une maîtresse à François I$^{er}$ et un supérieur général des Trappistes. Élève dissipé, plus intéressé par les activités artistiques que les études et s'ennuyant ferme au collège où il était pensionnaire chez les jésuites, le futur comte de Saint-Exupéry, en tant qu'aîné, effectua une scolarité des plus médiocres que conclut cependant l'obtention, en 1917, du baccalauréat, avant d'échouer piteusement au concours d'entrée de l'École navale, que sa mère avait rêvée pour lui bien que, peintre de talent, elle n'était pas rebutée par les activités artistiques. Rebelle aux conventions de son milieu, le jeune homme songeait à faire les Beaux-Arts à Paris et se fondre ainsi dans la bohème de la capitale pour laquelle il se sentait fait, à moins qu'il ne devînt un grand poète, comme il caressait ce rêve en secret, lui qui, déjà, à dix ans, réveillait en pleine nuit son frère et ses sœurs pour leur lire ses premiers textes.

Comme beaucoup, il cherchait sa voie, et la trouva un peu par hasard, lorsque, au printemps 1921, devant effectuer son service militaire, il fut affecté, en tant que mécanicien, au 2$^e$ régiment d'aviation de Strasbourg. Ce fut une révélation. À ses propres frais, il prit alors des cours de pilotage et, malgré sa distraction proverbiale chez ses camarades, qui le surnommèrent *Pique la Lune*, en raison de la fantaisie qu'il manifestait avec le manche à balai, manquant par là de chuter, il finit par devenir un pilote honorable qui, l'année suivante, intégra l'armée de l'air en qualité de sous-lieutenant au 37e régiment d'aviation basé à Casablanca, où il obtint son brevet. Il fut ensuite affecté au Bourget, près de Paris, où il connut son premier accident, ce qui occasionna une fracture du crâne et entraîna sa démobilisation. Il entra alors dans le bureau commercial d'une société parisienne comme contrôleur de fabrication, et même, un temps, devint représentant pour une marque de… camions, sans parvenir, toutefois, à en vendre un seul! À cette époque il fréquentait une charmante jeune femme, dont il s'éprit tant qu'il la demanda en mariage. Elle se nommait Louise de Vilmorin et allait connaître, beaucoup plus tard, une certaine notoriété, non pas parce qu'elle était issue d'une famille francilienne connue dans l'histoire de l'art des jardins, mais parce que, après avoir brisé plusieurs cœurs comme celui de l'Aga Khan et d'Orson Welles et vécu deux mariages suivis par deux divorces, elle devint, au soir de sa vie, une talentueuse romancière et la dernière compagne d'un autre grand homme, l'écrivain et homme politique André Malraux. En fait, si le jeune pilote de vingt-trois ans éprouva pour elle une grande passion, elle ne lui répondit que par une charmante désinvolture.

Qu'allait faire désormais celui qui se définissait ainsi :

Je mène une vie terriblement solitaire, toujours sur la grande route. Je ressemble pas mal au Juif errant ; je ne couche pas deux jours dans la même ville. J'en connais des chambres meublées. Il ne se passe rien dans ma vie. Je me lève, je roule en auto, je déjeune, je dîne. Je ne pense à rien, c'est triste.

Voler lui était devenu aussi nécessaire que l'air qu'il respirait, mais sa future belle-famille ne voulait pas entendre parler d'une profession aussi risquée. Alors, il pesa le pour et le contre et rompit ses fiançailles pour intégrer, en 1926, la compagnie Latécoère qui l'embaucha, d'abord pour transporter le courrier entre Paris et Toulouse, puis à destination du Sénégal, et enfin à destination de l'Amérique du Sud. En ce midi du XX$^e$ siècle, et plus particulièrement depuis la Grande Guerre qui les avait révélés, les chevaliers des temps modernes n'avaient plus besoin de destriers, ils pilotaient des avions entre les continents ; c'était la manière moderne de se transcender, et, de ce fait, tout à la fois refuser le conformisme d'une famille aristocratique et d'en porter les valeurs au plus haut niveau, à commencer par celle du courage, puisqu'il fallait parfois réparer son appareil au-dessus des eaux ou des montagnes, ce qui constituait souvent une question de vie ou de mort. Celui qui allait devenir *Saint-Ex* ouvrit ainsi, avec ses camarades, la grande histoire de l'Aérospostale qui, après celle des explorateurs du XIX$^e$ siècle, commença une nouvelle aventure, la conquête des airs après celle des territoires. Pour autant, le nouveau héros, qui ne cultivait aucun ego inutile mais bien plutôt l'esprit de camaraderie, se fit adorer du petit personnel des aérodromes et regarder de travers par ceux qui pensaient que ce métier qu'il aimait tant n'était pas pour lui. Ses collègues se nommaient Mermoz et Guillaumet, eux avec lesquels il rivalisait d'audace, de vitesse et de risques. Nommé chef d'escadre en 1929, il trouva aussi l'amour dans ses voyages en la personne d'une belle, brillante et fantasque Argentine, peintre et sculpteur à ses heures, Consuelo Suncín, veuve de l'écrivain guatémaltèque Gómez Carrillo, pour laquelle, lors d'une réception à Buenos Aires, il éprouva un véritable coup de foudre. Ce fut dans son avion, où il lui avait proposé d'effectuer son baptême de l'air, qu'il lui demanda de l'embrasser et, si elle refusait, la menaça de crasher l'appareil. Elle s'exécuta et, le 22 avril 1931, à Nice, ils se marièrent. Ce fut à celle qu'il surnommait alternativement *mon poussin* ou *ma sorcière*, tandis qu'elle l'appelait son *Tonio*, qu'il écrivit ces vers, après une lune de miel idyllique :

Si je suis blessé j'aurai qui me soignera
Si je suis tué j'aurai qui attendre dans l'éternité
Si je reviens j'aurai vers qui revenir.

Désormais, en effet, il a un point fixe dans sa vie lorsqu'il rentre de mission, l'appartement de la place Vauban, à Paris, tout près des Invalides, où règne un valet de chambre qui était un ancien général de l'armée tsariste, même s'il contraint sa jeune épouse, comme toutes les femmes de pilotes, à l'attendre dans l'angoisse de l'accident. Ils se sépareront, pourtant, par la suite, sans cependant divorcer, afin de conserver leur propre liberté, chacun, et même lui permettre à lui de poursuivre quelques fugaces liaisons féminines. À compter de 1932, cependant, la crise économique mondiale n'épargne pas ce qu'on appelle désormais l'*Aéropostale*, absorbée par Air France et le meilleur des pilotes de Latécoère connaît quelques moments de chômage difficiles. S'en attriste-t-il ? Pas le moins du monde ! Cet anticonformiste profite de ses moments de loisir forcés pour se consacrer à sa seconde passion, l'écriture, qui, finalement, lui vient aussi facilement que le pilotage. Devenant journaliste et grand reporter, il file en Indochine, en URSS, en Espagne pendant la guerre civile et publie, outre quantité d'articles, ses premiers livres, *L'Aviateur* en 1926, *Courrier sud* en 1929, *Vol de nuit* en 1931, *Terres des hommes* en 1939, *Pilote de guerre* en 1942, puisque, désormais, l'écriture est, chez lui, consubstantielle au pilotage, même si leur succès n'enrichit pas ce panier percé qui ne peut empêcher la vente, par sa mère, pressée de dettes, du château de son enfance, avec l'ensemble de son mobilier. Il n'en abandonne pas moins l'air, lui qui, l'hiver 1935, tente avec son copilote André Prévot, le raid Paris-Saïgon avec Caudron-Renault, pour battre le record d'André Japy qui l'avait fait en trois jours. Mais les deux hommes se crashent sur le plateau libyque, sortant miraculeusement sains et saufs d'un accident qui eût pu leur être fatal. Saint-Ex connaît un autre crash, au Guatemala, en 1938, dont il se sort à nouveau, bien que fort amoché. *Ce que j'ai fait*, écrit celui que les Bédouins du désert ont baptisé *le grand marabout blanc*, en raison de sa haute taille, *aucune bête ne l'aurait fait*. À travers les épreuves de la solitude, des tempêtes, des trous d'air et des pannes, mais aussi le bonheur de vivre au contact *du vent, des sables et des étoiles*, Saint-Ex a construit sa double légende vol après vol, page après page.

## La chute de l'ange

La Seconde Guerre mondiale, naturellement, le requiert en qualité de capitaine de l'armée de l'air, chargé d'effectuer des vols de reconnaissance au-dessus de l'armée ennemie. Touché le 23 mai 1940, Antoine de Saint-Exupéry parvient à revenir sur la base de Nangis, en Seine-et-Marne, avec ses compagnons sains et saufs, ce qui lui vaut d'être décoré de la croix de guerre avec palme et citation à l'ordre de l'armée. Mais l'armistice le démobilise le 31 juillet suivant. Il quitte alors la France pour les États-Unis, où ses livres, traduits en anglais, sont appréciés, avec la ferme intention de contribuer, par son renom, à convaincre les Américains de s'engager dans le conflit. Là, il séjourne dans un appartement de Central Park où il est le voisin de Maurice Maeterlinck. Il vit ensuite au Canada et, au printemps de l'année 1944, revient sur le vieux continent, via la Tunisie, pour prendre toute sa part à la bataille finale. Mais sa traditionnelle *baraka* semble l'avoir abandonné. Il essuie une série de revers, occasionnés par son âge – il commence à vieillir ! – sa vue qui baisse et sa mauvaise santé, sans compter son embonpoint qui, à présent, le gêne dans un cockpit assez étroit. Bien décidé à montrer à tous qu'il est encore le *Saint-Ex* de sa légende, le 31 juillet, à huit heures du matin, il n'en décolle pas moins de l'aéroport de Poretta, en Corse, à bord de son bimoteur Lightning pour effectuer une mission de reconnaissance au-dessus de la Provence et du Dauphiné, sa terre natale en quelque sorte, comme s'il souhaitait achever une boucle commencée quatre décennies plus tôt. Quelques dizaines de minutes plus tard, son avion disparaît au large de Marseille et s'abîme en mer. Les recherches étant impossibles à mener en temps de guerre, l'auteur du *Petit Prince* est porté *mort pour la France.* Dans sa chambre, on trouvera une lettre adressée à Pierre Dalloz, dans laquelle il avait écrit : *Si je suis descendu, je ne regretterai absolument rien. La termitière future m'épouvante. Et je hais leur vertu de robots. Moi, j'étais fait pour être jardinier.* Jamais mort, peut-être, ne fut aussi bien adaptée à celui qui, à la manière d'une initiation, la vécut ce jour-là, à l'âge de quarante-quatre ans à peine, comme s'il l'avait choisie lui-même, ce que certains suggérèrent, qui parlèrent de suicide déguisé, la manière, en somme, que le Petit Prince choisit pour revenir sur son étoile, après avoir délivré son message essentiel : *En travaillant pour les seuls biens matériels, nous bâtissons nous-mêmes notre prison. Nous nous enfermons nous-mêmes, solitaires, avec notre monnaie de cendre qui ne procure rien qui vaille vivre.*

La nation n'oubliera jamais le plus célèbre de ses pilotes-écrivains, que toute sa jeunesse, pendant deux générations, avait lu avec passion et dont l'édition posthume de ses derniers ouvrages confirmera la renommée littéraire, *Citadelle* en 1948, *Carnets* en 1953, *Lettres à ma mère* en 1955, elle qui consacra à son fils disparu un bouleversant poème intitulé *Le Pèlerin du ciel.* La ville de Lyon donnera son nom à son aéroport, celle de Toulouse lui érigera une statue et la République elle-même mettra son visage sur un billet de banque, le tout sans compter les rues ou les plaques commémoratives (en particulier sur le Panthéon, à Paris) rappelant un peu partout son souvenir, tandis que nombre de ses pages entreront dans les manuels scolaires. On saura plus tard, selon le témoignage d'un officier de la Luftwaffe que son avion avait été abattu par le Focke-Wulf allemand de l'aspirant Robert Heichele. Mais il faudra attendre le 7 septembre 1998 pour qu'un pêcheur marseillais, Jean-Claude Bianco, remonte dans son filet une gourmette en argent oxydée par un long séjour sous-marin portant le nom d'Antoine de Saint-Exupéry. Cette découverte va permettre de délimiter une zone de recherche dans laquelle, effectivement, au mois de septembre 2003, sont retrouvés les débris de l'avion de celui qui avait pris pour devise cet axiome que nul rebelle ne saurait contester : *Être homme, c'est précisément être responsable.*

# Emmanuel d'Astier de La Vigerie

## (1900-1969)

# Le résistant romantique

Se battre, il le faut bien parfois. Mais pour se battre à bon escient, il faut comprendre, il faut aimer. Et j'ajouterai que vouloir se faire aimer entraîne à aimer. C'est tout.
**Emmanuel d'Astier de La Vigerie**

À Cassis, dans les calanques proches de Marseille, le 24 septembre 1942, au crépuscule, alors que la Méditerranée s'assombrit peu à peu au soleil couchant, deux hommes achèvent un frugal dîner, payé par des tickets d'alimentation, dans une petite auberge, près du port où, naguère, avant le temps des épreuves, on se régalait joyeusement de bouillabaisse et de rosé de Provence. Il est bientôt 21 heures lorsqu'un troisième homme les rejoint et leur fait signe de le suivre. Munis, chacun, d'une petite lampe électrique de poche, tous trois, dans le plus grand silence, descendent vers les rochers et, après s'être assuré que personne ne les a repérés, effectuent, en direction de la mer de mystérieux signes lumineux, que seuls ceux qui ont été préalablement initiés à ces échanges peuvent comprendre. Combien d'autres hommes, et aussi de femmes, de la Bretagne au Dauphiné, de la Gascogne à la Picardie, mais aussi de la France à la Yougoslavie, de l'Italie à la Hollande, de l'Angleterre à la Russie, cette même nuit ou d'autres, toutes semblables, se retrouvent, au péril de leur vie, dans des situations semblables, eux qui, dans l'obscurité, s'opposent, à la manière d'une chaîne ininterrompue, à la plus formidable entreprise de destruction qu'est ce III<sup>e</sup> Reich dominant l'Europe depuis deux ans ? Ce n'est pas pour rien qu'on les appelle *l'Armée de l'ombre*, bien qu'ils se battent pour le retour de la lumière sur le Vieux Continent écrasé par la barbarie la plus absolue.

Soudain, au bout d'un moment, *Ben* pousse du coude son compagnon, *Fred*, à moitié endormi, en lui chuchotant à l'oreille : *Les voilà !* Et, effectivement, sur la mer d'encre, apparaît un canot. Mais, avant de monter à bord, il faut donner le mot de passe consistant en une réponse à la question suivante :

C'est toi, crapaud ?
Oui mon petit canaille.
C'est bon, venez.

Tous deux s'exécutent et le canot file silencieusement vers la haute mer, jusqu'au moment où il parvient à un navire de pêche tous feux éteints. Les deux hommes grimpent à bord et sont accueillis par son capitaine polonais, qui leur offre un bon verre revigorant et des cigarettes. Aussitôt, le bâtiment quitte les eaux territoriales françaises, mais, tout en continuant de pêcher, réitère l'opération les nuits suivantes, dans d'autres parties du littoral, jusqu'à récupérer à bord quelque quatre-vingts personnes. Son chargement effectué, le vaisseau prend enfin le large et, au bout de quelques jours, accoste un croiseur britannique, qui prend en charge *Ben* et *Fred* et les conduit à Gibraltar, en territoire britannique. Là, le gouverneur, lord Gort les reçoit à déjeuner, avant de les confier à un pilote de la Royal Air Force qui, à bord d'un hydravion, les conduit à bon port à Bristol, en Angleterre. L'opération *Mulet* vient de réussir parfaitement. Emmanuel d'Astier de La Vigerie (*Ben*) et Henri Frenay (*Fred*) prennent le train qui les conduit à Londres, où le général de Gaulle et son état-major les attendent.

## Un aventurier de grande classe

Moins d'un demi-siècle plus tôt, Emmanuel d'Astier de La Vigerie était né dans les premiers jours du XX<sup>e</sup> siècle, le 6 janvier 1900, à Paris, au sein d'une famille de la noblesse du Vivarais, dont la plupart des membres, depuis la Restauration, avaient servi la France en qualité de polytechniciens, ce qui fut le cas de son père, le baron Raoul d'Astier de La Vigerie, officier d'artillerie. Sa mère, née Jeanne Masson-Bachasson de Montalivet, était la petite-fille de Camille, comte de Montalivet, ministre de l'Intérieur puis de l'Instruction publique de la monarchie de Juillet, et l'arrière-petite-fille de Jean-Pierre de Montalivet, ministre de l'Intérieur de Napoléon I<sup>er</sup>. Dans ce lignage éminemment aristocratique, selon l'adage consacré, on ne travaillait pas, on servait. Et c'est déjà ce que firent bientôt ses deux frères aînés, François, né en 1886, et Henri, né en 1897, en tête de cette famille de huit enfants, trois garçons et cinq filles, dont Emmanuel est le benjamin, fratrie élevée entre l'appartement du VIII<sup>e</sup> arrondissement et le château de Rançay, en Berry, entouré d'une multitude de bois.

Son parcours fut celui d'un Parisien de bonne souche mais sans fortune : études au lycée Condorcet puis à Saint-Jean-de-Béthune, admission à l'École navale, en 1919, après avoir rongé son frein durant cette Grande Guerre à laquelle il n'a pu, contrairement à ses aînés et du fait de son jeune âge, participer. Très vite, cependant, la Marine de guerre engluée dans sa routine ennuya ce déjà rebelle jeune homme, très attiré par l'aventure et les filles ; en 1931, il démissionna de l'armée pour se lancer dans les affaires immobilières, puis dans le journalisme, devenant successivement grand reporter à *Marianne* et à *LU*. Un mariage avec une Américaine, Grace Roosevelt-Temple, qui n'était pas issue de la noblesse et de surcroît son aînée de six ans, bien que tout de même cousine du président américain, acheva cette rébellion, dont il eut parfaitement conscience, en confiant, plus tard, à Francis Crémieux, dans un petit livre d'entretiens :

Je voulais me faire une vie privée. J'étais probablement très individualiste, très poète, très révolté contre mon milieu social, après avoir été révolté contre la religion... J'étais séparé de tout et je n'avais pas l'idée de remplacement.

Mobilisé, en 1939, au Centre maritime de renseignements de Lorient, d'Astier rejoignit, avec la Débâcle, le 5ᵉ bureau replié à Port-Vendrès, dans les Pyrénées-Orientales, avant d'être démobilisé à Marseille, au mois de juillet suivant. N'entendant nullement rentrer chez lui, avec les quelques compagnons qui l'entouraient ce jour-là, il entra immédiatement en résistance et, dès le mois de septembre, fonda, à Cannes, le mouvement, qu'il intitula, non sans humour, *La Dernière Colonne*, qu'il spécialisa dans les actes de sabotage, et ce avec l'aide du commandant d'aviation Édouard Corniglion-Molinier, qui fut bientôt arrêté. Pour sauver son réseau, d'Astier fila alors sur Clermont-Ferrand, où il rejoignit la rédaction du journal *La Montagne* et prit le pseudonyme de *Bernard*. Mais il édita là son propre journal *Libération*, titre qui fut aussi celui du réseau qu'il créa, parallèlement, avec Jean Cavaillès. Il allait bientôt devenir l'un des plus importants personnages de *l'Armée des ombres*, recrutant des patriotes issus pour la plupart des milieux syndicaux et socialistes, conduisant son chef à être en relation avec des hommes comme Léon Jouhaux, Daniel Mayer ou Pierre Ferri-Pisani, annonçant le principe de ses convictions : *Je suis apolitique. Que ce soit un homme de droite, que ce soit un communiste qui marche avec moi, je les aime de la même façon.*

Pour un aristocrate d'aussi noble souche, celui-ci constitua une originalité remarquée. Et ce, d'abord à Londres, par la France libre, avec laquelle le réseau était en relation dès 1942, puisque d'Astier fut le premier chef de réseau à se rallier au général de Gaulle. En France, ensuite, où Raymond Aubrac le définit ainsi :

Emmanuel d'Astier, bien qu'issu d'une famille d'officiers et lui-même ancien de l'École navale, était une sorte d'antithèse de ce qu'on considérait alors comme un militaire. Esprit libre et indépendant, plus esthète que hiérarchique, il n'affichait jamais l'esprit de certitude et de système, et cherchait toujours à convaincre et à séduire plutôt qu'à ordonner.

Cet avis, nul doute que le partagea son épouse Lucie, qui écrivit à son tour : *d'Astier avait un pouvoir de séduction inouï. Il avait d'innombrables moyens d'approche : la culture, la poésie, les voyages, les relations, l'intérêt pour l'interlocuteur. Il usait des uns et des autres avec le même bonheur.* Au mois de mars de l'année 1942, d'Astier participa, au côté de Jean Moulin, à une importante réunion en Avignon. Ce fut le début d'une fructueuse complicité, même si les deux hommes n'étaient pas toujours d'accord, puisque Moulin, préfet légaliste, avait pour but, après la Libération, de renouer avec la IIIᵉ République, tandis que d'Astier, comme Brossolette et nombre d'autres, aspiraient à l'établissement d'un nouveau régime. Encore que ce dernier apprécia peu d'Astier à qui il allait lancer un jour que *la Résistance avait besoin d'esprits aventureux et non… d'aventuriers* ! Ces héros n'avaient pas toujours très bon caractère. Mais devient-on un héros sans caractère ?

Cette fois ici il était enfin au cœur de l'action. Avait-il trouvé sa voie ? Sa voie, en tous cas, l'avait trouvé ! Désormais reconnu par l'ensemble des forces de la Résistance, d'Astier, au mois d'avril suivant, embarque sur le sous-marin *Unbroken* ramenant les membres de la mission Peter-Churchill, pour gagner Londres, où il est à nouveau le premier chef de réseau à rencontrer de Gaulle. D'emblée, le courant passe entre eux et le chef de la France libre, conscient du prestige, dont jouit d'Astier, de sa bonne connaissance de l'anglais et, par son épouse, de sa parenté avec l'hôte de la Maison Blanche, l'envoie en mission à Washington pour négocier auprès de Roosevelt la reconnaissance de la France libre. Ceci accompli, avec les services du gouvernement américain, car il n'a rencontré Roosevelt qu'entre deux portes, il retourne en France, *dans la fournaise*, dit-il, au mois de juillet, à bord d'un chalutier, avec le grade de lieutenant-colonel. Désormais, il effectue des allers-retours réguliers entre la mère patrie et Londres, en tant que commissaire aux affaires politiques de la Résistance, avec toujours, comme il se doit, une capsule de cyanure sur lui en cas d'arrestation. C'est au cours de l'un d'entre eux qu'il écrit le texte de *La Complainte du partisan*, que mettra en musique Anna Marly, et qui connaîtra deux décennies plus tard la célébrité, dès lors que Leonard Cohen, d'abord, Joan Baez, ensuite, interpréteront cette œuvre – qu'il ne faut pas, bien sûr, confondre avec *Le Chant du partisan*, écrit par Joseph Kessel et Maurice Druon, sur une musique de la même compositrice. Ce texte exalte les combattants de l'Armée de l'ombre, dont d'Astier dit si joliment : *C'est un peuple clandestin, un peuple de fantômes. Je suis repris dans la ronde, dans le grand jeu enfantin et mortel.*

Avec autant d'inspiration, le 10 janvier 1943, il publie, dans le numéro 22 de *Libération*, un manifeste tiré à 200 000 exemplaires résumant l'esprit de la Résistance – mais qui conserve aujourd'hui toute son actualité – où les Français peuvent lire :

Nous proclamons qu'il n'y a pas de France sans la liberté, que sans la démocratie, il n'y a pas de Français et qu'il vaut mieux mourir libre que de vivre nazi. Notre combat signifie la libération de chaque Français et de la nation asservie, la libération de chaque homme et de l'humanité exploitée. Il n'aurait plus de but, il n'aurait pas de sens si la défaite de l'ennemi extérieur devait être achetée au prix de la soumission prolongée, à la réaction et au fascisme importé.

Après avoir grandement contribué à l'unification des mouvements de résistance sous l'autorité de Jean Moulin, ce qui lui vaut d'être traqué par Klaus Barbie, l'homme de sinistre mémoire qui a arrêté et torturé son compatriote, d'Astier, au milieu des dangers, poursuit son action sans relâche. Il échappe à l'occupant et, au mois de novembre de cette même année 1943, rejoint de Gaulle à Alger. Là, il devient membre de l'Assemblée consultative provisoire et exerce bientôt, pendant une année, la haute charge de commissaire à l'Intérieur du Comité de Libération nationale. En janvier 1944, à Marrakech, il rencontre Churchill, qu'il convainc de livrer à la Résistance française qui en a tant besoin, le plus d'armes qu'il soit possible, se substituant ainsi à de Gaulle qui, brouillé avec le Premier ministre britannique, ne lui parle plus. Quelques mois plus tard, il devient ministre de l'Intérieur de la France enfin libérée, après avoir refusé la charge d'ambassadeur à Washington. Ce même été, son journal, *Libération*, devient un quotidien, et l'un des principaux de la presse de gauche. Les marques de la reconnaissance tombent sur lui, avec, en particulier, le titre de compagnon de la Libération, que reçoivent aussi – c'est un cas unique dans l'histoire de l'Ordre ! – ses frères François et Henri, tous deux grands résistants, et même, pour le premier, général de la France libre. Le texte de cette distinction précise qu'*Emmanuel d'Astier de La Vigerie a été un des premiers et des meilleurs artisans de la Résistance. À l'heure où beaucoup de nos compatriotes, accablés par le poids de nos malheurs, hésitaient sur la voie à suivre, a pris résolument la tête d'une organisation de résistance et de lutte contre l'envahisseur qui est devenue pour de très nombreux patriotes le symbole de la délivrance.*

## Libre envers et contre tout

Après la Libération, Emmanuel d'Astier de La Vigerie conserve ses amitiés résistantes, en particulier avec ses compagnons de route communistes. Cela est sans doute accentué par son deuxième mariage avec Liouba Krassine, une charmante Soviétique et fille d'un héros de la Révolution. De cette liaison improbable entre un aristocrate français et une communiste russe, réunis par l'amour, vont naître deux fils. Entre-temps élu député progressiste d'Ille-et-Vilaine, en 1945, Emmanuel d'Astier de La Vigerie va le demeurer jusqu'en 1958, c'est-à-dire tout au long de la IVe République, regroupant autour de lui des personnalités aussi diverses que Pierre Cot, Pierre Meunier, Gilbert de Chambrun, René Capitant ou Jean de Lipowski. Véritablement obnubilé par la paix, comme la plupart des hommes qui ont combattu, contrairement aux lâches qui, en général, sont les fauteurs de guerre, il fonde l'association Les Combattants de la paix, qui milite pour l'interdiction de l'arme atomique, et lance, en 1950, l'appel de Stockholm qu'un jeune étudiant signera, Jacques Chirac.

Membre du Conseil mondial de la paix, prix Lénine pour la paix en 1952, Emmanuel d'Astier de La Vigerie, toujours cohérent avec lui-même, ne s'oppose pas moins, en 1956, à l'invasion de la Hongrie par l'URSS. En 1958, ce compagnon de la Libération atypique refuse de voter la confiance au général de Gaulle avec lequel il est cependant demeuré en amitié, ce qui, d'une certaine manière, constitue la quadrature du cercle d'un rebelle, dont le courage, la détermination et le charme continuent de désarmer ses contradicteurs. Résolument hostile à la V$^e$ République, et, à travers elle, à l'exercice solitaire du pouvoir, il quitte alors l'Assemblée nationale et se retire dans la vie privée, estimant que son œuvre est achevée, avec une cohérence qui, si elle n'est pas comprise par tous, lui est chère, celle que, sans doute, il avait voulu faire passer dans la dernière strophe de sa *Complainte* :

Le vent souffle sur les tombes
La liberté reviendra
On nous oubliera
Nous rentrerons dans l'ombre.

Désormais ancien ministre, ancien député, ancien directeur de *Libération*, Emmanuel d'Astier de La Vigerie occupe son temps libre à écrire, lui qui a publié, entre autres, *Sept fois sept jours* (1947), *Les Dieux et les Hommes* (1952), *Le Miel et l'Absinthe* (1957), *Les Grands* (1961), et ces figures de ses contemporains superbement ciselées qu'on retrouve dans

*Portraits* (1969). Toujours très élégant, il milite pour diverses causes dont le droit à l'avortement. Il apparaît tous les mois à la télévision dans son *Quart d'heure* où il s'exprime en toute liberté, sans oublier cette revue qui a marqué notre génération, nous qui avions vingt ans en 1968 : *L'Événement*. L'aristocrate rebelle, dont Pierre Viansson-Ponté écrivit un jour, dans *Le Monde*, qu'*il était un homme ne ressemblant à aucun autre*, tire sa révérence en s'éteignant, subitement, à Paris, le 12 juin 1969, au crépuscule de sa soixante-neuvième année. Il repose depuis au cimetière d'Arronville, dans le Val-d'Oise, certes un peu trop oublié du grand public, mais pas des âmes d'élite, ce qu'il fut assurément, lui qui avait coutume de dire que *la plus secrète des libertés est celle que l'on conquiert soi-même.*

# Luchino Visconti

## (1906-1976)

# Comte, cinéaste, communiste

Sa vie, il faut la brûler. **Luchino Visconti**

Luchino Visconti se tourne vers ses invités et sourit. Le guépard flamboyant est heureux. Derrière lui, un immense sapin qu'il a décoré en metteur en scène ; on dirait que la neige qui fait ployer ses branches est brûlante de cadeaux d'argent. Avec cette admiration paradoxale des célibataires pour les réunions de famille, leur manie de se glisser un instant dans le grand jeu des autres – d'autant qu'ils peuvent aussi vite en sortir – avec cette perfection maniaque qui s'attache à un effort qu'on sait justement provisoire, Visconti a réuni les siens, et, lorsqu'on porte son nom, qu'on descend des ducs de Milan, qu'on cousine avec tout le gotha de la Péninsule, l'arbre généalogique a tendance à prendre l'embonpoint du baobab. Dans sa vie à la fois pleine et partagée, complexe et complète, Noël demeurera toujours l'unité absolue, la synthèse heureuse. Il est frappant de voir l'importance que, jusqu'à la fin, il donnera à cette fête, le culte qu'il avait pour la célébration traditionnelle de la Nativité.

À Rome, où il habita tout de suite après la guerre, il possédait une belle maison via Salaria. Chaque année, il y faisait préparer son grand arbre de Noël entièrement blanc avec des cadeaux pour ses amis. Rien n'était assez beau, assez raffiné. Chacun avait un présent minutieusement choisi. Il dépensait des fortunes pour trouver l'objet qui réjouirait chaque caractère secret. Il enveloppait ses cadeaux de papier d'or, déjà dans les années cinquante, lorsque cela n'existait pas encore en Europe mais seulement aux États-Unis. Cadeaux d'or aux rubans gris. Cadeaux de papier d'argent aux rubans blancs. C'était déjà là la signature du grand décorateur. Mais Luchino aimait à accentuer encore ce cérémonial splendide par une légère cruauté. Personne n'était invité à sa soirée ; c'était pourtant à salon ouvert. Les vrais amis devaient se reconnaître d'eux-mêmes, les parents savoir mesurer l'intensité de leurs liens, et alors ils venaient souper, les autres avaient finalement raison de s'abstenir. En vérité, il y avait beaucoup de monde et des gens de toutes les générations : enfants et petits-enfants des amis, la Callas, Zeffirelli, Jean Marais et des relations politiques de Togliatti. La table était parfaite, les chefs français, l'arbre immaculé avec des perles… Jusqu'à sa fin, Visconti perpétua cette fête parce qu'elle avait aussi été à l'aurore de sa création. Au soir de sa vie, il aimait à conter les lumineux souvenirs de ces fêtes premières, de ses émois naissants dans l'hiver de Noël où la joie est comme une sentinelle qui monte la garde sur la grande muraille de l'espérance. Là, dans ce récit de lui-même, monologue intérieur d'une grande beauté dans sa révélation, il était vraiment émouvant et si sincère. Je reconnaissais alors dans son amour du fragile miracle d'une enfance de l'art la nature de son secret et le signe d'une éternelle jeunesse.

Tout petit, l'enfant Luchino Visconti adorait Noël, qu'il allait passer avec toute sa famille à Grazzano, un vaste château bâti au XIIe siècle lorsqu'une Visconti avait épousé un Orléans, frère d'un roi de France. C'est dans ce décor médiéval au milieu d'un désert des Tartares de pauvre verdure – une terre nue et quelques châtaigniers entre la Lombardie et l'Émilie – qu'on célébrait en famille, non loin de la montagne des Abruzzes, la fête de la Nativité. Le petit Luchino était fou de joie lorsqu'il arrivait enfin dans ce village qu'avait dessiné son propre père. Ce père, le duc Giuseppe, qui avait également fait restaurer le château à la façon d'un Viollet-le-Duc accusant avec excès la marque du Moyen Âge, les escaliers froids, les hautes cheminées, les crédences monumentales. Cela convenait au génie de l'enfant, à ses courses avec ses frères, à ses rires, à ses cachettes, à ses rêves éveillés et surpris par la lueur diaphane des bougies de la messe de minuit dans la chapelle privée. Cela charmait déjà la somptuosité de son âme. Bientôt, tout le monde se déguisait, les enfants, les femmes de chambre, les fermiers et aussi quelques artisans qui travaillaient dans les fabriques de meubles ou de fer forgé que Giuseppe Visconti avait créées avec ingéniosité dans le village. Il y avait des cadeaux pour tout le monde. Les masques et les rubans volaient, on pouvait mettre ses petits doigts sur les paupières des fées, courir dans les jambes des adultes avec des serpentins, se farder, prendre une grosse voix, être un ogre ou un enchanteur, un prince radieux ou un brigand. Le vin gai et les rires, les enfants des paysans, les femmes aux belles hanches et aux sourires heureux, les costumes somptueux qui rappelaient la pleine histoire, tout cela réjouissait le petit Luchino. Il avançait, émerveillé, les mains ouvertes, parmi les autres, les yeux écarquillés et brillants. Il attendait surtout son vrai cadeau de Noël : l'apparition de sa mère, qu'il adorait et qui était d'une très grande beauté. Elle venait en effet, divine. Avec son chapeau immense, ses voiles, son sourire, et cette sorte de mélancolie sans tristesse qu'on retrouve dans le portrait que Boldoni a fait d'elle. Luchino regardait, fasciné. Il n'oublierait jamais.

Alors, dans la nuit de Noël, chacun se mettait à chanter, à déclamer, à jouer d'un instrument de musique. Guido jouait du violoncelle, et Luigi se mettait au piano avec sa mère. Cela durait jusqu'aux aurores, le son pur, le jeu gai, les rires frais, les baisers bruyants et l'apparition parfaite. Chaque année ainsi, Luchino entrait plus fort dans l'art. Il faisait jouer avec ses frères des pièces de théâtre dont il était le metteur en scène, il rêvait d'opéra et peut-être même de septième art. Plus tard, il retrouvera le monde luxueux des royaumes évanouis et des dominations médiévales dans sa carrière éclatante de metteur en scène. Il règne en prince de la Scala de Milan, est heureux et triomphant à la Fenice, brille à Covent Garden, mais sans jamais oublier le fantôme enfantin, méconnaissable désormais et toujours présent, émerveillé et déguisé dans la foule familière de la grande salle de

Grazzano. Ainsi commençait la chasse épuisante et noble à l'image ressuscitée.

Luchino Visconti, comte de Modrone et de Lonate Pozzolo est né à Milan, le 2 novembre 1906, au ménage du duc Giuseppe Visconti de Modrone et de la duchesse, née Carla Erna, comptant parmi les dames d'honneur de la reine d'Italie. Quatrième de sept enfants, il était tout à la fois, par son père, issu d'une des plus anciennes dynastie patriciennes d'Italie, ces princes Visconti, qui avaient régné sur Milan jusqu'au XV$^e$ siècle et s'étaient alliés aux dynasties royales d'Europe et, par sa mère, de famille bourgeoise ayant fait fortune, l'une à la tête d'une maison d'édition musicale et l'autre d'une industrie pharmaceutique. Comme deux vaisseaux immobiles, deux pôles symbolisaient la place de ces lignages, l'immense palais des Visconti, via Cerva, à Milan, et la somptueuse villa Erba, à Cernobbio, sur le lac de Côme, ayant fixé l'imaginaire et l'esthétisme du futur cinéaste, tels qu'il les connut enfant. Avec tout cela compléta ce décors le théâtre de la Scala, à deux pas du logis familial – et ses chefs successifs, parmi lesquels Toscanini devinrent les familiers du salon de sa mère – dont la scène passionna très tôt celui qui allait devenir, d'une manière toute paradoxale, le rebelle à un certain mode de vie aristocratique fermé et celui qui, par ses films, allait en révéler la beauté et les mystères au monde entier.

Après une enfance globalement heureuse, Luchino Visconti, passionné de chevaux tout au long de sa vie, effectua son service militaire comme sous-officier de cavalerie, voyagea en Europe et s'initia à l'homosexualité avec son premier amant, le photographe de Vogue Horst, Américain d'origine allemande, que lui présenta Coco Chanel. Ce fut sa première transgression à son milieu, encore qu'il comprit assez vite que son propre père, pour l'avoir surpris avec un homme, avait les mêmes goûts que lui. Parallèlement metteur en scène de théâtre et d'opéra, à la Scala, il s'inspira sensiblement de ce milieu dans ses futurs films, qui furent ses grands chefs d'œuvre fascinant bientôt toute l'Europe : *Le Guépard*, en 1962, *Mort à Venise*, en 1971, *Ludwig, le crépuscule des dieux*, en 1972, *Violence et Passion*, en 1974, *L'Innocent*, en 1976, à défaut des adaptations de Thomas Mann et de Marcel Proust, qu'il ne fit jamais et, comme acteur fétiche, ce jeune Autrichien dont il fit son amant et qui, malgré les scènes et les séparations, demeura le grand amour de sa vie, Helmut Berger. À Milan, en effet, Visconti a fait la connaissance du monde, sa famille possède équipages, théâtre privé, loge à la Scala et une réputation sans égale dans la société italienne et internationale. Luchino ne peut être ébloui par la galerie des Glaces sociale. Il échappe naturellement au vertige de Narcisse. Il n'est pas destiné à une noyade prématurée dans le miroir. Au contraire, il écoute, il regarde, il sourit. Ses parents sont de grands enfants insouciants et beaux. Son père, le comte de Modrone, a vingt et un ans lorsqu'il épouse Carla Erba, fortune d'une firme colossale. Alliage parfait. L'aristocratie pure avec l'argent du secours. Couple artiste. Un mécène et une beauté. Il joue de la musique et goûte la comédie. Elle aime le piano, danse à ravir, et se plaît à la poésie. Ils se disputent beaucoup, avec violence. Ils s'aiment. Ils se calment. Les enfants se multiplient. Mais l'héritage de la tyrannie guette l'un d'eux. Déjà, dans les piécettes qu'ils inventent entre eux, Luchino exige d'être metteur en scène, impose sa loi, ordonne le goût du jour, excluant les réfractaires, flattant les fidèles. Il exerce son charme sans pitié, il ensorcelle, il domine enfin.

Je venais d'une famille riche, précise Visconti, mais mon père, tout en étant aristocrate, n'était ni stupide ni inculte. Il aimait beaucoup la musique, le théâtre et l'art. Nous étions sept enfants mais la famille s'en est bien sortie. Mon père nous a éduqués sévèrement, durement ; il nous a aidés à apprécier les choses qui comptaient, c'est-à-dire le théâtre, l'art et la musique. J'ai grandi entre deux rideaux de scène. À Milan, rue Cuerva, dans notre maison, nous avions un petit théâtre. Et puis il y avait la Scala. La Scala d'abord était une espèce de théâtre privé qui était tenu par des mécènes. En premier la subventionnait mon grand-père, ensuite mon oncle.

Vie de palais, vie de passage. Venaient les artistes, les sculpteurs, les peintres, les musiciens. Ils parlaient aux enfants. Monde d'amis et d'élégance. De goût plus que de dégoût. Monde futile aussi où l'art est parfois ornement. Et au milieu de ce rêve mondain, un amour exclusif et humble, fou et heureux, fier et comblé, orgueilleux et grand : celui de Luchino pour sa mère, si belle, si proche, si lointaine.

Lorsque tous les soirs elle venait nous embrasser avant d'éteindre la lumière, c'était un moment de bonheur suprême. Je lui disais mes préoccupations, lui laissais des billets demandant l'autorisation de ne pas étudier pour aller à l'opéra, au concert. Elle comprenait mes priorités. Elle me poussa vers les arts.

On croit entendre Marcel Proust, même ton, même intimité, même inquiétude de déplaire à la muse, à la mère. Et, dans un pastiche involontaire d'*À la recherche du temps perdu*, Visconti poursuivait ainsi : *Chaque fois que je sens un parfum de glycine, j'évoque la présence de ma mère. Elle nous apprenait la musique devant une fenêtre qui donnait sur le jardin. Une odeur de glycine d'abord très douce, puis de plus en plus insistante, envahissait la pièce. Nous jouions des trios. Mes sœurs et mes frères pouffaient de rire. Je m'endormais à moitié. J'étais toujours dans les nuages.*

C'est de cette époque que date le regard maniaque de l'apprenti sorcier, du conservateur en marche des plaisirs et des jours. Un tissu, un parfum, un geste, le mouvement d'une coiffure, tout est aussitôt archivé dans l'annuaire à sensations de l'adolescent. La toilette devient un paysage unique à géographie variable avec les robes, les capes, les voilettes, les bijoux. Cette femme élancée, grande, cheveux bruns, nez aquilin, bouche charnue, l'élégance naturelle, c'est la mère de Luchino. C'est aussi son bien. Et comme un jaloux fétichiste déjà, il répertorie ses gants, ses accessoires, ses chaussures, ses perles célèbres. C'est l'époque de Worth, de Molyneux, de Poiret, de la folie des valses qui n'en finissent plus. C'est le temps des reines et non des stars, de la beauté gratuite et non industrielle, de l'apparence souveraine mais paresseuse, mais non de la mythologie qui vous enfonce la beauté dans le cœur à coups de drames privés et de tragédies secrètes. On aime la grâce. Et même la grâce dans la disgrâce. Les seigneuries de la splendeur se détectent à un rien qui change tout. À Milan, deux femmes peuvent rivaliser avec la belle comtesse, c'est Ana Maino, irrésistible dans sa tunique brodée de cristal, et Ada Baslini en tulle et en paillettes. Intuition géniale ou prédestination précoce, Visconti, déjà, est devenu un voyeur. Il ne participe plus, il regarde. Sait-il qu'il fige pour la photo un monde déjà évanoui? L'Europe va bombarder l'album. Lui seul possédera dans sa tête la survie de l'apparence, les clichés de l'imaginaire. Ce nouveau et solitaire propriétaire du temps. Tout concourt à faire de lui un inclassable. Est-il un homme de la Renaissance soudainement réduit à son siècle ou un artiste pluri-disciplinaire qui aurait dépassé sa fonction? En tout cas apparaît déjà un conquérant rapace du nouveau territoire, un noble pillard du vrai trésor moderne: le pouvoir des images.

En 1914, on donna un grand bal dans le palais Visconti. Dissimulé derrière une fenêtre haute s'ouvrant sur le salon, Luchino y assista, dans la position préférée du narrateur, qui est bien entendu d'y être sans pourtant y être vu. Le riche propriétaire de sensations et de souvenirs jubile. Sa mère l'emporte par la beauté et le mouvement des perles autour de son cou. Déjà porté par la passion de la référence, il attend l'admiration des autres pour appuyer dessus son amour: *Les invités n'avaient d'yeux que pour elle. Je la regardais et ne la perdais pas de vue un instant. Je voulais me souvenir de cette vision dans chaque détail le plus longtemps possible. Le spectacle était grandiose. Puis je me réveillai livide: les valets de chambre rangeaient, balayaient les plumes et les paillettes. C'était la fin d'un monde.* Vision cinématographique, et pourquoi ne pas dire ce que l'on sent: tous les films de Visconti sont dans cette constatation soudaine de la fin de tout après l'étalage de la grandeur divine des choses. Tout à coup, on quitte la bibliothèque rose et l'on entre avec brutalité dans l'œuvre ; c'est le bal du *Guépard* qui couronne comme un traité politique du non-dit entre deux classes, mais plus encore le dîner des *Damnés* où les orages d'acier s'accumulent sur ces années 1930 brunes et noires. La mère de Visconti ne le quittera plus, image, référence, élégance dans le drame, toujours intacte au milieu des événements comme une vierge mondaine, pèlerinage au point fixe dans l'infini. L'*Ave Maria* de l'esthète. Visconti, dont la cruauté et la distance, la force de création et l'égoïsme seigneurial le protégèrent toute sa vie, fut une fois ébranlé et crut perdre le sens même de l'existence lorsqu'il fut séparé de la femme qui n'avait pas été la sienne. Elle disparut en 1939. Tous les soirs de sa vie, elle fut présente près de lui. Sur sa table de nuit, toujours la même photo. Comme chez Proust, la photo pour lui était tout. On se souvient comment le narrateur travaillait sur des clichés, et l'on n'oublie pas la scène qu'il fit à Robert de Montesquiou qui ne voulait pas lui fournir la photo de la mariée, lors de la cérémonie qui unissait Élaine Greffulhe au duc de Guiche.

Mais l'homme est un apprenti, la douleur est son maître, nul ne se connaît tant qu'il n'a pas souffert, dit le romantique poète, et au champ d'honneur de l'amour Visconti aussi paiera son tribut de souffrance. À dix-huit ans, une déception sentimentale le fait franchir la ligne ; il s'enfuit une dernière fois. Il passe la frontière. Il est secoué, il tombe, il se lève. Il est debout et croit s'appuyer sur Dieu. Crise de mysticisme. Il va prier jusqu'à Monte Cassino. Pèlerinage curieux, âme bizarre, être étrange ; voilà ce qui le fait et se fait en lui.

Désormais, il sera toujours inquiet, émotif, sentimental, et les problèmes les plus graves auront droit de cité en son cœur. Il deviendra perfectionniste, jusqu'au-boutiste. Sa vie sera ce vaisseau fantôme au capitaine éclatant, claire et sombre à la fois. Entre vingt ans et trente ans, il prendra conscience de l'évolution politique, montée du Front populaire, du nazisme, du fascisme. L'alchimie mystérieuse de l'amour le fera échapper au pire, il ne se trompera ni dans ses opinions ni dans ses options. Il trouvera le ton juste dans le plus original des répertoires : celui du condottiere marxiste. Ce véritable aristocrate sera un rouge authentique. La décadence est son sujet. Il sublime ainsi tout à la fois ce qui disparaît et ce qu'il semble repousser, alors qu'il l'adore et le détruit en le faisant revivre une ultime fois. C'est à la fois un grand romantique et un décadent pas comme les autres, un seigneur de la Renaissance qui aime le raffinement de ce qu'il condamne. Un rêve pour Montherlant, un Malatesta vivant, un prince énigme. Entre sa passion des chevaux auxquels il consacrera dix ans de sa vie, son service militaire dans la cavalerie de Priecolle et la première fois qu'il vit le film *Le Cuirassé Potemkine* à Paris dans la salle du Panthéon, son initiation auprès de Jean Renoir, son amitié avec Coco Chanel, un détective trouverait peut-être la filière secrète qui le conduira de complicités en admirations et de réflexions en expériences à ce qui sera sans doute la grande date et la première clef de sa vie.

Voulant devenir cinéaste, il se fixa à Paris, où il devint l'assistant de Jean Renoir, développant à ses côtés et au contact de quelques autres, des idées de gauche qui, elles, constituèrent sa deuxième transgression et firent de lui, plus tard, un comte communiste, même si sa manière d'être et de vivre demeura profondément aristocratique, en particulier ses amours, faisant davantage de lui un grand seigneur de la Renaissance qu'un militant marxiste à une époque où ce courant politique vouait aux gémonies ceux qui s'adonnaient à l'homosexualité. Il est vrai que, parmi ses amants fut son assistant Franco Zeffirelli, lui-même futur cinéaste, qui offrait la particularité d'être apparenté à … Léonard de Vinci! La guerre, survenue entre-temps, en 1939, le renvoya en Italie où, en 1943 , il signa son premier film, *Ossessione*, avant de se faire le chantre de la résistance à Mussolini avec *Giorno di gloria*, à la Libération, époque où il prit sa carte du parti communiste italien auquel il demeura fidèle sa vie durant. La serrure du palais du passé venait de sauter. Toujours préoccupé par les conditions de vie du peuple, il tourna, en 1948, *La Terra trema*, puis, en 1951, *Bellissima*, avant de quitter le néo-réalisme en réalisant *Senso*, premier d'une nouvelle série de fresques historiques qui allaient incarner son style, mélange de violence intérieure et d'esthétisme outré, avec, toutefois, une nouvelle parenthèse incarnée par *Rocco et ses frères* qui, en 1960, lui valut le prix spécial du jury de la Mostra de Venise.

Visconti a vraiment changé. Et pourtant il est toujours lui-même. Ce paradoxe tranquille sera sa nature tourmentée, son destin. À des gestes et à des attitudes comme à une façon et à une détermination, on pourra le reconnaître parmi ses semblables. À côté, toujours à côté. Plus généreux ou plus égoïste, plus sage ou plus provocant, plus exhibitionniste ou plus secret, il sera peut-être le seul à vivre sans se pincer les doigts dans la charnière de l'époque. D'où son personnage en cet aphorisme d'Oscar Wilde résumé : *Tous ceux qui sont un symbole le sont à leurs risques et périls.* Mais Luchino Visconti avait pour lui le sens de l'Histoire. Il était sans doute si intelligent qu'il fut inconsciemment prudent, réussissant l'impossible rêve de la synthèse. Aimé à sa gauche, adoré à sa droite, ou le contraire, jamais honni, souvent respecté, toujours inquiétant. Le goût de la jeunesse, l'homosexualité, la subjectivité artistique, l'éducation raffinée, la mémoire bien élevée, l'amour fou que lui porta la Callas, à lui, le bel indifférent ; rien de ce qu'on sait de lui ni rien de ce qu'on ignore n'en modifie le portrait. Il a su se fixer, avant de mourir devant nous, dans une pose qui était son naturel. Et encore nous étonner. Une histoire et une observation arrêtent un instant sa personnalité en mouvement le temps d'une fugace compréhension. L'histoire, il la raconte lui-même, c'était au temps de son apprentissage auprès de Jean Renoir où il portait une combinaison bleue, une ardoise à la main et s'estimait ridicule : *Lorsque je fis ma première apparition dans les studios, toute l'équipe leva le poing. C'était une manifestation de républicanisme et aussi une petite pointe envers l'aristocrate que j'étais, tout intimidé de sa nouvelle promotion. Sans me démonter, et bien qu'antifasciste convaincu, je répondis en levant le bras à la façon mussolinienne. Ainsi plutôt un geste que la vérité et plutôt un mensonge que rien du tout. Il faut faire image et vite exister.* L'enfant révolté est là, debout dans ses songes, réveillé en sursaut par l'horreur du vrai. Il réagit, le jeune page, comme on le lui a appris : *D'abord dire son orgueil, ensuite on verra.* Voilà tout Luchino Visconti. Pour le second élément qui nous permet de le mieux connaître, adressons-nous à Michelangelo Antonioni. Son observation est capitale :

Ce qui m'a toujours fasciné avec Visconti est son extraordinaire capacité pour prendre de la vie ce qui lui plaît et pour refuser le reste. Avec une aisance totale, il suivait ses instincts et, la voie étant tracée, il se laissait ensuite aller, tout en se réservant, dans ce cadre, le choix d'une méthode de vie et de travail. Il était d'une rigueur extrême dans l'organisation de sa tâche, et ceci même au milieu du désordre le plus complet. Le doute était exclu de son esprit. S'il lui arrivait d'aventure d'être troublé par une inquiétude, il la chassait au plus vite. Il avait toujours une idée claire des choses et des gens, et il était presque impossible de le faire changer d'avis.

Ainsi est la désinvolture du grand seigneur dans l'instinct intact du guépard. Nul ne reproche au félin de ne se soucier que de sa démarche ; c'est bien trop dangereux. Et puis Visconti n'est pas seulement un peintre, un musicien, un décorateur, un photographe, un ordonnateur du rite, il est aussi metteur en scène. Il doit diriger des gens, éteindre des conflits, décider entre mille propositions. Il n'a pas la facilité de l'artiste seul devant sa toile, du pianiste face à son clavier, de l'écrivain pâlissant devant sa page toute bleu ciel. Il y a du monde autour de lui, de la contestation parfois. Le voilà donc dictateur artistique. Aussi, il s'économise, il conserve son énergie. Il écarte les conflits, les ennuis. C'est l'égoïsme du chef dans la bataille. S'il sacrifie quelques régiments, c'est pour sauver ses troupes. À ce propos, l'apprentissage du tyran aura été utile. Mais Visconti va plus loin encore et enfonce le poignard ouvragé dans la plaie dramatique : *Une des choses les plus passionnantes du métier de metteur en scène est de choisir ses acteurs. J'agis intuitivement plutôt que sur des références précises. Je cherche non les types physiques, mais les natures. Préparer les interprètes à leur rôle suppose un travail de chaque jour, de chaque instant. … Lentement, peu à peu, je finis par leur donner les gestes, les aspirations, les sentiments et même les tics de leurs personnages. Constamment, je les garde sous contrôle. Ils sont subjugués, hypnotisés.*

Visconti est né à Milan et il est mort à Rome, mais c'est sur Venise que je vois revenir son âme. Son décès pose en cette fin de siècle, tourmentée par des fièvres contraires, la question de la disparition d'une race pourtant toujours liée à l'Histoire jusque dans ses retournements les plus traîtres : celle des guépards. Seigneurs de la guerre affrontés à la ruine ou à la révolution, hommes de tradition revêtant l'armure rutilante de la modernité, personnages de paradoxe retournant le gantelet de fer comme une étoffe de velours, ils sont à la crête des événements, déchirés pour assurer le passage. Ils cèdent pour conserver, ils saluent pour reprendre, ils donnent pour investir, ils s'engagent pour dominer, ils rusent pour vaincre, car tel est leur destin. Dans le roman célèbre de Giuseppe Tomasi Di Lampedusa, qu'aimait tant Luchino Visconti, et où éclatent les passions comme les fruits trop mûrs au royaume des Deux-Siciles, on peut lire cette phrase d'orgueil et de mépris : *Nous étions des lions, des guépards ; après, il y aura les hyènes, les chacals.* C'est le guépard lui-même qui la prononce. Il regarde ses terres, il contemple les uniformes bleu et rouge de la nouvelle armée. Il considère les troupes débraillées, les changements des lois et des mœurs, les fortunes qui naissent pleines d'appétit, et ces belles héroïnes qui ne viennent plus de sa classe. Un monde se bouscule dans son cœur. Un nouveau naît de sa tête. Il choisira de demeurer lui-même en demeurant un autre pour ne pas disparaître. Luchino Visconti, à son image, décrira avec une fidélité rigoureuse la même figure : dans des décors de plus en plus beaux, des gens qui tombent de plus en plus bas. Et tous ses films sont dans ce mouvement d'ascendance et de décadence, ce croisement entre ce qui s'élève et ce qui chute. Lui seul mène sa barque dans ces eaux agitées, c'est le passeur. En langage symbolique, on dira *le guépard*.

Aujourd'hui, il est mort, il a traversé le canal, le très grand canal. Et alors qu'on le fête, il est émouvant de retrouver dans la vie de Visconti, son œuvre et peut-être plus encore dans la survie, l'éternel rendez-vous de Venise. Il est comme cette ville où l'Europe reçoit les parfums de l'Orient, où le passé se travestit en présent délicieux, où la mer toujours recommencée lave le temps. Il est image et somptuosité, raffinement et vérité cruelle, il est perpétuelle jeunesse et vieillesse envahissante, il est comme la fenêtre d'un palais sur le Grand Canal, on voit qu'elle nous voit, on ne sait ce qu'elle cache, ce qu'elle réserve. Il est la beauté des tissus, la blancheur des mains, le sang des lèvres, la noblesse des fronts, le goût des deux natures : celle des arbres et des oiseaux, mais plus encore la seconde, celle que l'homme crée de ses mains d'artiste ; comme une ville flottant dans l'eau, un signe et un défi à l'infini et au fini.

En février 1980, quelque temps après la mort du maître, Venise s'est transformée en un film de Visconti.

C'était le premier carnaval dans la ville depuis deux cents ans. Jamais je n'ai tant senti le goût européen de la fête, jamais je n'ai vu une jeunesse si gaie, fraternelle, imaginative, fière et belle. L'ingéniosité des masques, la beauté des gestes, les rires de l'adolescence étaient dans la nuit comme à l'aurore les feux de papier sur la place Saint-Marc, un honneur à Visconti, un hommage à la perpétuelle résurrection de ses images. Et ce souvenir éclatant et lumineux en appelle pour moi un autre plus lent et plus mélancolique. En villégiature éternelle sur les bords du lac de Côme où j'écrivais mon premier roman *Athanase ou la Manière bleue*, je le rencontrais et conversais avec le maître, alors en convalescence. À la fois fier et désabusé, fatigué de lui-même et fouetté par ses doutes, quittant une clinique de Rome ou une consultation médicale à Milan, il cherchait la paix et trouvait peut-être le repos en fixant les eaux vert-bronze du lac, dont les brisants paisibles étaient les pierres rousses de la villa d'Este. Je lui parlais des amours de la Pliniana et du prince de Belgioso enlevant la duchesse de Plaisance, de cette jolie, de la folie, de l'Italie.

Devant les vaguelettes si douces comme des paupières fermées et amies, j'évoquais une mélodie de Liszt, un air romantique de Ponchielli, une romance de Bellini et, soudainement, il devenait interrogatif sur sa vraie vie et ses destins dispersés. Il me répondait entre les clapotements si mystérieux des garages à bateaux et le vacarme des voitures passant via Cernobbio, répétant ce qu'il pensait si souvent lorsqu'on parlait de sa carrière devant lui : *J'aime la musique, bien sûr, mais surtout l'opéra ; j'aime également la peinture, dont j'ai peu de toiles extraordinaires dans ma collection. Cependant, je n'ai pas eu de dons nécessaires pour composer ou peindre.* D'ailleurs, à quoi bon ces doutes, ces questions ? Le cinéma, en effet, c'est à la fois écrire, peindre, jouer avec les sons aussi bien qu'avec les couleurs, les compositions et les perspectives. Le réalisateur est un chef d'orchestre où la musique serait aussi une image. Je le raccompagnais longuement sous les cyprès jusqu'à la villa Erba, échangeant avec lui des impressions sur les écrivains qu'il aimait, Shakespeare, Balzac et Proust. Il disait quel contact étroit et amoureux il entretenait avec la littérature. Je lui demandai si *Les Damnés* n'étaient pas des *Démons* de Dostoïevski. Il murmura : *Oui... Oui...*, et tandis qu'il revenait à son très cher fantôme, Verga, on entendait déjà le rire de ses petits-neveux jouant autour de la piscine près de la maison de sa sœur dans une de ces familles dont il aimait raconter la décomposition. Non loin, l'eau du lac devenait presque violette ; c'est au pays de Volta un signe électrique qui annonce un temps d'orage. Je le regardais comme on pense à Thomas Mann : un décadent pas comme les autres. Et en même temps, je voyais l'Italie de la fin du XX$^e$ siècle, où Enrico Berlinguer était aussi marquis et communiste, Milan et sa fureur, Rome et sa paresse, Venise aux douces folies. Et cet animal langoureux et noble, le guépard, qui, dans le roman de Lampedusa, prend la forme d'un homme pour vous jeter cette vérité provocante jusque dans notre prétention contemporaine : *Il faut que tout change pour que rien ne change.* Ce fut un de ses derniers mots qu'il aimait citer, puisque, frappé par un AVC, Luchino Visconti, s'éteignit le 17 mars 1976, à Rome.

# Simone de Beauvoir

## (1908-1986)

# Celle qui a toujours dit non

La femme libre est seulement en train de naître.
**Simone de Beauvoir**

A u printemps de l'année 1949, à Paris, dans la liberté retrouvée de l'après-guerre, mais aussi la jouissance des nourritures terrestres réapparaissant sur les marchés, des vêtements dans les boutiques, et des cafés-croissants ou des jambon-beurre dans les bistrots, la capitale retrouve sa joie de vivre de jadis. Les passants déambulent dans les rues, tandis que, à l'heure du déjeuner, les jardins publics, dès que brille un rayon de soleil, sont pris d'assaut, pour le plus grand bonheur des *chaisières*, ces préposées à la location des chaises de fonte sur lesquelles les employés, les étudiants et les ouvriers dégustent leur casse-croûte. En cette deuxième année de la IVᵉ République que préside le débonnaire Vincent Auriol, Paris reprend doucement ses habitudes et ses couleurs de capitale des lettres, de l'esprit et de la joie de vivre. Les lecteurs les plus au fait de l'actualité, qui, au jardin du Luxembourg surtout, âme du Quartier latin, communient dans l'esprit des livres, lisent avec attention un ouvrage dont tout le monde parle, une somme monumentale de deux mille pages, audacieusement intitulée *Le Deuxième Sexe*. Vingt-deux mille exemplaires partent dès la première semaine et le scandale est bien là, qui fait naturellement vendre, comme il est toujours d'usage, en France. Celui-ci est d'autant plus vif que l'auteur est une femme, et qui plus est une femme portant particule, laquelle envoie aux gémonies tout à la fois sa féminité et son milieu social, surtout lorsqu'elle raconte sans prendre de gants l'initiation à la sexualité, la terne vie amoureuse des couples ou le lesbianisme. Que lit-on dans cet essai ?

Les femmes d'aujourd'hui sont en train de détrôner le mythe de la féminité ; elles commencent à affirmer concrètement leur indépendance, mais ce n'est pas sans peine qu'elles réussissent à vivre intégralement leur condition d'être humain... Comment la femme fait-elle l'apprentissage de sa condition, comment l'éprouve-t-elle, dans quel univers se trouve-t-elle enfermée, quelles évasions lui sont permises ? Voilà ce que je chercherai à écrire. Alors seulement nous pourrons comprendre quels problèmes se posent aux femmes qui, héritant d'un lourd passé, s'efforcent de forger un nouvel avenir.

Le nom de l'auteur de ces lignes était hier inconnu ; il est aujourd'hui sur toutes les lèvres, Simone de Beauvoir.

Désormais, cette encore jeune femme, aux manières toujours altières et à l'élégance irréprochable, reçoit des centaines de lettres chaque jour, beaucoup émanant de femmes, mais aussi d'hommes ; on l'arrête dans la rue ; on l'écoute à la radio ; on lit ses interviews dans la presse ; on l'insulte ou on l'applaudit ; on crache à ses pieds ou on lui sourit, mais personne n'est indifférent à sa démonstration qui, utilisant la biologie, l'histoire, la philosophie et la psychanalyse, est implacable de rigueur, tout comme l'aspect si racé de son auteur qui semble n'avoir conservé de son éducation aristocratique, et ce jusqu'à la fin de ses jours, que ce port de grande dame, lui donnant un aspect glacé qu'on retrouve dans le timbre de sa voix et sa façon hautaine de s'exprimer, comme après elle, une autre aristocrate rebelle, Marguerite Yourcenar, surtout lorsqu'elle énonce quelques-uns de ces aphorismes qui révolutionnent la question, à commencer par le plus célèbre : *On ne naît pas femme, on le devient.* Seuls les cousins du côté des Beauvoir la renient en bloc, affirmant à leurs relations qu'elle ne fait pas partie de leur famille, tandis que nombre de femmes envisageant de faire carrière y trouveront la force d'aller jusqu'au bout de leurs rêves ! Le succès de l'ouvrage, au reste, va très rapidement dépasser l'Hexagone. À la manière d'une traînée de poudre, il va se répandre en Europe et aux États-Unis où un million d'exemplaires seront bientôt vendus.

Véritable bombe lancée sur une société mondiale encore largement machiste malgré les services éminents rendus par les femmes pendant la Seconde Guerre mondiale, *Le Deuxième Sexe* va devenir le symbole de la lutte des femmes dans le monde, et son auteur une icône, d'autant que la liberté de sa propre existence est à l'unisson de ses idées. Certes, quelques railleurs mettent un bémol à ce succès, comme François

Mauriac, écrivant à la revue *Les Temps modernes*, fondée par Sartre et Beauvoir : *À présent je sais tout sur le vagin de votre patronne*, mais sans pouvoir réduire son auteur à une hystérique irresponsable. De ce jour, Beauvoir entre dans le long cortège de l'histoire des féministes et s'y impose comme un penseur particulièrement audacieux, ce que lui reconnaît aujourd'hui l'ensemble des féministes voyant en elle *la reine de toutes les batailles*.

## Une jeune fille pas si rangée

Simone Lucie Ernestine Marie Bertrand de Beauvoir est née dans le VIᵉ arrondissement de Paris, où elle allait passer l'ensemble de sa vie, le 9 janvier 1908, au sein d'un couple aisé, demeurant dans un bel appartement situé au-dessus du restaurant La Rotonde, l'une des plus célèbre adresse littéraire de la capitale. C'était encore la Belle Époque, celle des fiacres, des réverbères au gaz, des bonnes en tablier, des châteaux de province et surtout des rentiers, ces bourgeois ne songeant nullement à travailler, comme son père Georges Bertrand de Beauvoir, issu de la noblesse limousine et possédant, à Saint-Ibard, en Corrèze, le château de Meyrignac, une terre où les siens allaient passer l'été. Il était avocat, mais ne plaidait pas, s'intéressait surtout au théâtre, et, en fait, vivait sur la fortune de sa femme, née Françoise Brasseur, une Lorraine fille du président de la Banque de la Meuse. Après Simone naquit Hélène, et, pas de garçon, ce qui fut source, pour les Beauvoir, d'une grande frustration, même si leur aînée allait se révéler très tôt comme une excellente élève, avec un *cerveau d'homme*, disait son père dans un mélange d'admiration et de reproche.

Mais après la Première Guerre mondiale, une tornade s'abattit sur le couple : la faillite de la Banque de la Meuse les laissa sans ressource, ou presque, les contraignant à s'installer dans un appartement infiniment plus modeste de la rue de Rennes, espace sombre et exigu, au cinquième étage sans ascenseur, tandis que les querelles devinrent fréquentes. De cette époque prit naissance ce sentiment de revanche que Simone allait cultiver, rêvant de devenir un être d'exception, ce qui, pour elle, passait par le stade d'écrivain célèbre, le summum pour celle qui ne cessait de lire tout ce qui lui tombait sous la main. Pour cela, il fallait travailler bien, ce qui ne constitua pas un problème. L'élève surdouée de l'institut Sainte-Marie de Neuilly puis de la Sorbonne suivit un parcours sans faillir, choisissant la philosophie après son baccalauréat décroché haut la main. La licence passée – elle fut deuxième, derrière Simone Weil, mais devant Merleau-Ponty ! – elle passa sa maîtrise qu'elle consacra à Leibniz et fut enfin reçue, sans passer par les classes préparatoires, à l'agrégation, en 1928, avec le rang de deuxième, le premier étant un certain Jean-Paul Sartre, un jeune homme extrêmement laid, mais d'une intelligence prodigieuse, que Paul Nizan lui avait présenté, au jardin du Luxembourg, quelques mois plus tôt, et qui l'avait aussitôt subjuguée. Entre-temps, au désespoir de ses parents (de sa mère surtout), elle avait tout envoyé promener : la noblesse et les préjugés de classe, Dieu et la messe dominicale, l'idée de se marier et de faire des enfants. Sartre l'avait libérée de tout, avec lequel elle commença une liaison qui allait durer toute leur vie, mais réglée par un contrat stipulant qu'ils n'habiteraient jamais ensemble, qu'ils conserveraient leur liberté affective et sexuelle, de même que celle de penser et d'écrire, sans compter leur indépendance financière. C'était un couple, certes, mais sans les contraintes des couples ordinaires, ce qui permit à Simone de se définir ainsi, en multipliant les expériences amicales ou sexuelles : *Je n'ai jamais rencontré quelqu'un qui fût aussi doué que moi pour le bonheur.* Cela fut-il vrai ? Elle le crut, le dit et l'écrivit, ce qui est essentiel, et il est vrai qu'au sein de l'intelligentsia mondiale, ils formèrent un *couple modèle*, comme elle le dit elle-même : *Sartre répondait exactement au vœu de mes quinze ans ; il était le double en qui je me retrouvais.*

## Le Castor

Celle que, désormais, ses amis surnommaient *le Castor*, pour toutes sortes de raisons dont le fait que, en anglais, castor se dit *beaver,* mais aussi parce que cet animal *vit en bande et a l'esprit constructeur*, commença donc sa carrière d'enseignante au lycée Victor-Duruy, à Paris, en 1929, la poursuivit à Marseille, puis à Rouen, avant de revenir dans la capitale, au lycée Molière, jusqu'en 1939, année où elle en fut renvoyée pour avoir entretenu une liaison avec une de ses élèves, Bianca Bienenfeld, puisque, bisexuelle, elle alterna, pendant quelques années, des relations avec des filles comme avec des garçons. La guerre commençant, elle passa au service de la radio, où elle organisa des émissions consacrées à la musique et commença à écrire, dans le

Paris de l'Occupation, de préférence au Café de Flore, à Saint-Germain-des-Prés, parce que celui-ci était chauffé, contrairement à sa petite chambre d'hôtel. En 1941, elle y retrouve Sartre qui, après sa mobilisation, avait été fait prisonnier de guerre en Allemagne, avant d'être libéré. Entre deux pages, tous deux bavardaient avec les familiers du lieu, Adamov, Mouloudji, Picasso, Dora Marr, Jacques Prévert, Jean Genet et bien d'autres. Pendant et après l'occupation, elle allait publier successivement *L'Invitée* en 1943, *Le Sang des autres* en 1945, *Tous les hommes sont mortels* en 1946, le tout en fondant, avec Jean-Paul Sartre, Raymond Aron, Michel Leiris, Boris Vian et Maurice Merleau-Ponty, une revue d'avant-garde, *Les Temps modernes*, ayant pour but de faire mieux connaître l'existentialisme en littérature, ce mouvement philosophique cherchant à trouver un sens à l'absurdité d'un monde dans lequel l'homme n'a pas choisi de naître.

Désormais connue et reconnue, de surcroît très engagée en politique, à gauche naturellement, elle voyagea ensuite à l'étranger, à partir des années 1945, visita l'URSS, la Chine et Cuba, rencontra Mao Tsé-Toung, Fidel Castro et Che Guevara, et, aux États-Unis, vécut une intense et torride histoire d'amour avec l'écrivain Nelson Algren, que lui présenta Mary Guggenheim. Ce fut, avec Sartre, le deuxième homme de sa vie qui, peut-être plus que le premier, lui révéla une part de sa féminité qui lui était inconnue et, très certainement, la mit en condition physique et intellectuelle pour écrire *Le Deuxième Sexe*, ainsi qu'elle l'analysa : *Je m'étais mise à regarder les femmes d'un air neuf et j'allais de surprise en surprise. C'est étrange et c'est stimulant de découvrir soudain à quarante ans un aspect du monde qui crève les yeux et qu'on ne voyait pas.* Celui-ci la mit en lumière dès lors qu'elle y posa les fondements du féminisme égalitaire, de même que d'autres essais, comme *Privilèges* en 1955 ou *Faut-il brûler Sade ?* en 1972, hommage d'une rebelle à un rebelle. Désormais lancée, elle publie ensuite, en 1954, *Les Mandarins*, inspiré de sa liaison américaine, qui lui vaut de recevoir le prix Goncourt, partage sa vie, de 1952 à 1959, avec le journaliste et cinéaste Claude Lanzmann, avec lequel elle connaît quelques nouvelles années de bonheur, et commence déjà son autobiographie, *Mémoires d'une jeune fille rangée*, publiée en 1958, qui, à nouveau, va accroître sa notoriété, de même que d'autres ouvrages, parmi lesquels *La Force de l'âge* en 1960, *Une mort très douce* en 1964, ou *Tout compte fait* en 1972, sans oublier, après la mort de Sartre, *La Cérémonie des adieux*, publié en 1980. Parfois elle retraverse l'Atlantique pour retrouver Nelson et parfois c'est lui qui vient à Paris, mais tout épris d'elle qu'il soit, il n'accepte pas de sa relation avec Sartre, ce qui aboutit à leur séparation.

Dans tous ses textes, à la désespérance existentialiste de Sartre, elle donne un aspect humain qui, peut-être, constitue justement sa rébellion la plus forte contre son milieu, puisqu'elle justifie son engagement politique, d'une part à l'extrême gauche et, d'autre part, dans le mouvement féministe dont elle devient l'incarnation. Jamais démodé, ce combat est toujours d'actualité, même si, aujourd'hui, il ne se concentre plus sur le quartier de Saint-Germain-des-Prés, mais bien dans l'ensemble du monde. Il est vrai que si les causes que Sartre a défendues jusqu'au bout, depuis la guerre d'Algérie jusqu'à Mai-68, n'aboutirent pas, la principale que défendit Beauvoir, le féminisme, a, grâce à elle et ses amies, nettement progressé, même si, quelques décennies après sa disparition, des inégalités ou des injustices demeurent. Parmi les dernières actions de la rebelle se situe la publication, par le *Nouvel Observateur*, en 1970, du *Manifeste des 343 salope*s, donnant la liste des femmes célèbres qui ont avorté et qu'elle signe avec, entre autres, Delphine Seyrig, Françoise Sagan, Catherine Deneuve et Marguerite Duras. Mais après le départ de Jean-Paul Sartre, qu'elle accompagne jusqu'à sa dernière demeure, au Père-Lachaise, au milieu quelque 500 000 personnes, quelque chose se casse en elle, qui dit alors : *Maintenant, les heures trop courtes me mènent à bride abattue vers ma tombe.*

Simone de Beauvoir meurt, à l'hôpital Cochin, le 20 mars 1986, six ans moins un jour après Sartre, entourée de sa fille adoptive Sylvie Le Bon-Beauvoir et de Claude Lanzmann, et repose au cimetière du Montparnasse aux côtés de son âme sœur, avec, sur sa tête, son célèbre turban et, à son doigt, la bague que lui avait offerte son amant américain Nelson Algren. Un extrait de *La Force des choses* est lu, devant sa tombe, par Claude Lanzmann : *Oui, le moment est venu de ne dire jamais plus ! Ce n'est pas moi qui me détache de mes anciens bonheurs, ce sont mes anciens bonheurs qui se détachent de moi.* Élisabeth Badinter prononce alors cette phrase magnifique : *Femmes, vous lui devez tout.*

Mais le mot de la fin, on ne le doit qu'à elle, l'aristocrate rebelle. C'est une phrase qui la décrit, qui la dépeint et qui demeure sa signature pour l'éternité : *Une femme libre est exactement le contraire d'une femme légère.*

# Nelson Mandela

## (1918-2013)

# Le prisonnier libérateur

En faisant scintiller notre lumière, nous offrons aux autres la possibilité d'en faire autant. **Nelson Mandela**

*Ne jugez pas un homme tant que vous n'avez pas marché deux lunes d'affilée dans ses mocassins*, me dit Michael Jackson lors d'un voyage initiatique au cœur de l'Afrique où il m'avait demandé de l'accompagner. C'était en 1992. Entre une descente du fleuve Ogooué, où je communiais dans le souvenir de Pierre Savognan de Brazza, une exploration de la forêt gabonaise ou une rencontre avec les Pygmées, la star planétaire m'avait confié ses préférences esthétiques, ses choix spirituels, son amour de l'histoire, son admiration pour Michel-Ange et Léonard de Vinci, mais aussi le culte qu'il vouait à l'aristocrate rebelle qu'il avait rencontré sur la terre d'Afrique : Nelson Mandela. Michael Jackson au Gabon, c'était Peter Pan en Afrique. Tout son périple fut placé sous le signe de la communion et de la rencontre, qu'il se retrouvait dans l'émeraude de la forêt ou l'or de la savane.

*La plus belle des vies privées est à l'intérieur de soi.* Ainsi avait parlé, sous son chapeau noir, avec ses lunettes fumées, sa chemise écarlate, ses pantalons sombres, celui qui parcourait la planète avec la tribu cathodique et l'Afrique à ses trousses. Entre les bois précieux encore debout, l'or des rivières, la chair verte de la sylve qui faisait contraste avec la latérite, cette terre glaise rouge, il s'était avancé dans les pas de ses ancêtres en partant de Libreville où une cargaison d'esclaves avait retrouvé la liberté sur ce rivage où se dressait autrefois le fort d'Aumale et où l'attendaient, en scandant son nom, les élèves vêtus de bleu et de blanc du lycée d'État de l'Estuaire. Prémonition ou hasard ? L'Américain Michael Jackson avait débarqué en Afrique à l'endroit même où, un an plus tard, eut lieu une rencontre politique on ne peut plus symbolique : *Africa-America.* Ce sommet se proposait d'examiner la richesse des apports réciproques de ces deux continents depuis le début de leur histoire commune, où la musique a joué un si grand rôle. Ce fut avec une expression séraphique, une douceur exquise, et toute la malice concentrée dans le sourire de ses yeux que Michael Jackson rencontra les Africains et communia avec les danseurs. À Franceville, devant le groupe Empire de Djogo, il fut saisi de soubresauts bien qu'il fût assis à la tribune officielle. On sentait que dans la danse la parenté est demeurée absolument intacte. Les deux phrases les plus belles qu'il m'ait dites lors de ce périple au cœur de l'Afrique, je ne les ai jamais oubliées. La première fut : *Un homme sans culture, c'est un zèbre sans rayures* ; la seconde : *Quand les branches se disputent, les racines se réconcilient.* Je ne lui dois pas seulement ces phrases belles comme des images, je dois aussi à Michael Jackson de m'avoir amené à un prophète de sang royal : Nelson Mandela. *Quelle impression a-t-il produit sur toi quand tu l'as rencontré pour la première fois ?*, lui demandais-je.

Il me répondit : *On ne peut qu'être impressionné par un homme qui, après vingt-sept années de prison, dégage une telle sérénité. Alors qu'il est le plus grand des démocrates, moi, je l'ai trouvé royal.*

## Un avocat sud-africain

Rolihlahla, dit, plus tard, Nelson Mandela naît le 18 juillet 1918 au village de Mvezo, près de la rivière Mbashe, dans la province du Cap oriental. Le prénom qu'on lui donne annonce ses futures luttes, puisqu'il signifie tout à la fois *enlever une branche d'un arbre* et *fauteur de troubles*. Il est, effectivement, de sang royal, puisque sa famille, issue de l'ethnie Xhosa, a régné sur une partie du Transkei. Son arrière-grand-père paternel était Inkosi Enkhulu, c'est à dire roi du peuple thembu. Son père, Rolihlahla Gadla Henry Mphakanyiswa, petit-fils du précédent, était chef du village où son fils naquit. Bien que s'étant opposé aux colons britanniques, il fut destitué de sa charge et exilé au village de Qunu. Il n'en joua pas moins un rôle important auprès du roi son cousin, dont il fut l'un des plus proches conseillers, et qui lui-même adopta le futur Mandela, après la mort de ce père, dont il était l'un des treize enfants nés de ses quatre épouses. L'enfant est le premier de sa lignée à fréquenter l'école, où son institutrice, miss Mdingane, change son prénom en celui de Nelson, afin de le rendre plus britannique, mais sans pouvoir expliquer pourquoi elle avait choisi le patronyme de l'amiral qui donna tant de fil à retordre à Napoléon. Excellent élève, il est facilement reçu au *junior certificate* et poursuit ses études à l'université de Fort Hare, la seule, à cette époque, acceptant les Noirs en Afrique du Sud. Parallèlement, il y développe la pratique de la boxe et de la course à pied et adhère assez rapidement au parti communiste sud-africain, ce qui ne l'empêche pas, sa vie durant, de demeurer un chrétien convaincu. Subissant l'influence de Gandhi, qui avait commencé ici-même sa carrière de leader pacifique, celui que les clichés représentent comme un grand et beau jeune homme aux traits déjà charismatiques, fait montre, toutefois, de la doctrine de la non-violence, ce qui, déjà, donne à son futur combat une connotation très personnelle, pour tout dire une vision, souvent contestée par ses amis, qui n'appartient qu'à lui. Encore étudiant, il commence ainsi à jouer un rôle actif dans la lutte contre le colonialisme britannique dans les années qui précédent, en Europe, le déclenchement de la Seconde Guerre mondiale, même s'il ne compte pas parmi les militants les plus radicaux, puisque, à ses débuts, il n'est pas hostile au maintien de l'Afrique du Sud dans l'Empire britannique, ses revendications concernant davantage le statut social des Noirs que l'avenir du pays. Élu membre du conseil représentatif des étudiants, il en démissionne pour protester contre le système, ce qui lui vaut d'être exclu de l'université, et s'installe alors à Johannesburg, où il exerce l'emploi, relativement moderne, de gardien dans une mine. Mais son employeur met fin à ce contrat dès qu'il apprend qu'il est le fils adoptif d'un roi. Il intègre alors le cabinet d'un avocat de la capitale du Transvaal, ce qui lui permet d'achever sa licence en droit à l'université du Witwatersrand et de devenir avocat lui-même, et le premier de cette ville à être noir, avec son collègue et associé Olivier Tambo. Parallèlement, il fonde sa famille en épousant la ravissante Evelyn Ntoko Mase, qui lui donne bientôt deux fils et deux filles. Le couple va divorcer en 1957 et Mandela se remarie avec Winnie Madikizela, qui va lui donner deux autres filles. Un troisième mariage – célébré le jour de ses quatre-vingt ans ! – va enfin l'unir à Graça Machel, veuve du président du Mozambique.

Maître du barreau et de la cause des Noirs, il commence, dès les années 1940, à s'imposer au Congrès national africain, en luttant contre les différentes formes de ségrégation raciale, dont souffrent ses contemporains et qui, à partir d'une loi promulguée en 1948, sont regroupées sous le titre d'*apartheid*, un système renouvelant les anciennes et les nouvelles interdictions dont les Noirs sont les victimes, parmi lesquelles l'interdiction de fréquenter certains lieux publics ou privés, comme les cafés, les jardins publics ou les plages, de posséder des terres, de contracter des unions mixtes et l'obligation de porter toujours sur soi un passeport intérieur, sous peine d'être arrêté et déporté ! Ceci constitue l'une des réglementations parmi les plus révoltantes au monde, et d'autant plus injustifiable qu'elle naît au moment où, en Europe, vient enfin d'être anéanti ce IIIᵉ Reich qui s'était construit sur le concept de racisme et avait tenté de l'imposer par la force. À ce système qui, désormais, fixe le statut juridique de l'individu au statut racial et non à la nationalité sud-africaine, il riposte, toujours fidèle au message de Gandhi, par la désobéissance civile et les manifestations, cette même année où il est élu président de l'ANC (African National Congress) du Transvaal, qu'il réorganise en l'ouvrant aux Indiens et même aux Blancs partageant ses valeurs et ses combats. De ce jour, il ne va cesser de prêcher l'unité de tous les opposants à l'*apartheid,* quelles que soient leurs idées politiques, leurs opinions confessionnelles ou leur couleur de peau. Toutes proportions gardées, ce fut ce principe qui, en Europe, avait uni les différents mouvements de résistance au fascisme. Sa participation au Congrès du Peuple qui, en 1955, adopte une *charte de la liberté*, lui vaut, avec quelque cent cinquante camarades, le 5 décembre 1956, une première arrestation, assortie d'un procès pour trahison, qui s'achève par un acquittement en 1961, non pas sur le fond mais sur la forme en raison d'un vide juridique. Entre-temps, en 1960, Nelson Mandela brûle publiquement son passeport intérieur, ce qui, naturellement, est considéré comme une provocation.

À compter de cette année, l'avocat rebelle rompt avec la non-violence pour commencer un combat plus musclé. Ainsi, en 1961, il lance une première grève générale, coordonne des campagnes de sabotage et prône la révolution armée contre le gouvernement sud-africain, tout en demandant à ses troupes de ne pas tuer leurs adversaires. Lui-même reçoit une formation militaire dispensée par la jeune nation algérienne, qui vient d'accéder à l'indépendance et entre dans la clandestinité pour avoir les mains plus libres en matière de lutte armée. Désormais considéré comme le chef d'une organisation terroriste, Nelson Mandela finit par être arrêté, le 5 août 1962, incarcéré au fort de Johannesburg, jugé et, le 11 juin 1964, avec plusieurs de ses camarades, condamné à la détention à perpétuité, à défaut la peine de mort requise, mais que, sur pression internationale, la justice sud-africaine n'ose pas lui appliquer, le procès étant condamné par le Conseil de sécurité des Nations unies, ce qui entraîne l'embargo sur les ventes d'armes au régime de Pretoria. D'un côté, celui-ci peut se féliciter d'avoir décapité le mouvement de contestation de l'*apartheid*; de l'autre ce qu'il gagne d'un côté, il va le perdre de l'autre, puisque l'interminable réclusion de Mandela va finir par jouer en sa faveur, un peu comme celle de Napoléon à Sainte-Hélène.

Reste que les presque trente années que Mandela va passer en captivité, dans la prison de Robben Island, sous le matricule 46664, seront dures, très dures même. D'abord parce qu'il travaille dans une carrière de chaux, où sa santé va considérablement s'altérer, sa vue en particulier, très dégradée par la poussière provocant des kératites. Ensuite parce que le règlement est draconien : peu de nourriture, moins d'avantages que les prisonniers de droit commun ; une visite et une lettre tous les six mois à peine ; une cellule exiguë ; des humiliations de toutes sortes, comme l'habitude, contractée par les gardiens, d'uriner régulièrement sur les prisonniers dont ils ont la charge. Avec une infinie patience, Mandela n'en parvient pas moins, au fil du temps, à dialoguer avec eux, à apprendre leur histoire et leur culture. En agissant ainsi, il ne se conforme pas seulement aux préceptes de Gandhi, mais à la compréhension de la complexité du peuple que, plus tard, il va gouverner. Pour lui, les gardiens afrikaners sont, comme leurs prisonniers, les victimes du même système. En cela réside la singulière force qu'il acquiert en prison, de même que son étonnante sérénité qui, le moment venu, va frapper le monde.

Reste que les gouvernements successifs d'Afrique du Sud ne manifestent pas la même sagesse ! Plusieurs tentatives d'évasion de Mandela sont envisagées avec le désir, à peine dissimulé, de profiter de l'occasion pour l'abattre et mettre ainsi fin à celui qui devient aux yeux du monde entier comme le symbole le plus visible d'un *apartheid* que récusent non seulement les Noirs mais aussi un nombre croissant de Blancs, en partie chez les jeunes générations. Un premier compromis est trouvé en 1971 : Mandela quitte la carrière de chaux pour le ramassage du guano, considéré comme moins pénible. Il n'empêche, cette même année, l'Assemblée générale des Nations unies, à New York, déclare que l'*apartheid* constitue un crime contre l'humanité et donc le condamne formellement. Cinq ans plus tard, le ministre des Prisons, Jimmy Kruger, est le premier membre du gouvernement à rendre visite à celui qui, désormais, compte parmi les plus célèbres prisonniers au monde, et lui propose d'être libéré, à la condition qu'il se fixe au Transkei, ce qu'il refuse. Or, les Nations unies exigent à présent la libération de tous les prisonniers politiques sud-africains, dont le nombre augmente significativement après les émeutes de Soweto. Plus le nombre de condamnations internationales se multiplient, plus la situation de Mandela se détériore, qui est mis à l'isolement carcéral, privé de toute communication avec l'extérieur. Encore quatre années et il se voit transféré à la prison de Pollsmoor, près du Cap, officiellement pour permettre une négociation avec le gouvernement, officieusement pour l'éloigner des jeunes prisonniers noirs l'ayant rejoint dans ce qu'ils appellent l'*université Mandela*, et donc de les couper de lui. Il est vrai que les attentats contre le régime se multiplient et sont de plus en plus sanglants, ce qui conduit le président Botha, en 1985, à proposer à Mandela sa libération en échange du renoncement à la lutte armée. Il refuse. L'année suivante, son sort est cependant adouci, puisque, en 1986, une villa avec piscine lui est affectée dans le périmètre de la prison de Paarl, près du Cap.

Les manifestations de soutien à Mandela commencent à se faire plus fortes et plus nombreuses. En 1985, lui est attribué le prix Ludovic-Trarieux pour son engagement en faveur des droits de l'homme, que l'une de ses filles vient chercher en son nom. Le 11 juin 1988, un concert, à l'occasion de ses 70 ans, est regardé par plus de six cents millions de téléspectateurs dans le monde, tandis que l'URSS émet un timbre à son effigie. Emporte-t-il la décision ? Le 7 décembre de cette même année, celui qu'on appelle désormais *le plus vieux prisonnier au monde* est enfin libéré ou, tout au moins, autorisé à rentrer chez lui pour y être assigné à résidence surveillée. C'est le commencement de la fin d'une réclusion ayant révolté le monde entier.

## Des portes de la prison à celles du pouvoir

Le 11 février 1990, l'homme qui quitte la prison y a passé vingt-sept ans, soit l'équivalent de plus d'une génération, ce qui en fait un cas dans l'histoire. Sa libération effectuée, Mandela ne cherche en rien à se venger des mauvais traitements endurés, mais, au contraire, fidèle à ses convictions profondes, prône le dialogue, la négociation et la réconciliation des Sud-Africains, les blancs comme les noirs, en donnant l'ordre, demeuré célèbre : *Jetez dans la mer vos fusils, vos couteaux et vos machettes.* Ceci lui vaut de recevoir, en 1993, le prix Nobel de la paix, avec le président de Klerk, qui s'est associé à sa démarche pacificatrice, pour avoir mis fin au régime de l'*apartheid*, conjuré le spectre d'une guerre civile et mis sur les rails une nouvelle Afrique du Sud enfin démocratique, en vertu de la nouvelle constitution proclamée en 1990. Tout au long de ces années, celui qui, si longtemps, a dû se contenter d'un minuscule espace carcéral, voyage de par le monde, rencontrant les principaux hommes politiques de la planète.

Le 27 avril 1994, l'ancien militant est élu président d'Afrique du Sud, étant le premier Noir à exercer cette fonction. Le jour de son investiture, à Pretoria, il prononce le célèbre *Free at Last* (enfin libre) de Martin Luther King, avant de prêter serment et de célébrer la fin de l'*apartheid*. L'Afrique du Sud réintègre le giron de la communauté internationale, même si, naturelle-ment, tous ses problèmes ne sont pas résolus, en particulier celui de la misère des populations noires, celui de la corruption et celui de la propagation du sida. Son chef a néanmoins non seulement redonné la fierté à ce pays, mais encore normalisé ses relations avec les autres nations et montré que l'espoir, en politique, n'est pas toujours une utopie, qu'il peut se concrétiser en réalité. Le président Mandela, dont les médias du monde entier immortalisent la haute taille, l'élégance naturelle et le sourire charmeur, dans ses voyages officiels, avec la reine Elizabeth II à Buckingham Palace ou à la Maison Blanche avec George W. Bush, avec Fidel Castro à Cuba ou Jacques Chirac à Paris, à New York avec Kofi Annan, futur secrétaire général des Nations unies et noir lui aussi, est alors l'un des hommes les plus respectés et admirés. Au terme de son premier mandat, il ne sollicite pas son renouvellement en raison de son âge et se retire alors de la vie publique, continuant toutefois à jouer un rôle moral dans l'évolution de l'Afrique du Sud, jusqu'à sa mort, survenue des suites d'une infection pulmonaire, le 5 décembre 2013 dans sa demeure de Johannesburg, à l'âge de 95 ans. Cinq jours plus tard, au stade de Soweto, ses funérailles nationales accueillent une centaine de chefs d'État et de gouvernements venus rendre hommage au dernier aristocrate rebelle de notre siècle, dont la conscience continue d'illuminer celle de l'humanité.

# ÉPILOGUE

# « La force du destin »

Le caractère est la vertu des temps difficiles.
**Charles de Gaulle**

L e 27 juillet, date anniversaire de la bataille de Bouvines, est une journée propice à faire rêver un adolescent dont l'histoire est la passion. C'est ce jour-là, en 1905, que le jeune Charles de Gaulle met la dernière main à un texte qu'il a intitulé *La Campagne d'Allemagne*. Aussi impressionnantes que prémonitoires, ces pages annoncent déjà une âme rebelle. Nous avons chacun un passé simple, une enfance ou un enseignement dont les leçons sont claires :

Petit Lillois à Paris, *écrit Charles de Gaulle dans ses* Mémoires, rien ne me frappait davantage que le symbole de nos gloires, nuit descendant sur Notre-Dame, majesté du soir à Versailles, Arc de Triomphe dans le soleil, drapeaux conquis frissonnants à la voûte des Invalides.

Très jeune, Charles de Gaulle a déjà la nostalgie du futur. *Le grand Charles* se projette dans son imagination d'enfant, se mettant en scène sans complexe à la troisième personne. Il présage de demain avec un style digne des grands faits d'hier. Dans *Campagne d'Alle-magne*, qu'il écrit à quatorze ans, il commente ainsi ce qu'il sent venir :

En 1930, l'Europe, irritée du mauvais vouloir et des insolences
du gouvernement, déclara la guerre à la France. (...)
En France, l'organisation fut faite très rapidement.
Le général de Gaulle fut mis à la tête de 200 000 hommes
et de 518 canons.

Mais Charles de Gaulle, fils de professeur, saura non seulement respecter le passé mais aussi contrarier le présent, devenant ainsi un maître à destinées, capable de paradoxes et les multipliant. Il est dans le droit-fil de la tradition qui est de perpétuer en inventant sans cesse. Par son grand style, il entre dans la famille éternelle de la littérature française, drapé dans la cape d'Alfred de Vigny ou ébouriffé par le vent de l'Histoire comme le vicomte de Chateaubriand amoureux des *orages désirés*. Alfred de Vigny, né à Loches en Touraine, a dit : *Seul le silence est grand tout le reste est faiblesse*, Charles de Gaulle écrit dans *Le Fil de l'épée* : *Rien ne rehausse mieux l'autorité que le silence, splendeur des forts…* Dire oui à la grandeur du silence pour Charles de Gaulle, ce n'est pas renoncer au verbe qui incite à l'action, comme il s'en explique dans *Mémoires de guerre* : *Je parle. Il le faut bien. L'action met les ardeurs en œuvre. Mais c'est la parole qui les suscite.*

Il sait aussi faire sécession et aime à citer de ces auteurs dont l'orgueil est devenu une armure comme Villiers de l'Isle-Adam qui écrivait : *Je m'estime peu quand je m'examine ; beaucoup, lorsque je me compare.* Ou encore : *En sa poitrine porter sa propre gloire.* Ces deux phrases n'annoncent-elles pas déjà les premiers vrais autoportraits d'un aristocrate rebelle nommé Charles de Gaulle ?

Jeune journaliste au *Figaro*, j'étais allé écouter l'amiral de Gaulle me parler de son amour de l'histoire de France. Il m'avait reçu avec une exquise courtoisie et son bonheur d'évoquer le passé n'était pas feint. Sa façon de conter les origines de sa famille m'avait émerveillé. Que le fils du héros de la France libre montre un tel talent à remonter le temps me comblait de joie. Il savait d'instinct redonner toute sa jeunesse à la vieille France. Et l'idée que ce fût un grand marin qui me guidât dans son arbre généalogique avait tout pour me plaire puisque c'était dans la forêt de Troncais que Colbert faisait abattre les arbres pour construire les bâtiments de la Royale et les frégates de la monarchie.

J'ai retrouvé dans les écrits de l'amiral la teneur de notre conversation :

On tient pour vraisemblable dans ma famille que, en 1210 ou en 1212, Richard de Gaule a reçu de Philippe Auguste un fief situé à Elbeuf-en-Bray. Deux siècles plus tard, le 21 septembre 1406, le duc d'Orléans charge le chevalier Messire Jean de Gaule, gouverneur d'Orléans, de passer la Seine avec une troupe d'arbalétriers et cinq cents hommes armés de pied en cap pour prendre Charenton.
En 1412, apprenant l'arrivée du duc de Bourgogne à Pontoise, les partisans du duc d'Orléans tiennent conseil. Le sire de Gaule est parmi eux. Il a la garde de la porte de Saint-Denis, au début de février 1413, lorsque le duc de Bourgogne croit pouvoir entrer à Paris, le samedi suivant, et se heurte à des

portes closes. En 1415, lors de la bataille d'Azincourt, le sire de Gaule est posté avec un millier d'hommes d'élite afin de disperser les archers anglais qui ont déjà engagé le combat. Le 9 septembre 1417, le roi d'Angleterre Henri V, qui a débarqué à Touques avec 20 000 hommes, s'empare de Caen, entre dans le bocage et prend Falaise. Le sire de Gaule, partisan des Armagnac et gouverneur de Vire pour le roi de France, tente de dégager sa ville et marche vers Saint-Lô, repoussant les Anglais jusqu'à Carentan. Mais bientôt, pris à partie par tout le gros de l'armée ennemie avec les ducs de Glouchester et de Clarence, et le comte de Salisbury, il est de nouveau rejeté dans Vire avec une faible garnison et obligé de capituler le 21 février 1418, à bout de ressources après un siège de plusieurs mois et plusieurs jours d'assaut. Le texte de la capitulation assure à Jean de Gaule la faveur du roi d'Angleterre s'il accepte de le servir. Celui-ci choisit de rester fidèle au roi de France. Ainsi voit-on que dans cette noble lignée primait déjà l'esprit de fidélité à ce qu'on appellera plus tard la nation !

L'amiral explique alors comment Jean de Gaule, ses terres confisquées, est contraint à l'exil. Son ancêtre quitte alors la Normandie et se rend en Bourgogne en 1419 :

À partir de 1424, à Cuisery, en Bourgogne, sans qu'on puisse établir de façon précise leur filiation et leur parenté, on trouve trace successivement d'un Pierre de Gaules, écuyer depuis 1405 ; et qui fait partie de a garnison du château ; d'un Jehan de Gaules qui a participé au siège du château de Chinon en 1412 et s'est battu à Châtillon-sur-Seine en 1414 ; d'un Girard de Gaule âgé de 60 ans en 1525 ; d'un autre Jehan de Gaules, recteur et maistre de l'hôpital en 1545, d'un Nicolas de Gaulles, greffier et notaire qui épouse Florence de Ganay en 1549. Retenons encore un Gaspard de Gaulle, nommé en 1573 capitaine châtelain par Charles IX qui s'adresse à lui comme à un chevalier, et dont le fils, portant le même prénom, seigneur de Romilly et de Plainchamp, fut capitaine au régiment de la reine. C'est avec François de Gaulle, anobli en 1604, décédé entre 1607 et 1610, que commence notre ascendance familiale de façon directe et continue, ainsi que l'attestent registres paroissiaux, arrêts des parlements et extraits notariaux.

Récemment, j'ai eu l'honneur de rencontrer Yves de Gaulle, fils de l'amiral et petit-fils du général. Son livre, *Un autre regard sur mon grand-père*, commence par une confession :

Je venais d'avoir dix-neuf ans quand il est parti.
Il n'y a pas eu depuis, un seul jour, sans que je pense à ce héros qui était aussi mon grand-père, lointain et si proche, au hasard d'un souvenir, d'une image, d'une réflexion. J'ai voulu écrire ce témoignage non pas pour raconter mais pour donner mon regard : celui évidemment d'un petit-fils sur son grand-père, Charles de Gaulle, personnage hors de toutes les séries, aux multiples aspects, mais aussi celui de quelqu'un qui s'interroge encore. Ce que j'ai vu, senti, compris de lui achoppe toujours sur un mystère, non de ce qu'il a fait, mais celui de sa manière de réfléchir. Comment faisiez-vous, grand-père, pour appréhender le monde, comprendre ses ressorts, modifier, un peu, ses contours dès qu'il s'agit de la France, de l'homme et de son essor ?

Yves de Gaulle me confie alors combien il est à juste titre épaté par son modèle :

J'avais devant moi beaucoup mieux : un personnage
plein de tragédies, qui allait plus loin que la littérature car je
pouvais le toucher, un rebelle permanent sans cesse confronté
à l'inachevé, qui avait la figure tutélaire, stable et imposante
d'un grand-père ; un romantique raisonné qui ne croyait pas
à la mort de la France et l'a réveillée par l'énorme
transgression du discours.

Le jour du Salon du livre à Versailles, j'entraînai Yves de Gaulle dans un pub pour revivre le souvenir des retrouvailles du général de Gaulle avec ses racines irlandaises et boire en son honneur un irish-coffee. Je tenais à lui dire combien pour moi son grand-père faisait partie du glorieux cortège de ceux que j'appelle les aristocrates rebelles. Il n'eut même pas besoin de me répondre, il se contenta d'approuver en désignant la page 17 de son livre :

Vous êtes, grand-père, un irréductible rebelle.
Cela me fascinait. On l'a dit tant de fois. Cet air connu fixe
l'une des lignes instrumentales de la symphonie de Gaulle.
Et avec quel contraste dans l'apparence ! La figure imposante,
hiératique, habillée de sombre et déjà nimbée par l'histoire en
imposait à l'adolescent que j'étais, mais je percevais aussi
 votre regard de braise, camé sur l'observation permanente
 de la réalité, cherchant sans cesse à travers es apparences,
 à contester le déjà-pensé. Vous aimez prendre à rebrousse-poil,
les hommes et les choses.

J'avais vingt ans en mai 1968 et comme Yves de Gaulle je n'ai jamais oublié cette incroyable révélation adressée un mois plus tard, le 7 juin, par le général à Michel Droit :

Et moi, je ne suis pas gêné... d'être un révolutionnaire, comme je l'ai été si souvent : en déclenchant la Résistance, en chassant Vichy ; en donnant le droit de vote aux femmes et aux Africains ; en créant à la Libération, par les comités d'entreprise, par les nationalisations, par la Sécurité sociale, des conditions sociales toutes nouvelles ; en invitant le peuple et en obtenant de lui qu'il nous donne des institutions valables ; en lui constituant une monnaie qui lui soit, à la fin des fins solide ; en réalisant la décolonisation, en changeant un système militaire périmé en un système de dissuasion et de défense moderne ; en obtenant le commencement de la libération des Français du Canada ; en entamant un processus d'union de l'Europe par le rapprochement de l'Est, du Centre et de l'Ouest ; en favorisant l'avènement des pays sous-développés. Oui ! Tout cela c'était révolutionnaire ; et chaque fois que j'agissais dans ces différents domaines, eh bien ! je voyais se lever autour de moi une marée d'incompréhensions, de griefs et quelque fois de fureur. C'EST LE DESTIN.

À Beauchesne,
le premier jour de l'été 2017

# TABLE

# Du même auteur

Qui est snob?, pamphlet, 1973, Calmann-Levy
Athanase ou la Manière bleue, roman, 1976, Julliard
Le Romantisme absolu, essai, 1978, Stock
Ligne ouverte au cœur de la nuit, document, 1978, Robert Laffont
La Nostalgie camarades! Histoire des rêves français en 1970 et 1980,
1982, Albin Michel
Les Histoires de l'Histoire, récits, 1987, Michel Lafon

**Trilogie: l'Histoire de France en trois dimensions:**
Les Dynasties brisées ou le Tragique destin des héritiers
du trône de France (1992), Les Aiglons dispersés (1993),
Les Septennats évanouis ou le Cercle des présidents disparus (1995),
Jean-Claude Lattès

Desaix, le sultan de Bonaparte, biographie, 1995, Prix Dupleix 1996,
Librairie académique Perrin
Les Égéries russes, récit, 1994, Jean-Claude Lattès
Les Égéries romantiques, récit, 1996, Jean-Claude Lattès
Romans secrets de l'Histoire, récit, 1996, Michel Lafon
Alfred de Vigny ou la Volupté et l'honneur, biographie,
Prix du Bicentenaire, 1998, Grasset
Les Larmes de la gloire, 1998, Anne Carrière
Agnès Sorel, beauté royale, 1998, Éditions de la Nouvelle République
Je vous aime, inconnue, Balzac et Eva Hanska,
Prix Cœur de France, 1999, Nil
Le Bel Appétit de Monsieur de Balzac, Prix Gourmand, 1999, Le Chêne

**La Trilogie impériale:** Le Sacre…et Bonaparte devint Napoléon (1999),
Les Vingt Ans de l'Aiglon (2000), Le Coup d'éclat du 2 Décembre (2001),
Tallandier

La Grande vie d'Alexandre Dumas, Prix de l'Art de vivre, 2001, Minerva
Les Vieillards de Brighton, roman, Prix Interallié, 2002, Grasset
Mes châteaux de la Loire, carnet de voyage, 2003, Flammarion
Les Princes du romantisme, essai, 2003, Robert Laffont

L'Éducation gourmande de Flaubert, 2004, Minerva
Sur les pas de George Sand, carnet de voyage, 2004,
Les Presses de la Renaissance
Sur les pas de Jules Verne, carnet de voyage, 2005,
Les Presses de la Renaissance
Léonard ou le Génie du roi au Clos Lucé, 2005, CLD
L'Enfant de Vinci, Prix des Romancières, 2005, Grasset
Sur les pas de Léonard de Vinci, carnet de voyage, 2006,
Les Presses de la Renaissance
La Fayette, biographie, 2006, Télémaque
Histoires d'Été, récits, 2007, Télémaque
Les Romans de Venise, essai, 2007, Le Rocher
Marie, l'ange rebelle, roman, 2007, Belfond
François Ier et la Renaissance, biographie, 2008, Télémaque
Henri IV et la France réconciliée, biographie, 2009, Télémaque
La Malibran, la voix qui dit je t'aime, roman, 2009, Belfond
Au paradis avec Michael Jackson, essai, 2010, Presses de la Cité
Alfred de Musset, biographie, 2010, Grasset
Balzac, une vie de roman, biographie, 2010, Télémaque
Rosa Bonheur : Liberté est son nom, Prix Geneviève-Moll
de la Biographie, 2012, Robert Laffont
Les châteaux de la Loire vus par Gonzague Saint Bris, 2011, Hugo & Cie
En tête à tête avec Victor Hugo, 2012, Édition Gründ
Louis XIV et le Grand Siècle, biographie, 2012, Télémaque
Marquis de Sade, l'ange de l'Ombre, biographie, 2013, Télémaque
En tête à tête avec George Sand, album, 2014, Gründ
Sade : Marquis de l'ombre, prince des lumières, album, 2014, Flammarion
Le Goût de Stendhal, essai avec les recettes de Guy Savoy,
Prix Archestrate, 2014, Télémaque
Louis XI, le Méconnu, biographie, 2015, Albin Michel,
Grand Prix spécial du jury Hugues-Capet 2016
Un ruban de rêve, Steinkis, 2016
Déshabillons l'Histoire de France, Prix de l'Aventure Amoureuse,
Prix du Livre de l'été, 2017, XO